LA NUIT ET
LE MOMENT

suivi de

LE HASARD
DU COIN DU FEU

CRÉBILLON FILS

LA NUIT ET
LE MOMENT

suivi de

LE HASARD
DU COIN DU FEU

Édition établie par
Jean DAGEN

GF-Flammarion

© Flammarion, Paris, 1993, pour cette édition.
ISBN 2-08-070736-1

INTRODUCTION

Sans érotisme, pas de pensée.

Remy de Gourmont

L'intérêt renouvelé que prend notre temps à l'œuvre de Crébillon fils fait à ses éditeurs le devoir d'en chercher les raisons. C'est naturellement de connaître la situation et la singularité de cette œuvre dans son époque qu'il nous deviendra possible d'appréhender les motifs de son succès présent. Plus nous nous prêtons à lire Crébillon dans le XVIIIᵉ siècle, plus clairement sa lecture nous parle du XXᵉ. Autant dire qu'il convient de se priver de lieux communs dont la banalité irriterait moins si elle n'induisait des effets pervers. A-t-on assez loué la légèreté de ces écrits, une grâce qui dispense de leur prêter quelque consistance ? N'a-t-on pas cultivé à l'excès et sans précaution la comparaison de cette littérature dite « libertine » avec une peinture qui ne le serait pas moins : *ut pictura poesis*, dit-on ; Crébillon comme Fragonard ou Boucher ? Au moins faudrait-il d'abord s'assurer du sens de ces peintures, réinterpréter, par exemple, les critiques de Diderot à l'adresse de Boucher. Est-il encore concevable de lire dans Crébillon fils une simple leçon d'hédonisme et de libéralisme amoureux, au risque de confondre l'auteur avec ses personnages, comme certaine aristocrate anglaise poursuivant un Versac dans le romancier des *Égarements*. Cet écrivain retiendrait moins notre attention s'il n'offrait que cette virtuosité et cette éthique de l'amour, heureusement alléguées, il est vrai, quand il s'agissait d'arracher l'œuvre à la semi-obscurité d'un second rayon. Ce n'est pas à la légère, on peut le croire, que l'Université française restitue la consistance de Crébillon fils, après l'avoir fait pour Marivaux et Laclos. La réponse d'un public nouveau semble prouver que ses livres atteignent des zones profondes de la sensibilité contemporaine.

De quoi donc est-il question dans les deux dialogues, *La Nuit et le Moment* et *Le Hasard du coin du feu*? Le sous-titre du second le laisse entendre : « dialogue moral ». Humour, dira-t-on? Sans doute, et l'humour n'élude pas son objet, il s'y attarde et désigne sans pathos les points névralgiques. Les dialogues donnent à méditer sur la morale de l'amour, ou plutôt ils proposent des expériences — le mot est dans *La Nuit* — sur le rapport de l'amour avec la morale, sur la compatibilité de l'amour et de l'exigence morale.

Pareille préoccupation ne surprend pas dans un temps où les philosophes travaillent de nouveau aux fondements de la morale. Devant les doctrines du sentiment moral et celles qui le nient, le système de l'amour-propre et le parfait relativisme, il apparaît à beaucoup nécessaire de se munir de principes — le mot est dans Crébillon et plusieurs de ses contemporains, du Père Buffier à Vauvenargues — en accord avec l'empirisme et le nominalisme modernes. La vingt-cinquième des *Lettres philosophiques* oppose Voltaire à Pascal, conflit essentiel, sur le terrain de la morale concrète. Le même Voltaire sait un gré particulier à Vauvenargues de poser, comme il le fait au livre III de son *Introduction à la connaissance de l'esprit humain*, la question « Du bien et du mal moral[1] ». Diderot et Rousseau commencent par là et si l'on note que Hume produit en 1751 son *Enquête sur les principes de la morale*, c'est aussi que le philosophe écossais s'intéresse particulièrement aux livres de Crébillon fils.

On privilégie donc alors la réflexion morale et plus

—————————
1. Voir notre édition de Vauvenargues, *Introduction à la connais-sance de l'esprit humain*, GF, 1981, p. 103.

précisément en ce qu'elle touche à la passion de l'amour, à sa nature, à ses effets psychologiques, aux comportements induits, à ses interférences avec la vie de société. A l'occasion de l'*Histoire du chevalier Des Grieux et de Manon Lescaut*, on se demande quelle morale opposer à la passion absolue : interrogation sur fond de théologie, point de vue qui n'est pas étranger à l'auteur de *L'Écumoire* et du *Sopha*. Les péripéties dramatiques de l'*Histoire de M. Cleveland* n'ont d'autre motif que l'amour : aventures de ce fils illégitime de Cromwell et de Fanny Axminster, malheurs de Bridge, frère également bâtard du héros, tentations libertines, tragédie de l'inceste, tout se résout dans la reconstruction d'une morale d'inspiration chrétienne. Le théâtre, les romans, les journaux de Marivaux sont tout nourris de psychologie amoureuse : les amours simultanées de Jacob du *Paysan parvenu* le mettent en position de délicatesse avec les règles les plus simples de la morale. On rappelle des données aussi connues de l'histoire littéraire seulement parce qu'elles illustrent la problématique d'une époque et parce que Prévost et Marivaux, principaux romanciers des années 30 et 40, hantent les livres de leur jeune émule, le fils de Crébillon le tragique.

On ne peut pas ignorer que les écrivains — les trois romanciers cités ci-dessus notamment — dont l'œuvre est centrée sur l'éthique et la psychologie de l'amour relèvent de la pensée dite « moderne », par opposition à celle des « anciens », partisans de la stricte doctrine classique et prompts à se rallier autour de la figure d'Homère. A l'exemple de Fontenelle[1] et selon la suggestion exposée par Charles Perrault dans le *Parallèle des Anciens et des Modernes*, il s'agit de cultiver un art nouveau de la « galanterie », galanterie qui « comprend toutes les manières fines et délicates dont on parle de toutes choses avec un enjouement libre et agréable[2] », qui permet de traiter de l'amour sans

---

1. En particulier dans les *Lettres galantes*.
2. Ch. Perrault, *Parallèle des Anciens et des Modernes*, t. III, 1692, p. 286.

tomber dans le tragique ou l'élégiaque. Perrault recommande de s'inspirer des œuvres burlesques ou parodiques. A côté de Voiture et Benserade, Molière et La Fontaine sont tenus pour d'excellents modèles. L'esprit de cette littérature s'affirme au travers de la critique des morales héroïques ou idéalistes : telles que les illustrent les poèmes d'Homère ou, dans une transposition récente, le *Télémaque* de Fénelon. Marivaux « travestit » l'un et l'autre, il indique surtout les exigences d'une psychologie plus vraisemblable que celle des héros homériques, tenant son objectivité et la finesse de ses analyses d'une méthode rationnelle d'accent incontestablement cartésien[1]. On peut parler d'un dessein réaliste, d'autant plus même que les sujets, les personnages et les sentiments mis en œuvre appartiennent désormais au monde contemporain : cela est vrai, par excellence de Marivaux, mais l'est tout autant, et dans un style plus radical, de Crébillon fils. Appliquées aux comportements amoureux, les analyses de ce dernier développent leur logique jusqu'à prendre en compte les phénomènes que privilégient, dans leurs interprétations, des auteurs proches du matérialisme : La Mettrie ou le d'Argens de *Thérèse philosophe*.

Il va sans dire qu'en même temps qu'elle présente un objet d'expérimentation singulièrement représentatif, l'histoire d'amour procure les occasions les plus fécondes de pratiquer la galanterie moderne, ne serait-ce qu'à la faveur d'interférences multipliées avec les œuvres classiques parodiées : *La Princesse de Clèves* et *Zaïde*, les tragédies de Racine, *Les Lettres de la religieuse portugaise* sont présentes en filigrane dans *Les Lettres de la Marquise*[2]. On conçoit aisément que l'écriture au second degré, exploitée et mise en scène comme telle et, de manière générale, les règles de l'investigation psychologique renouvelée déterminent une remise en cause de genres et d'une poétique tenus pour tradi-

---

1. Voir Marivaux, Préface de *L'Homère travesti* dans *Œuvres de jeunesse*, éd. F. Deloffre, Bibliothèque de la Pléiade, p. 961 sq.
2. Voir notre édition des *Lettres de la Marquise*, Desjonquères, 1990.

tionnels et inadéquats. Quelle est la cause? Quel est l'effet? On ne peut le dire : il est, en réalité, plus intéressant d'enregistrer la double évolution des formes littéraires et des conceptions morales.

Crébillon fils, justement, écrit des histoires d'amour et multiplie les expériences sur les genres. Avant les dialogues, il s'est essayé dans le roman-mémoire, dans le conte à l'orientale, dans la féerie burlesque et la facétie gaillarde. Il n'a pas hésité devant les gageures : c'en fut une que cette correspondance à une seule voix des *Lettres de la Marquise*. C'est une autre gageure que de composer ces dialogues. Écrire ce type de dialogue revient à inventer un genre mixte, propre à accueillir des situations extrêmes. Il s'agit en effet de mettre face à face des personnages dont l'entretien semble n'avoir plus d'objet. Ils sont saisis au plus près du moment où l'action doit supprimer la parole, c'est-à-dire où le récit doit remplacer le dialogue, où ce qu'on aurait pu prendre pour parole de théâtre devient conte ou roman ; et ce déplacement du discours ne peut être fortuit de la part d'un écrivain qui ne refuse pas le genre théâtral sans le savoir et il s'y refusera toujours, lui qui avec son père et grâce à la fréquentation des comédiens italiens n'ignorait rien de la littérature pour la scène. Le dialogue tend donc à se perdre dans le récit et il se nourrit de contes successifs, contes réduits à un dénouement, dont la péripétie unique constitue habituellement la phase ultime, discrètement évoquée, d'un récit traditionnel. Voilà que l'auteur du *Sylphe*, de *Tanzaï et Néadarné* et du *Sopha* se prive de la féerie, de la métempsycose, du pittoresque oriental ou pseudo-japonais, voire de la satire religieuse et politique. C'est à peu près comme si le narrateur des *Égarements* se bornait à la dernière nuit qui est aussi la première, de Meilcour et de Madame de Lursay. La substance narrative se trouve réduite à ce presque rien qui est censé être le tout de l'histoire : économie extrême, portée jusqu'à la provocation, ascétisme du récit, implicite ou effectif ; l'invention est, de toute évidence, de mettre en valeur le contenu même d'un entretien perçu d'abord comme

uniquement dilatoire et que l'on voit, de fait, se gonfler
d'une substance psychologique et morale d'autant plus
séduisante qu'elle a d'abord semblé plus factice, moins
essentielle. Crébillon a parié, tout en convainc, sur
l'effet paradoxal d'un texte sans genre défini et sans
objet suffisant mais qui sécrète sa substance et acquiert
sa densité en raison même de ses déficiences. La chose
n'est-elle pas dite d'ailleurs à propos des anecdotes
incluses dans la *Nuit*? Clitandre avertit d'abord Cidalise : « Ces sortes d'aventures sont si variées, que qui en
sait une, en sait mille »; mais au milieu de l'histoire de
Luscinde que sa partenaire juge « délicieuse », il
concède : « Dans le fond, elle n'est pas absolument
mauvaise. » Il est clair, par conséquent, que le lecteur
se trouve séduit moins par l'anecdote elle-même que
par l'échange et par suite le débat moral qu'elle suscite.
La première remarque de Clitandre rapportée ci-dessus
interdit, en plus, de regarder comme originales les
aventures rapportées. On peut comprendre qu'elles ne
diffèrent guère de ces contes, répétitifs en effet, que
chacun a lus — Crébillon entre autres qui le prouve
dans *La Nuit* — dans Boccace et dans La Fontaine.
Pourquoi rompre avec cette tradition paillarde? La
fable amoureuse dispose au fond de peu de variantes,
Crébillon en convient et ne cache pas ses modèles.
Mais, ce faisant, et fidèle en cela au goût de Perrault et à
un esprit de gauloiserie que Voiture même n'a pas
dédaigné, il attire l'attention sur la véritable particula-
rité de son art : tout en rappelant les schémas connus,
ses anecdotes relèvent des mœurs modernes; la paillar-
dise rituelle est accommodée, acclimatée au savoir-vivre
et au savoir-dire contemporains, mêmes sujets, autre
discours, et discours double puisqu'il laisse transpa-
raître celui dont il dénonce indirectement la pauvreté
anachronique. A tout prendre que seraient, réduites à
elles-mêmes ces histoires de femmes subjuguées par le
mâle, surprises par le désir, asservies par la volupté?
Transposées dans un autre registre, elles suscitent des
observations neuves sur les mœurs, les formes de la
sensibilité moderne, le bon usage de la langue perfec-

tionnée. Tout cela appuyé sur des structures littéraires minimales, dans des dialogues très semblables à des contes qui tirent leur pouvoir et leur épaisseur de la nécessité anecdotique et formelle de remplir l'espace si mesuré que l'auteur leur a ouvert. Le dialogue est d'obligation ; comme l'union de convenance, il prend du corps en vertu de sa règle interne.

Or les lois qui s'expriment dans les dialogues de Crébillon sont celles qui régissent l'« homme qu'on appelle moral », pour parler comme Voltaire[1] et désigner l'ensemble des dispositions morales, affectives, mentales de l'individu. Il y est démontré que cette réalité ne se laisse pas éluder. Elle vient inévitablement contaminer, c'est-à-dire humaniser, toute hypothèse abstraite ou structure formelle. Le fait humain, avec sa complexité, reflue là-même où on ne l'attendait plus, dans des comportements qui paraissaient l'exclure. Il s'agit tout bonnement de ce dont les moralistes et les écrivains les plus substantiels n'ont cessé de parler depuis le XVIIe siècle : cet être de sensibilité, de passion et d'imagination, de pensée aussi, dont on acquiert une connaissance sans cesse plus sûre, que l'observation méthodique révèle, dont les mécanismes sont mis à jour par ces exercices d'expérimentation que constituent les compositions littéraires.

Ce qui fait l'objet propre des dialogues de Crébillon, on le reconnaît aisément à examiner son vocabulaire. Son lexique (voir notre Index) privilégie de manière frappante les manifestations de l'affectivité, les opérations de l'esprit, les vicissitudes des rapports personnels. On y retrouve des notions, réflexions ou maximes familières à la tradition de l'analyse morale. Les personnages parlent du « cœur » comme La Bruyère, de « principes » comme Pascal, d'« amour-propre » comme La Rochefoucauld ou Nicole. Cette langue morale s'enrichit d'expressions empruntées à Molière, à La Fontaine, voire au Racine des *Plaideurs*. Semblable éclectisme de la référence suppose peut-être un

---

1. Article « Homme » du *Dictionnaire philosophique*.

certain scepticisme à l'égard des nomenclatures de la psychologie : sans doute Crébillon dont l'humour est redoutable, ne se satisfait-il pas des classements habituels. Sa défiance envers les concepts légués par ses prédécesseurs correspond probablement à l'idée qu'il se fait de la complexité des mouvements de l'âme. Elle marque en outre sa suspicion envers les doctrines. Aucun système ne rend compte de tous les phénomènes. Il n'est pas de causes simples, ni de valeurs absolues auxquelles suspendre un déterminisme ou une métaphysique morale. On peut noter que ce souci du concret et ce sens de la variabilité des sentiments entretiennent avec bonheur l'activité de l'écrivain. En même temps, cela rend problématique toute philosophie générale : il n'y a pas de raison suffisante d'attribuer à Crébillon une vue toute pessimiste de l'homme.

Il est important de comprendre que l'attitude intellectuelle de l'auteur des dialogues n'est pas d'un philosophe ; que s'il doit au modernisme sa poétique et ses sujets, il n'en retient ni l'intellectualisme ni l'idée progressiste de l'histoire. On ne saurait tenir pour négligeable qu'au début de *La Nuit*, Clitandre se demandant à l'instigation de Cidalise quelle « obligation » ils ont vis-à-vis de « la philosophie moderne », il s'attache à en limiter la portée. D'une part, le même Clitandre après en avoir exposé les effets, se défend de la faire sienne. D'autre part, la philosophie moderne est présentée comme un instrument critique, l'outil d'un nouveau savoir, d'une prise de conscience ; on ne lui reconnaît pas d'efficacité pratique, elle n'a pas le pouvoir de modifier l'homme. « Elle nous a plus appris à connaître les motifs de nos actions, et à ne plus croire que nous agissons au hasard, qu'elle ne les a déterminés. » On raisonnait moins bien autrefois, mais on agissait comme aujourd'hui : cette idée de la permanence d'une nature convient bien au moraliste. Quant au philosophe moderne armé de sa méthode, plus capable « d'arriver au vrai », il se fait fort de concevoir une société telle que les femmes se dispensent d'affecter la vertu, que l'amour discrédité cède la place au « goût », qu'on se livre au caprice sans scrupule, tolère l'inconstance sans douleur, qu'une sagesse rajeunie sacrifie aux plaisirs de vieux préjugés et le respect d'une estime démonnaitisée. Telles pourraient être les règles — ou le dérèglement ? — de la nouvelle morale, mais le moraliste oppose au philosophe moderne dont il adopte la perspicacité sans précédent, qu'il n'y a jamais de morale nouvelle.

En revanche, il existe, on le constate, bien des morales différentes, fût-il inconcevable qu'elles diffèrent absolument ; l'abstention morale n'est pas humaine. Les dialogues de Crébillon illustrent ces propositions simples. Ils incitent en effet, selon un jeu intellectuel répandu au siècle des lumières, à se représenter la société française comme un ensemble exotique, relevant de lois particulières. On devrait s'étonner devant un tel système et tâcher d'en apercevoir la cohérence. Ainsi fait Hume : il compare mœurs anglaises et galanterie des Français. Ces derniers, écrit-il, « ont résolu de sacrifier certains plaisirs domestiques aux plaisirs de la sociabilité et de préférer l'aisance, la liberté et des relations amoureuses sans hypocrisie à une fidélité et une constance rigoureuses[1] ». La comparaison des deux régimes, à finalités distinctes, n'oblige nullement à condamner l'un pour exalter l'autre. Il s'agit seulement de discerner les caractères de chacun en raison de sa logique propre. Les rapports libres des sexes, à la française, favorisent l'intrigue, l'habileté et la vanité des conquêtes galantes, tout en réduisant le sentiment de scandale comme le scrupule de l'infidélité[2]. Hume observe « qu'on pourrait appliquer la métaphysique la plus profonde à expliquer les différents genres et espèces d'esprits[3] » ; en conséquence, il peut déduire de l'analyse de la société française que les qualités distinctives de l'homme y doivent être la gaieté, la politesse, le goût et

1. Hume, *Un dialogue*, dans *Enquête sur les principes de la morale*, éd. Philippe Saltel et Philippe Baranger, GF, 1991, p. 264.
2. *Id.*, p. 269.
3. *Id.*, p. 176.

la finesse, une éloquence de théâtre[1]. Tel est du moins
le modèle vraisemblable qu'il paraît légitime de
reconstituer. On ne manquera pas de noter que l'auteur
d'*Un dialogue* et de réflexions sur ce genre philo-
sophico-littéraire, suggère que la conversation ou
l'entretien répondent, comme modes d'expression, à
certain état des mœurs et des esprits. En somme les
Dialogues de Crébillon pourraient bien exprimer dans
leur forme et dans leur objet, l'essence d'une société.

C'est en effet ce qu'ils font. Ils transposent le modèle,
élaboré *a posteriori* par Hume, dans un groupe social
restreint, une aristocratie dont la manière de vivre et le
langage apparaissent stylisés. Mais dans ces « huis
clos » que sont *La Nuit* et *Le Hasard*, le schéma abstrait
se trouve mis à l'épreuve des comportements et des
besoins des personnes. Les exercices pratiques sont
occasions de contester la structure théorique. Dans une
époque où se multiplient utopies et configurations
sociales idéales, Crébillon, comme d'ailleurs Marivaux,
développe une œuvre essentiellement critique. Les
formes simples, les conceptions épurées, rationalisées,
quelque objectif que se donne la raison, ne résistent pas
aux complexions individuelles, à la poussée des idio-
syncrasies.

Lisons *La Nuit* : une femme, un homme, une
chambre, un lit, le début de la nuit, on n'imagine pas
situation plus dépouillée, action moins imprévisible.
L'homme et la femme se connaissent assez sans
qu'aucun engagement les lie. Dans les chambres voi-
sines de la maison de Cidalise, l'ancien amant de
celle-ci, les anciennes maîtresses de Clitandre avec leurs
prétentions. Puisque Clitandre a choisi la chambre de
Cidalise, puisque nul n'ignore le sens d'un tel choix, il
ne faut que s'assurer de la vacance des cœurs et des
bonnes dispositions réciproques. Après quoi peut jouer
le pur mécanisme du parfait libéralisme amoureux :
pourquoi se priver de cette relation charmante définie
plus tard par Chamfort comme « l'échange de deux

1. *Id.*, p. 270.

fantaisies et le contact de deux épidermes » ? Or justement, en dépit de la liberté supposée des mœurs et de
l'innocente banalité de l'acte — se refuse-t-on entre
amis de telles commodités ? demande Clitandre —, il
n'est pas si simple, le geste même le parût-il, d'entrer
dans un lit sur lequel on est parvenu à s'asseoir, pas si
simple, le geste le parût-il, de prendre possession, une
fois dans le lit, de la femme apparemment livrée. Il n'y a
pas d'acte qui ne soit que geste ; avec la parole tout
l'humain fait retour, s'agglutine en phrases, s'épaissit
en sentiments, acquiert le volume et le poids de raisons,
de pensées morales. On parle légèrement de la légèreté
de Crébillon : c'est l'impossible légèreté de l'homme
dans l'amour qu'il donne à reconnaître. Son dialogue,
amorcé par une fiction minimale, privé de péripéties,
d'une économie exemplaire pour la mise en scène et les
accessoires, n'en acquiert pas moins une densité qu'on
qualifierait volontiers de spécifique. Tout en démon-
trant que le romancier peut quasiment se priver du
recours à l'imagination, il prouve que plus se réduit la
part de fiction, mieux se manifeste l'homme moral.

Il a suffi que soit sensible la contrainte d'une liberté
sans restriction pour que les motifs de résistance
deviennent crédibles. Les personnages des dialogues
souffrent bientôt de ne pas se sentir libres de ne pas se
livrer à l'amour. Le tempérament et le désir ne sont pas
en cause, mais la pesée irrésistible de la mode et du
milieu. Tel est le genre de vie de cette aristocratie
qu'elle se fait de l'activité sexuelle une véritable obligation. A Cidalise que laisse perplexe la carrière de ce tout
nouvel amant, Clitandre allègue cette excuse : « Comment voulez-vous qu'on fasse ? On est dans le monde,
on s'y ennuie, on voit des femmes qui, de leur côté, ne
s'amusent guère ; on est jeune, la vanité se joint au
désœuvrement. » De là un chapelet d'aventures
d'amour (c'est du moins, le mot qu'on emploie !).
Cidalise commente : « Quelle pitié ! » et Clitandre se
déclare à jamais dégoûté « d'un si pénible et si méprisable métier ». Mais quoi ? Les femmes qui « donnaient
le ton » l'avaient mis « à la mode ». La réputation

acquise lui faisait un devoir de séduire, il fallait que les femmes s'offrissent et qu'il les prît. L'amour devenait une servitude sociale. De son côté le duc du *Hasard* raconte ses débuts de petit-maître : il se rappelle avec écœurement son apprentissage auprès de Madame d'Olbray, l'équivalent de ce qu'est pour Meilcour la Lursay, mais avec l'indécence et la « coupe » de la Senanges. Pensons encore au « petit Frécourt », un « enfant », mais expert déjà en débauche, « convaincu qu'on ne saurait avoir avec les femmes de trop mauvais procédés ». On ne sait quel sexe asservit et pervertit l'autre dans pareil régime. Le sentiment de perdre son être propre dans des jeux misérables appartient surtout aux hommes : ils savent, à l'instar de Versac, ce qu'ils sacrifient d'authenticité à leurs succès mondains. Comme Duclos, avant Rousseau, Crébillon dénonce la facticité du rapport social, l'adultération des valeurs.

Du côté des femmes, même désarroi. Leurs premiers pas dans le monde furent et ne pouvaient être que faux-pas. Célie s'en souvient dans *Le Hasard*, elle ne s'est mariée que pour avoir la liberté de s'abandonner à l'obsession de Norsan. Tout s'est conjuré autour d'elle pour préoccuper son imagination de son futur vainqueur. Elle le cherche avant de le connaître, il la poursuit pour vérifier son pouvoir. Ne dirait-on pas, amplifiées et transposées dans le registre du cynisme et du donjuanisme pervers, les pages où Madame de La Fayette prépare la rencontre de Madame de Clèves et de Nemours ? L'événement et ses conséquences reçoivent ici un tour contraire : autant Norsan déçoit Célie, autant l'« air brillant » de Nemours « surprend » la Princesse ; la Princesse séduite refuse le séducteur, même à titre de mari, Célie détrompée cède. Et le duc commente l'histoire de Célie de manière à n'y laisser voir qu'une conquête médiocre, acquise par des procédés « usés », une tactique banale : pour ces libertins sans qualités un viol est une « impertinence ». Tôt abandonnée, la jeune femme est prête pour des liaisons dérisoires, confirmant La Rochefoucauld : « On peut trouver des femmes qui n'ont jamais eu de galanterie, mais il est rare d'en trouver qui n'en aient jamais eu qu'une[1]. » Dans ses remarques égrenées avec une objectivité désespérante au fil de la confession de Célie, le duc accuse le caractère inhumain des amours libérées.

C'est une part essentielle des dialogues que l'analyse des dégoûts et répulsions inspirés par la fatalité arbitraire de ces amours sans sentiment. Quoi de plus aliénant que ce conformisme, que ces simulacres de passion ? Il n'est pas concevable qu'une femme ne soit pas « occupée » : si bien que Cidalise se laisse aller d'amant en amant. Pire, une Araminte, sans charme ni tempérament, se dévergonde par convention. Une sorte de point d'honneur a fini par se substituer au sentiment naturel et même au désir.

Quelle idée de la personne, de son autonomie et de sa dignité, peut-il subsister, en effet, dans un milieu où il n'est de mérite qu'affiché, le quant-à-soi étant proscrit ? Le don Juan n'existe qu'en raison de sa liste. La sociabilité libertine se tisse de confidences à haute voix, se perpétue par le ragot. Il n'est pas jusqu'aux dispositions secrètes de ces dames qui ne fassent l'objet d'un commerce d'informations. Chaque amant est un Candaule appliqué à faire de ses rivaux virtuels, c'est-à-dire de tous les autres mâles, autant de Gigès. Clitandre n'entre pas ignorant au lit de Cidalise, il l'avoue et doit s'en expliquer. La chronique de Clerval à la scène II du *Hasard* décrit parfaitement l'irréalité d'une société transparente. Tout événement y est sur-le-champ publié et digéré, toute émotion devient spectacle. Épié, jaugé, l'amour n'y a que l'inconsistance d'une liaison : quel prix accorder à des passions trop prévisibles, voire préméditées ?

On serait enclin à juger le diagnostic sinistre. Et il l'est mais à l'égard d'un modèle de mœurs stylisé. En réalité la société ne parvient pas à se faire parfaitement immorale. Les personnages de Crébillon se montrent

---

1. La Rochefoucauld, *Maximes*, éd. Jacques Truchet, Classiques Garnier, 1967, Maxime n° 73, p. 23.

enclins à se révolter en pratique contre leur régime
d'émancipation d'esprit moderne et théoriquement
admirable. C'est la protestation des forçats de l'amour
libre qu'il faut entendre, et qui résonne, comme la
revendication du droit au naturel, à l'affectif, à
l'authentique. On voit bien quelle signification cela
peut prendre au milieu du XVIIIe siècle que de réclamer
au nom de la nature humaine et de sa dignité contre
l'artifice d'une société « perfectionnée ». Il ne faudrait
pourtant pas se méprendre à l'effet trop visible d'une
telle opposition. Crébillon n'est pas écrivain à se fier à
cette rhétorique des contraires. En fait ses dialogues
explorent ce paradoxe en vertu duquel la liberté peut
apparaître excessive et devenir tyrannique. Son analyse
s'attache à cette forme d'inversion des valeurs dont
Diderot va s'inquiéter à son tour : on n'a peut-être pas
toujours perçu l'intérêt de cette réflexion critique appliquée aux effets pervers du modernisme, en révélant les
mécanismes sourdement régressifs. C'est dans les
comportements amoureux que se laissent apercevoir les
symptômes de cette maladie par excellence moderne et
Crébillon y exerce une perspicacité singulière. Ainsi
pourraient, semble-t-il, se comprendre son projet et sa
manière. Ils ne sont pas le fait d'un philosophe mais
d'un expérimentateur soupçonneux du « philosophique ». Traitant implicitement de questions de
morale, Crébillon va mettre en place les éléments
d'antagonismes traditionnels ou répertoriés — y
compris et surtout par la pensée moderne — mais de
telle sorte que les contraires n'apparaissent pas simples
et absolus et que la métaphysique échoue devant le
concret. En somme il considère le discours philosophique comme un intertexte, système de référence à
la fois inévitable et inadéquat.

Il importe maintenant de comprendre par rapport à
quelles valeurs les personnages des dialogues appré-
cient leur situation amoureuse. Nous leur avons prêté
une exigence morale, mais nous avons également estimé
que Crébillon refusait de prendre en considération
vertus abstraites ou critères non empiriques. Il convient

donc d'admettre que les valeurs se révèlent dans la pratique, qu'en l'occurrence l'échange des dialogues doit les inventer. Il en va bien ainsi : on les dégage aisément de formules de *La Nuit* où elles justifient l'attitude de Cidalise. Commençons plutôt par *Le Hasard*. La Marquise y décrit sa position morale avec une vigueur qui doit retenir notre attention. Elle avance d'abord deux propositions remarquables : la première est que sa conduite est inspirée par son intérêt, elle entend raisonner en termes d'utilité et l'utilité en amour consiste à assurer la durée de la relation amoureuse ; la seconde est qu'au moment de se déterminer, elle envisage moins les mœurs en général que sa propre personne. Les objectifs paraissent modestes : le champ de l'expérience morale ainsi délimité paraît étroit. Que peut-on donc apprendre dans la relation d'amour ? Réponse de la Marquise : « De tous les bonheurs que l'amour peut offrir [à la femme], le premier, le plus essentiel, le moins idéal, est le bonheur d'être estimée de son amant. » Les trois superlatifs mériteraient un commentaire : ils définissent un critère de jugement à la fois stable et concret. La phrase réunit et fait apparaître comme dépendant les uns des autres l'amour, le bonheur, l'estime. Par la suite, la Marquise donne à entendre que l'estime se mérite par le respect des « principes ». Qu'entend-elle par « principes » ? Elle le suggère quand elle suppose qu'en ne remplissant pas son devoir envers sa mère, elle perdrait l'estime de Clerval. Faute de définition dans Crébillon, on pourrait en demander à Vauvenargues, lequel d'ailleurs appuie plus sur la certitude et l'évidence première d'un « petit nombre de principes solides[1] » qu'il ne se soucie de développer leur contenu : c'est qu'il n'est personne, pense-t-il, qui ne sache les reconnaître ou les retrouver en cas de besoin. La Marquise comme Vauvenargues estime sans doute qu'on accorde trop au pyrrhonisme quand on prive l'homme de la connaissance de quelques vertus et obligations utiles.

1. Vauvenargues, *op. cit.*, p. 121 et 270.

Lorsque le principe fait défaut, il reste du moins le préjugé auquel s'en remettre. La Marquise l'affirme avec force : « tout préjugé, dès qu'il peut être la source ou le soutien d'une vertu quelle qu'elle soit, ne mérite pas moins de respect que le plus incontestable des principes ». Telle était à peu près l'opinion de Fontenelle exprimée dans ses *Nouveaux Dialogues des Morts* par la bouche de Raphaël[1]. La Marquise remarque néanmoins qu'à la différence des principes, les préjugés, efficaces contre l'amour-propre, l'imagination et les illusions des sens, ne peuvent rien contre la « sensibilité du cœur ». Autre manière de démontrer que le sentiment n'est parfait qu'accordé avec les principes. Clitandre même, la chose mérite attention, partage avec la Marquise le besoin d'estimer ce qu'il aime. Il se vante à l'occasion de faire la guerre aux préjugés, à ceux surtout « auxquels les autres peuvent perdre ! » mais ce que Luscinde lui livre de « choses charmantes » ne l'empêche pas de reconnaître que si elle l'« amuse », elle ne saurait le « fixer » et il explique en ces termes le défaut d'amour dans leur « conversation » : « Nous ne nous en apercevons peut-être pas ; mais à quelque point que ce qu'on appelle *mœurs* et *principes* soit discrédité, nous en voulons encore. » Voilà donc confirmée par une sorte d'expert en libertinage la nature du sentiment, inséparable d'une certaine observance de l'obligation morale.

Revenons à la Marquise ; de sa conception de l'amour, elle tire les conséquences suivantes : d'abord que les femmes doivent à leur amour-propre leur facilité excessive et leurs illusions de bonheur ; ensuite qu'il importe de ne pas confondre la « fantaisie » et l'amour. Elle ne définit aucun des deux mots, mais elle met du côté de la fantaisie : les sens, le goût, le caprice, la vanité de conquérir, le plaisir, le libertinage instinctif ; du côté de l'amour : le cœur, le sentiment, la tendresse. Cette distinction justifie sa liaison avec le duc : elle s'est

---

1. Voir notre édition de Fontenelle, *Nouveaux Dialogues des Morts*, STFM, 1971, p. 341-344 (Dialogue Straton-Raphaël d'Urbin).

aperçue que si l'« imagination » de Clerval était « usée » par la galanterie du monde, son cœur avait été épargné ; qu'elle pouvait en attendre de « l'estime », non pas seulement des « désirs ». Les mêmes considérations expliquent qu'elle sache lui « passer des infidélités » puisqu'elle est sûre de son « cœur », tolérance dont Célie se révèle incapable, dont elle est surtout indigne, étant « une de ces âmes qui, quelque désir qu'elles eussent que le sentiment prît sur elles plus d'empire, ne peuvent jamais s'affecter jusqu'à un certain point ».

Les vues de la Marquise présentent un caractère décisif. Elles permettent de désigner les deux pôles de la vie morale. L'un est signalé par l'emprise des sens et du désir, l'imagination et les facultés ou tendances égoïstes y prospèrent sans entrave. A l'autre pôle on voit le sentiment s'épanouir en harmonie avec les vertus altruistes et le sens de la règle morale. Dans l'espace immense qui sépare les deux pôles prospèrent et se diversifient à l'infini les formes composées de l'activité psychologique. On voit par là quel crédit il convient d'accorder au sens des valeurs.

Dira-t-on que la Marquise ne peut passer pour le porte-parole de Crébillon ? Il est manifeste, convenons-en, que ce « bipolarisme » éclaire l'intrigue principale du *Hasard* ; disons mieux : ce dialogue est construit de telle manière que le lecteur rencontre d'abord les vues de la Marquise, qu'il sache que Célie et Clerval y contredisent en connaissance de cause, que la première choisit son ignominie, que le second a la lâcheté de compter sur une indulgence promise — or toute cette construction n'a de sens qu'à partir de la thèse de la disjonction. Désir et plaisir ne suffisent pas à faire de l'amour : Célie entend aller contre cette proposition. Prévenue des dispositions de Clerval, elle s'obstine pourtant à le séduire. Le duc se défend en humiliant deux fois Célie : il l'oblige à raconter en détail ses pauvres essais de libertinage ; il l'entraîne dans une casuistique sans fin à laquelle le sentiment et même le désir ont de moins en moins de part. Acculée, la jeune

femme se résigne à l'indécence : indécence des propositions mal déguisées, indécence des gestes. Elle va
jusqu'à reprocher ses « préjugés gothiques » à un Clerval encore obstiné dans son abstinence. Préjugés ?
réplique le duc, « peut-être [...] sont-ce des principes ». Célie le détermine à céder au caprice, tout en
jouant pour son compte la passion. Elle réclame même
de Clerval vaincu et vainqueur un aveu d'amour. Elle
aura seulement droit à s'entendre juger, au condition-
nel, il est vrai, comme « une femme sans mœurs et sans
principes qui aurait immolé jusqu'au sentiment le plus
respectable de tous au plaisir passager de satisfaire un
caprice ». La phrase ne laisse rien à désirer : la
récurrence des termes employés au début par la Marquise souligne la cohérence maîtrisée du dialogue qui se
clôt comme il s'est ouvert.

Le dualisme psychologique se retrouve-t-il dans *La
Nuit* ? Il n'est pas permis d'en douter. Dès les premières
escarmouches, les deux interlocuteurs opposent estime
et sentiment à désir et vanité. Cidalise, d'emblée,
affirme : « des désirs ne sont pas de l'amour ». Attachée donc à éviter la honte de confondre et d'être
confondue, elle combat phrase après phrase, pour
s'assurer de la vérité des sentiments de Clitandre. Car
Clitandre, à la différence de Clerval, se montre prêt à
toutes les déclarations pour s'assurer les faveurs de la
femme : la question essentielle qui taraude Cidalise est
celle de la sincérité de l'autre. Situation opposée à celle
de Célie, si l'on tient Cidalise pour véridique. (Célie, en
somme, ne peut vouloir qu'un mensonge de son partenaire.) Les dialogues se développent donc selon des
perspectives inverses — ce qui fonde l'originalité de
chacun pour la forme, le sens de l'analyse et le ton —,
mais sur des données morales analogues. C'est pourquoi Cidalise, avant de céder, affirme hautement
qu'elle ne se donne que pour avoir donné son cœur ; elle
ne ménage pas les formules pléonastiques, précisant
que c'est bien dans son cœur que sont revenus les
« cruels sentiments de l'amour ». C'est pourquoi aussi
elle s'inquiète des sourires devinés sur les lèvres d'un

Clitandre triomphant : n'exprimeraient-ils pas la satis-
faction moqueuse de celui qui a joué la passion ? Après
les premiers abandons revient l'objection des premières
pages : « Le désir n'est pas de l'amour », et par suite
l'appel répété : est-il bien vrai que vous m'aimez ? ne
me trompez pas ! Toute l'histoire de Cidalise est
occupée par la quête d'une certitude, celle d'être aimée
véritablement, c'est-à-dire estimée ; son inquiétude ne
peut jamais s'apaiser puisqu'en une nuit Clitandre ne
peut prouver que ses désirs par des actes, mais son
amour seulement par des mots. Il est dans la logique du
dialogue et conforme au « bipolarisme » que le dialogue
ne s'achève pas sur une assurance, que même les
dernières fantaisies de Clitandre paraissent l'éloigner.

La Nuit multiplie les exemples de disjonction : ainsi
Clitandre prend Bélise dans le temps où il adore Aspasie, la première le comble de « faveurs » mais reste
« loin [du] cœur » où se fait en revanche sentir
« l'empire » de la seconde. Il convient d'attirer surtout
l'attention sur l'histoire de Luscinde : elle occupe à peu
près un cinquième du dialogue et en constitue le dernier
épisode, présentée ainsi comme une nouvelle exemplaire, comme le couronnement et l'expérience la plus
significative d'une brillante carrière. Le narrateur s'y
attarde longuement sur les nuances infinies de propos et
de comportements propres à abuser la partenaire par un
mélange subtil de désir et de sentiment affecté. Il joue
surtout et à plusieurs reprises sur le partage que Luscinde opère en elle-même entre le sentiment qu'elle
conserve pour Oronte et l'appétit de volupté qui la livre
à Clitandre. Comme à volonté, le meneur de jeu rend
tour à tour la femme attentive à son seul cœur ou à ses
seuls sens. Son triomphe est de lui faire proclamer
l'amour d'Oronte au plus fort d'un délire sensuel
auquel le même Oronte est étranger.

C'est bien sur l'idée d'une dualité de l'homme moral,
sur la possible disjonction de ce qui est de l'ordre du
sentiment et de ce qui est de l'ordre du désir que
Crébillon bâtit ses dialogues. Cette vue psychologique a

intellectuellement un triple avantage : elle évite de raisonner sur ces concepts abstraits que seraient à une extrémité l'âme, à l'autre, la matière ; elle fournit un code d'interprétation pour les phénomènes intermédiaires, les plus communément humains qui remplissent l'intervalle entre les pôles ; elle ménage et rend compréhensible une exigence morale qui doit apparaître comme constante sans rien devoir à un *a priori* métaphysique. A peine est-il besoin de rappeler de quelle ressource peut être cette vision des choses pour l'écrivain : on l'a vu à propos de la composition des dialogues notamment. On peut certes admettre que le dialogue induise à simplifier et à cultiver les jeux d'opposition. Il est incontestable même que Crébillon les exploite pour accuser l'avilissement de Célie (comme il le fait à l'égard de la Zulica du *Sopha*), pour souligner chez Cidalise la division à l'intérieur de soi-même, l'angoisse de se déshonorer contenant mal la sensibilité amoureuse. Mais parce qu'il l'a stylisée, parce que sa phrase et son humour en tirent d'admirables effets, faudrait-il que Crébillon se fût dépris de cette vision de l'homme, qu'il ne l'ait avancée qu'à titre expérimental ?

Disons les choses de manière caricaturale : la conception morale de la Marquise convient nécessairement à Crébillon, puisqu'elle ne convient pas à Célie et que la Marquise n'a pas d'estime pour Célie. Ce raisonnement paraît bizarre, il autorise pourtant à interpréter la composition et le ton des deux dialogues à la lumière des idées morales, et réciproquement. La Marquise n'estime pas en Célie une de ces femmes capables de toute malhonnêteté pour conquérir un homme ; une femme avec de la figure et de l'esprit, « ne pensant peut-être point dans le fond absolument mal », mais d'une « excessive légèreté ». Légère, pareille femme le devient parce qu'entraînée par son seul appétit, sans principe ni préjugé qui la retienne, elle s'abandonne à la fantaisie, ignorante du poids des valeurs et des raisons. L'emportement du désir suppose le consentement à la sottise et à l'immoralité, lesquelles vont de pair.

Eussent-elles beaucoup d'esprit comme celle du *Hasard*, habile raisonneuse et dialecticienne de talent, les Célies sont menacées de glisser dans l'ignominie des Aramintes et des Bélises. Préoccupées du plaisir qu'elles espèrent, elles s'obstinent comme Julie dans l'absurde ou se condamnent comme Luscinde à la passivité. La qualité de Cidalise reste douteuse : elle ne sera éventuellement fixée que dans le récit que Clitandre fera plus tard peut-être de sa conquête...

L'intelligence, au contraire, est l'apanage de la Marquise. Elle n'a rien fait qu'elle n'ait lucidement voulu, y compris de se donner Clerval pour amant. Dans cet amour, pourtant choisi, on ne la voit pas s'engluer. Se dispensant de jalousies vaines, calculant ce qui lui est dû, elle concède ce qu'il serait imprudent de refuser, se réserve de Clerval le meilleur. Telle est sa maîtrise qu'absente — et elle ne part pas sans prévoir l'effet de cette absence — elle détermine encore la pensée de ceux qu'elle a laissés à leurs caprices. Il est clair du reste que le dialogue est composé de manière à rendre perceptible l'emprise de la très lucide Marquise appelée hors scène (le motif de son départ constitue un trait complémentaire de son portrait). La distribution du dialogue en scènes autorise et souligne la portée du personnage ; elle devenait nécessaire dès lors que, la Marquise partie, la gestion du récit ne peut être remise à des personnages qui, à la différence de Clitandre dans *La Nuit*, n'en sont pas dignes : on note que le narrateur intervient à la fin de la scène IV avec une autorité que le lecteur doit sentir en suspens dans la scène suivante ; elle finit par se manifester longuement non seulement pour décrire les actions et les arrière-pensées de Célie et Clerval, mais pour signaler l'état de relative dépendance dans lequel le duc s'est placé sans amour vis-à-vis de la femme. Le narrateur se charge encore de l'épilogue, avec retour de l'infidèle sous la coupe de l'amour.

La maîtrise qui fait défaut à Clerval ne manque pas à Clitandre. C'est que celui-ci réunit les vertus de la Marquise et le pouvoir du conteur. Cette double intelligence se joint à celle du séducteur; mais, il faut le remarquer, un séducteur fatigué de séduire, enclin plutôt à l'amour qu'il a connu naguère dans des épisodes qu'il évoque avec nostalgie, plutôt porté désormais à aimer, prêt peut-être à s'arrêter dans la fidélité qu'il promet à Cidalise, sans néanmoins se départir de l'humour, garant de son pouvoir et qu'il lui plaît de préserver comme meneur de jeu. La figure de Clitandre acquerrait ainsi sa pleine signification quand l'esprit du séducteur s'accomplit en esprit de conteur.

Clitandre est bien en réalité, et autant qu'il peut l'être en toute vraisemblance, l'auteur du dialogue qu'il anime et oriente; il en assure même la mise en scène grâce au talent qu'il donne lui-même comme non négligeable, d'ouvrir les portes et de refaire les lits! Lui seul contrôle les diverses lignes narratives dont les croisements dessinent la trame du texte.

Première tâche : il organise la conquête de Cidalise. Il impose sa présence, la sortie de Justine, acquiert de moment en moment des privilèges nouveaux. Dans cette progression, les gestes, certes, ont leur prix, mais ils interviennent de telle sorte que chacun entérine un état modifié et comme tel irréversible des relations amoureuses. Les réflexions dont ils sont précédés ou suivis signalent les acquis psychologiques successifs. Par exemple, l'aveu de sa nudité permet à Clitandre d'énoncer, sous couvert de s'en justifier, son intention réelle; il introduit, pour s'en défendre, l'idée d'une indécence dont Cidalise s'offense mais doit envisager la possibilité. Il glisse ensuite à l'éventualité toute proche, et naturellement innocente, de « coucher avec [elle] ». S'il finit par se précipiter dans le lit, c'est, on n'en doute pas, pour lui éviter la peine de résister. Une fois installé, il lui est loisible d'alléguer l'inefficacité de toute protestation. Et ainsi de suite : Clitandre fait en sorte que chaque audace nouvelle engage ou compromette davantage Cidalise. Il la conduit vers des concessions qui obligent à des aveux, vers des aveux qui obligent à des concessions. Le dialogue et l'action conjointe sont gérés de manière que pas une parcelle de conscience et de culpabilité ne soit perdue pour la partenaire.

Deuxième axe narratif de *La Nuit* : les deux personnages s'obligent à réciter leurs carrières respectives avant d'engager l'un à l'autre des cœurs libres. Mais Cidalise avoue ses défaites tandis que Clitandre fait valoir ses exploits. Et si devant ces exploits, Cidalise peut satisfaire sa curiosité maligne, elle s'expose à entendre sa propre histoire répercutée en plusieurs versions. Il y a pour elle plaisir à voir déshonorer des rivales, à se croire préférée puisqu'elle a droit aux confidences. Mais il y a tout autant la crainte, sournoisement entretenue par Clitandre, de subir des avanies semblables et de se trouver à son tour l'héroïne de récits indiscrets. A combien de reprises son séducteur oppose-t-il ce qu'elle lui inspire à l'horreur que lui inspira Araminte : mais opposer est encore comparer. Clitandre entretient indubitablement le soupçon.

En contrechamp, par la volonté de Cidalise, désireuse de se créer une contre-histoire de compensation et grâce à la complicité discrètement ironique de Clitandre, se dessine ou plutôt s'élabore un étrange récit, le récit des préliminaires supposés de la liaison présente. Clitandre a dû, par tactique, prétendre qu'il n'aspirait pas pour la première fois, en cette nuit, aux grâces de Cidalise. Cidalise, de son côté, émet d'abord le regret, bien superflu, de n'être pas parvenue naïve de cœur entre les bras de Clitandre : rêve de naïveté, nostalgie de l'idylle innocente ! Elle juge ensuite plus raisonnable d'imaginer que la passion de ce soir est le terme d'une fatalité. Sans qu'ils s'en aperçussent, mais ils s'en aperçoivent enfin, leur passé est plein de signes annonciateurs. La rapidité de la chute, incompréhensible autrement, doit avoir sa raison dans une connivence ancienne. Cidalise souhaite à la fois excuser et consacrer une aventure douteuse en l'inscrivant dans la durée : elle essaie d'authentifier l'événement amoureux en se réclamant de l'autorité de la légende, et Clitandre participe avec humour à la recherche d'indices de nécessité.

Dernière fonction narrative de Clitandre : il se charge d'annoncer, de manière si possible intempestive, les rapports de l'amour présentement vécu avec les amours contées. Il déclare sans ambages que le conté prépare le vécu, il aménage un commerce, échange ou plutôt chantage, en vertu duquel le conté se paie en vécu. Entre les deux se développent des effets troublants de réciprocité : il arrive à Cidalise de vouloir s'en tenir à un rôle d'auditrice et elle en obtient la permission d'un Clitandre comblé par son rôle de conteur : à se demander, c'est très sensible pendant l'histoire de Luscinde, si l'ivresse de la narration ne se substitue pas au délire d'une virilité insatiable. On observe du moins qu'à plusieurs reprises, le séducteur-conteur met en balance l'intérêt du conté et celui du vécu, qu'il consent à se satisfaire du premier. Retenons seulement quelques répliques où Clitandre démontre combien est essentielle dans ce dialogue et pour son personnage la conscience du rapport entre vécu et conté, entre narré et narration : de l'histoire de Julie que Cidalise réclame, Clitandre dit qu'elle serait « actuellement [...] déplacée » ; au grand scandale de son interlocutrice, se projetant lui-même dans la situation d'un lecteur du dialogue, il précise : « si déplacée, que si l'on écrivait notre aventure de cette nuit, et que dans la position où nous sommes ensemble on vît arriver cette histoire-là, il n'y aurait personne qui ne la passât sans hésiter » ; il continue et insiste : « il n'y a point [de lecteur], je crois, qui aimât que pour un long narré l'on vînt couper le fil d'une situation qui pourrait l'intéresser ». La maîtrise appartient, sans aucun doute, à celui qui sait gérer les changements de registres.

A peine est-il utile de signaler que cette composition du texte par superposition des plans se complète par les substantielles interventions de l'auteur. Elles n'ont pas seulement pour raison de combler les vides creusés dans l'entretien par l'aphasie provisoire des amants (on note d'ailleurs que le récit traite les échanges physiques comme des « conversations » plus ou moins actives et fournies), mais de mettre au clair par analyse hypothétique les motifs des comportements évoqués et surtout d'impliquer le lecteur dans le jugement des actions et dans la restitution vraisemblable de celles qu'il ne peut qu'imaginer d'après sa propre expérience. Pareille stratification présente l'avantage de renvoyer le regard d'un plan à l'autre dans un exercice critique englobant énoncé et énonciation. L'humour a tout à gagner à cette mobilité du texte qui redouble celle du dialogue proprement dit. Dans le cadre d'une pensée morale fortement structurée, l'analyse critique et les mécanismes délicats de l'humour connaissent une activité qu'on pourrait dire indéfinie.

C'est, nous le répétons, à la façon du moraliste, assuré par définition ou par nature de la pertinence de ses jugements et de la permanence des valeurs essentielles, toujours vérifiables, que Crédillon considère les mœurs amoureuses. Il le fait en déléguant à ses personnages des dialogues une perspicacité presque également partagée mais diversement exploitée : la véritable intelligence des sentiments s'accompagne de leur maîtrise. Au demeurant, l'humour a besoin pour produire tout son effet d'un climat de sécurité mentale et morale.

L'attitude du moraliste, Crébillon le souligne le premier, se définit par référence à celle du philosophe. Il n'est pas question de nier l'apport de la philosophie moderne, apport en méthode et en savoir. Mais dans le traitement de l'homme moral, cette philosophie paraît doublement déficiente : elle fige, au nom de l'esprit géométrique, l'enquête psychologique ; elle méconnaît la complexité de l'expérience et des rapports du pratique et du conceptuel. C'est néanmoins grâce à la rigueur de la raison « moderne » que l'analyse du moraliste est censée devenir plus exigeante, atteint à une subtilité inouïe, une subtilité dont la dialectique de séduction ou de contre-séduction amoureuse manifeste suffisamment les ressources.

Il semble que, pour un Crébillon, la puissance virtuelle de cet outil intellectuel constitue la ressource, par excellence, d'un être humain menacé par ses conquêtes mêmes. Non que la valeur morale puisse et doive triompher absolument, mais elle ne peut tout à fait disparaître tant que l'œuvre littéraire préserve et perfectionne cette vision de l'homme moral. Se savoir capable de cette dissection du moi, porter l'idée d'examen jusque dans les détails des comportements les moins spécifiquement humains, c'est prouver qu'on sait à quoi tient l'humanité de l'homme.

Si Crébillon choisit de raconter des histoires d'apparence frivole, si sa « spéculation », si ses « analyses » portent sur des caprices de femmes et des perfidies de dons juans médiocres, sur des « mines », des regards, de pauvres ruses verbales, c'est que la conduite de l'homme, jusque dans ses hauts faits, n'est que « petites circonstances », que les sentiments qu'on prétend estimables supposent d'infimes et innombrables falsifications. Quelle tâche plus raisonnable l'écrivain se donnerait-il que de détailler les « minuties des erreurs humaines » ? A dispenser pareille science, on ôte, sans doute, autant de bonheur qu'on ajoute de conscience. Crébillon en convient, mais persévère, tel le narrateur des *Heureux Orphelins* : « Moi, c'et le cœur que je développe, son délire particulier, le manège de la vanité, de la fausseté dans la plus intéressante des passions que j'expose à vos yeux. » Le romancier, le philosophe *moderne* se fait un devoir de réfuter l'illusion, illusion d'idéal, illusion de vérité. Le moraliste décrit, il n'enseigne pas.

Comment ne pas voir que les livres de Crébillon défient en tout l'esprit de sérieux ? Cette littérature, sévère en son fond, affiche une sérénité joyeuse. Elle se contente de dissoudre dans une dérision sans amertume les formes récurrentes ou nouvelles de la barbarie : métaphysique, pathos, libertinage doctrinaire. Il suffit que le style s'y rende assez léger, assez rusé, assez ostensiblement artificiel pour ménager les insinuations de la critique et les chances du comique. Le défi engagé n'en est pas moins grave. Dans cette désinvolture contrôlée, cette gaieté sans indulgence, cette subtilité sans fausse profondeur, dans cette prose admirable et singulière, nous reconnaissons les outils et les armes de ce que, pour l'opposer à la barbarie, on commence à nommer civilisation.

JEAN DAGEN.

NOTE SUR L'ÉTABLISSEMENT DU TEXTE

Le choix du texte à éditer ne présente aucune difficulté et ne laisse place à aucun doute. *La Nuit et le Moment* fut publié à Londres en 1755, *Le Hasard du coin du feu* à La Haye en 1763. C'est le texte de ces éditions originales, données du vivant de l'auteur que nous adoptons. Si la graphie et l'orthographe sont modernisées, nous respectons scrupuleusement une ponctuation dont Crébillon peut être tenu pour responsable : cette ponctuation peut surprendre, mais on en mesure l'intérêt si l'on considère qu'elle a une valeur essentiellement rythmique. Elle indique les pauses de la voix dans la phrase très élaborée de Crébillon ; elle marque dans la prose de dialogue la place de l'accent, affecte donc forcément la signification.

J. D.

LA NUIT
ET LE MOMENT

ou

LES MATINES DE CYTHÈRE

DIALOGUE

A Londres
MDCCLV

Haec legite, Austeri, crimen amoris abest.

OVIDE[1]

La scène est à la campagne, dans la maison de Cidalise.

CIDALISE *voyant entrer Clitandre en robe de chambre.*
— Ah, bon Dieu! Clitandre, quoi! c'est vous!

CLITANDRE. — Votre surprise, Madame, a de quoi m'étonner; je vous croyais accoutumée à me voir vous faire ma cour, et je ne comprends pas ce que vous trouvez de si extraordinaire dans la visite que je vous fais.

CIDALISE. — C'est que je croyais avoir quelque raison de penser que si vous vouliez bien veiller aujourd'hui avec quelqu'un, ce ne serait pas avec moi, et que, dans les idées que j'avais, votre présence m'a étonnée.

CLITANDRE. — Cérémonie à part, ne produit-elle sur vous que cet effet? Ne vous embarrassé-je pas plus encore que je ne vous surprends? C'est qu'à la rigueur, cela serait possible au moins.

CIDALISE. — Cette idée vous est nouvelle. Me permettriez-vous de vous demander ce qui vous la fait naître?

CLITANDRE. — Mon intention n'est point de vous en faire mystère : mais voudrez-vous bien me dire aussi pourquoi vous avez été si étonnée de me voir chez vous ce soir, lorsque tant d'autres fois cela vous a paru si simple?

CIDALISE. — Il me le paraissait alors que vous me donnassiez[2] vos moments perdus : mais je ne vous crois

pas aujourd'hui aussi désœuvré que je vous ai vu l'être
quelquefois.

CLITANDRE. — J'avais sur vous la même idée; et c'est
ce qui fait précisément que je ne suis pas sans quelque
sorte d'inquiétude que vous ne trouviez ma visite un
peu déplacée.

CIDALISE. — Un peu déplacée! J'admire tout à la fois
le ménagement de vos termes, et passez-moi celui-ci,
l'extravagance de vos idées. Voudrez-vous bien, au
reste, me faire la grâce de me dire pourquoi vous croyez
m'incommoder tant aujourd'hui?

CLITANDRE. — Oui, pourvu qu'à votre tour vous
vouliez bien m'apprendre pourquoi ma présence ici
vous cause tant d'étonnement.

CIDALISE. — Vous serez bientôt satisfait.

Elle passe dans sa garde-robe[3], *revient, change de
chemise : on la déchausse.*

CLITANDRE. — Ah Dieu! quelle jambe!

CIDALISE. — Oh! finissez, Monsieur; vos éloges ne
me font point oublier votre témérité.

CLITANDRE. — Je ne sais pas si c'est la première fois
que je la loue; mais ce qu'il y a de sûr, c'est que ce n'est
pas la première que je l'admire.

CIDALISE. — Allez vous mettre là-bas, ou sortez.

CLITANDRE. — Vous me traitez singulièrement,
Madame; mais j'obéis.

*Elle se couche, dit à une de ses femmes de rester :
Clitandre s'assied sur un fauteuil auprès du lit.*

CIDALISE. — Quoi! réellement, Clitandre, vous
n'avez de rendez-vous avec personne?

CLITANDRE. — Quoi! dans le vrai, je ne vous
empêche pas de voir Éraste?

CIDALISE. — Éraste! Mais en vérité, vous n'y pensez
pas, mon pauvre Comte.

CLITANDRE. — Et je vous jure, belle Marquise, que
je ne pense[4] pas plus à aucune des femmes qui sont chez
vous, que vous ne songez à lui.

CIDALISE. — Quoi! pas même à Araminte?

CLITANDRE. — Araminte! ah, parbleu! la plaisanterie est délicieuse! Est-ce parce que vous avez eu la
méchanceté de la prier de venir ici, que vous croyez
qu'il faut que je l'y amuse?

CIDALISE. — Certes, le tour est fin! C'est-à-dire que
vous voudriez me faire croire que vous ne savez pas
pourquoi elle est ici?

CLITANDRE. — Oh! pardonnez-moi : pour les espérances qu'elle y a, je les devine; et vous le voyez bien au
chagrin que j'ai de ce qu'elle y est. Je ne vous
comprends pas! il faut assurément bien craindre de
manquer de monde, pour se charger d'une pareille
espèce[5]!

CIDALISE. — En vérité, Clitandre, voilà une discrétion bien inutile, ou un *persiflage* bien ridicule! Vous
verrez aussi que c'est moi qui vous ai joué le mauvais
tour de prier Célimène; et que c'est encore ma faute si
Belise, Luscinde et Julie se trouvent chez moi en même
temps.

CLITANDRE. — Oh! pour celles-là, il ne se peut pas
qu'ayant chez vous Cléon, Oronte et Valère, vous
pensiez qu'elles y sont pour moi.

CIDALISE. — Mais je ne jurerais pas que vous fussiez[6]
dans l'honneur qu'elles me font, pour aussi peu que
vous le prétendez.

CLITANDRE. — Quelle folie! il y a plus de huit jours
que je suis ici : ils y sont eux d'avant-hier, elles y sont
d'aujourd'hui; et il me paraît à cet arrangement que
vous ne pouvez pas plus les accuser d'être venues pour
moi, que vous flatter de ne les y voir que pour vous.

CIDALISE. — Vous ne me croyez pas non plus assez
imbécile pour m'en flatter.

CLITANDRE. — Vous auriez tort au reste de vous
plaindre de Valère, d'Éraste et de Cléon; ils sont arrivés
deux jours avant les femmes qu'ils y attendaient : ils
sont dans les grandes règles; et je parierais qu'ils n'en
font pas autant pour tout le monde.

CIDALISE. — Je sens toute la politesse de leur procédé; mais, Clitandre, il est donc bien vrai que ce n'est
pas vous qu'elles cherchent ici?

CLITANDRE. — Vous savez ce qu'elles font.

CIDALISE. — En sais-je plus ce qu'elles voudraient faire ?

CLITANDRE. — Ah ! Madame, ce n'est pas, permettez-moi de vous le dire, sur des femmes qui pensent aussi bien que celles-là qu'on peut avoir de pareilles idées[7].

CIDALISE. — En vérité, Clitandre, vous devenez bien ridicule ! Je ne vous presserai pas là-dessus, puisque j'ai lieu de croire que vous ne voulez pas l'être ; mais je ne pardonnerai jamais à Éraste d'être venu me gâter un souper qui devait être si délicieux.

CLITANDRE. — Il ne me paraît pas extraordinaire que vous l'y ayez trouvé de trop : mais je vous avoue que je ne vois pas pourquoi, s'il n'y eût pas été, ce souper aurait été si agréable pour vous ?

CIDALISE. — Quoi ! vous ne sentez pas ce que votre embarras au milieu de quatre femmes que vous avez eues, et qui, sans doute, conservent encore des prétentions sur vous, aurait eu de réjouissant pour moi ?

CLITANDRE. — Il y aurait à moi de la sottise à vous soutenir que je n'ai eu aucune d'elles ; mais il y aurait assurément plus que de l'indiscrétion à dire que je les ai eues toutes ; d'ailleurs en supposant qu'elles m'aient toutes honoré de quelque bonté, qu'est-ce que cela importe aujourd'hui à elles, et à moi ? Comment voulez-vous qu'avec ce qu'on a à faire dans le monde, des gens que le hasard, le caprice, des circonstances ont unis quelques moments, se souviennent de ce qui les a intéressés si peu ? Ce que je vous dis, au reste, est si vrai, que soupant il y a quelque temps avec une femme, je ne me la rappelais en aucune façon, que je l'aurais quittée comme m'étant inconnue, si elle ne m'eût pas fait souvenir que nous nous étions autrefois fort tendrement aimés.

CIDALISE. — Je m'étonne que ce soit elle qui vous ait reconnu. L'on prétend que nous oublions beaucoup plus que les hommes ces sortes d'aventures.

CLITANDRE. — Je sais qu'on vous en accuse : mais il m'a paru qu'à cet égard le manque de mémoire est égal dans les deux sexes.

CIDALISE. — Il est cependant plus singulier dans une femme, que dans un homme.

CLITANDRE. — Je crois, tout préjugé à part, que cela doit beaucoup dépendre du plus ou du moins que vous avez à sacrifier. Si, par le plus grand hasard du monde, il se trouvait qu'une femme n'eût pas plus de sacrifices à faire que nous-mêmes, je ne vois pas à propos de quoi l'on voudrait qu'elle se rappelât de certaines choses plus que nous. Il n'est cependant pas aussi commun qu'on l'imagine peut-être, que deux personnes qui ont vécu un peu amicalement l'une avec l'autre, quelque courte qu'ait été leur liaison, quelque peu de sentiment même qu'elles y aient mis, s'en souviennent si peu ; mais en même temps je ne crois pas qu'un oubli total de ces choses-là soit absolument sans exemple.

CIDALISE. — Pour moi j'aime à penser que cela n'est pas possible. Vous vous souvenez de Célimène, n'est-ce pas ?

CLITANDRE. — Cela est fort différent : notre affaire a été longue ; et je l'ai trop tendrement aimée pour avoir pu l'oublier à ce point.

CIDALISE. — Si vous dites vrai, elle est bien-heureuse !

CLITANDRE. — J'en doute, puisque je ne m'en souviens que pour la mépriser au-delà de tout ce que je pourrais dire.

CIDALISE. — Cruel ! j'ai pourtant à vous parler de sa part.

CLITANDRE. — De sa part ! à moi ! Après tout, rien ne m'étonne d'elle.

CIDALISE. — Elle prétend que vous lui faites les injustices du monde les plus criantes, et que vous vous obstinez à la condamner sans l'entendre.

CLITANDRE. — Vous savez mon histoire comme moi-même, Madame, et puisque vous ne me trouvez aucun tort, vous voudrez bien que je m'inquiète peu de tous ceux dont elle me charge. Je ne pourrais même m'empêcher d'être surpris, que sachant à quel point vous la connaissez, elle eût osé vous prier de me parler pour elle, si Éraste qui a eu pour vous, et devant moi,

les plus condamnables procédés, ne m'avait pas prié
aussi de vous parler pour lui.

CIDALISE. — Sérieusement, Clitandre, il vous en a
parlé?

CLITANDRE. — Oui, Madame, et avec une vivacité
dont vous auriez sans doute été contente, si vous en
aviez été témoin.

CIDALISE. — Oh! très contente! cela n'est pas douteux! Et selon toute apparence, il me charge de tous les
torts de notre rupture?

CLITANDRE. — Il est naturel qu'il vous en donne
quelques-uns; cependant, à part ceux qu'il a lui-même,
je le trouve assez modéré sur cet article; et à votre
humeur près, que vous masquez, dit-il, sous le nom de
délicatesse pour pouvoir vous y livrer avec moins de
scrupule, il dit que vous êtes assez bonne femme[8], et
que vous ne manquez absolument pas de principes.

CIDALISE. — L'insolent! je ne dirai sûrement pas de
lui la même chose : mais n'avez-vous pas été confondu
de l'air léger dont il est venu s'établir ici?

CLITANDRE. — Il est vrai que son apparition m'a un
peu surpris; ce n'est pourtant pas que j'aie cru qu'il
vînt ici sans être sûr que vous ne le trouveriez pas
mauvais. C'est le moindre des égards que l'on doit à
une femme comme vous.

CIDALISE. — De mon aveu! pouvez-vous le croire!
Sept ou huit jours avant mon départ, je soupais avec lui
chez la petite[9] Comtesse; il y fut question du séjour que
je comptais faire ici, il eut l'audace de me dire qu'il
viendrait m'y faire sa cour. Comme je sais qu'il a des
projets sur cette pauvre petite femme, et que jusques à
présent elle n'entre pas dans ses vues, je crus que pour
la déterminer, il voulait lui donner de la jalousie, et
qu'il me faisait l'honneur de croire que j'ai de quoi
l'alarmer : mais j'avais reçu si froidement sa politesse,
que je vous avoue que je me flattais qu'il n'oserait pas
venir dans un lieu où il doit être vu avec moins de
plaisir que personne; et que rien ne peut égaler la
surprise que j'ai eue en l'y voyant arriver. Aussi l'ai-je
traité comme vous avez fait Araminte, à qui il me

semble que vous en voulez encore plus qu'à Célimène même.

CLITANDRE. — Ma foi! en cas, comme je vous en soupçonne, que ce soit pour vous procurer quelques scènes agréables que vous avez voulu avoir cette femme, il faut convenir que vous avez bien réussi, et que le souper a été d'une gaieté merveilleuse.

CIDALISE. — Je ne crois pas de mes jours en avoir fait un plus embarrassant et plus triste. Vous, entre deux femmes de qui les prétentions vous gênaient (car vous ne pouvez pas disconvenir qu'il n'y en eût au moins deux qui en avaient sur vous). Moi, en face d'Éraste, impatientée plus que je ne puis l'exprimer, de ses prétentions, de ses regards et de ses propos; non! en vérité! j'ai cru que j'en mourrais d'ennui et de fureur!

CLITANDRE. — On en meurt à moins[10] tous les jours; et je n'étais pas, je vous jure, plus à mon aise que vous.

CIDALISE. — Pour votre sécheresse avec Célimène, je n'en ai pas été bien surprise; mais à l'égard d'Araminte que vous avez...

CLITANDRE. — Moi! j'ai Araminte! voilà bien la plus abominable calomnie!

CIDALISE. — Mon Dieu! ne vous fâchez pas tant contre moi! Est-ce ma faute, si le Public vous la donne?

CLITANDRE. — Le Public! le Public, avec sa permission, ferait mieux de la garder, que de me la donner comme il fait. Il est encore plaisant le Public!

CIDALISE. — Clitandre! vous n'êtes pas de bonne foi!

CLITANDRE *lui répond fort bas.* Il est sûr que si vous continuez à me parler de ce ton-là, il ne me sera pas aisé de vous entendre. La belle fantaisie! A propos de quoi donc cet air de mystère?

CLITANDRE *toujours fort bas.* — Eh! Justine?

CIDALISE. — Eh bien! que vous fait-elle?

CLITANDRE. — Oh! rien! c'est seulement que je n'ai pas déterminé de la mettre dans la confidence, et que je ne puis, tant qu'elle restera dans votre chambre, m'expliquer librement sur certains articles.

CIDALISE. — Je ne vois pas pourquoi vous voulez l'en

bannir aujourd'hui : tous ces jours derniers elle ne vous
y a point paru de trop.

CLITANDRE. — Cela se peut ; mais en le supposant
comme vous, je n'avais pas les mêmes choses à vous
dire. Vous en ferez ce que vous voudrez ; mais il me
semble que si vous vouliez bien que nous fussions seuls,
cela n'en serait que mieux.

CIDALISE. — Voilà une singulière idée ! Justine est
une fille fort sûre.

CLITANDRE. — Je n'attaque point sa discrétion, et je
ne doute point que vos secrets ne soient fort bien entre
ses mains ; mais vous ne devez pas trouver extraordinaire que je ne veuille mettre les miens qu'entre les
vôtres.

CIDALISE. — Elle dort, et sûrement elle ne vous
entend pas.

CLITANDRE. — Elle peut le feindre, et m'entendre :
enfin, Madame, qu'elle soit ou non endormie, sa présence m'inquiète et me gêne ; ou permettez-moi de me
taire sur ce que vous me demandez, ou consentez que
nous soyons seuls.

CIDALISE. — Seuls !... Mais pourquoi ?... en vérité !
cela est ridicule ! Non, toutes réflexions faites, je n'y
consentirai jamais.

CLITANDRE. — Comme il vous plaira, au reste ; mais
je vous avoue que j'ai peine à comprendre votre répugnance sur une chose si simple, qui me paraît tirer si
peu à conséquence pour vous, et qui m'est à moi si
nécessaire.

CIDALISE *d'un ton piqué*. — Enfin, il faut donc faire ce
qui vous plaît ; mais assurément vous me ménagez peu !
Justine, Justine ! Voyez comme elle ne dormait pas !
Justine ! vous pouvez vous coucher.

JUSTINE. — A quelle heure Madame veut-elle qu'on
entre demain ?

CIDALISE *embarrassée*. — Mais voilà une singulière
question ! A l'heure ordinaire, apparemment ?

JUSTINE. — On attendra que Madame sonne.

(Elle sort.)

CIDALISE. — Eh bien ! Monsieur, vous venez de

l'entendre! elle vient de me tenir un joli propos! Voilà pourtant à quoi vous m'exposez!

CLITANDRE. — Mais, Madame, daignez donc vous mettre à ma place.

CIDALISE. — Mettez-vous vous-même à la mienne, Monsieur; croyez-vous de bonne foi qu'elle sorte de ma chambre sans la plus forte persuasion qu'elle nous y gênait beaucoup, que nous sommes arrangés[11]; et que ceci qui n'est bien assurément qu'une chose de hasard à laquelle nous n'avons pensé ni vous ni moi, ne soit un rendez-vous très décidé?

CLITANDRE. — Elle a donc l'esprit bien mal fait, votre Justine!

CIDALISE *d'un ton un peu brusque*. — Elle l'a comme tous les gens de son espèce; cela ne suffit-il pas? Vous-même que penseriez-vous si vous appreniez demain qu'un des hommes, qui sont ici, a passé la plus grande partie de la nuit dans ma chambre? Auriez-vous la bonté de croire qu'il ne l'aurait employée qu'à me raconter des histoires?

CLITANDRE. — Il est certain que je vous croirais pour cela quelque raison particulière; mais Justine qui est votre confidente, et qui sait qu'il n'y a rien entre vous et moi, ne doit pas penser là-dessus comme je pourrais faire. Eh! plût au Ciel qu'elle pût me croire l'homme du monde le plus heureux, et que je le fusse autant qu'elle me ferait l'honneur de le croire!

CIDALISE. — Son absence vous a rendu bien galant!

CLITANDRE. — Non, mais il est assez simple qu'elle m'ait rendu plus libre. Si je n'avais dû rien gagner à son départ, que m'aurait fait qu'elle fût partie?

CIDALISE *d'un ton fort sérieux et d'un air un peu alarmé*. — Au moins, Monsieur...

CLITANDRE. — Eh! Madame, vous me connaissez. D'ailleurs, que gagnerais-je à vous manquer, quand vous ne m'accorderiez rien de tout ce que je pourrais vous demander, ou que je vous offenserais, si je voulais tenter quelque chose?

CIDALISE. — Au vrai, Clitandre, vous n'aimez donc pas Araminte? *(Clitandre hausse les épaules.)* Mais pourtant vous l'avez eue.

CLITANDRE. — Ah! c'est autre chose.

CIDALISE. — En effet, on dit qu'aujourd'hui cela fait une différence.

CLITANDRE. — Et je crois de plus que ce n'est pas aujourd'hui que cela en fait une.

CIDALISE. — Vous m'étonnez. Je croyais que c'était une obligation que l'on avait à la Philosophie moderne[12].

CLITANDRE. — Je croirais bien aussi qu'en cela, comme en beaucoup d'autres choses, elle a rectifié nos idées; mais qu'elle nous a plus appris à connaître les motifs de nos actions, et à ne plus croire que nous agissons au hasard, qu'elle ne les a déterminées. Avant, par exemple, que nous sussions raisonner si bien, nous faisions sûrement tout ce que nous faisons aujourd'hui; mais nous le faisions, entraînés par le torrent, sans connaissance de cause et avec cette timidité que donnent les préjugés. Nous n'étions pas plus estimables qu'aujourd'hui, mais nous voulions le paraître; et il ne se pouvait pas qu'une prétention si absurde ne gênât beaucoup les plaisirs. Enfin, nous avons eu le bonheur d'arriver au vrai : eh! que n'en résulte-t-il pas pour nous? Jamais les femmes n'ont mis moins de grimaces dans la société; jamais l'on n'a moins affecté la vertu. On se plaît, on se prend. S'ennuie-t-on l'un avec l'autre? on se quitte avec tout aussi peu de cérémonie que l'on s'est pris. Revient-on à se plaire? on se reprend avec autant de vivacité que si c'était la première fois qu'on s'engageât ensemble. On se quitte encore, et jamais on ne se brouille. Il est vrai que l'amour n'est entré pour rien dans tout cela; mais l'amour, qu'était-il qu'un désir que l'on se plaisait à s'exagérer? Un mouvement des sens, dont il avait plu à la vanité des hommes de faire une vertu? On sait aujourd'hui que le goût seul existe; et si l'on se dit encore qu'on s'aime, c'est bien moins parce qu'on le croit, que parce que c'est une façon plus polie de se demander réciproquement ce dont on sent qu'on a besoin. Comme on s'est pris sans s'aimer, on se sépare sans se haïr; et l'on retire du moins, du faible goût que l'on s'est mutuellement inspiré, l'avantage d'être toujours prêts à s'obliger. L'inconstance imprévue d'un amant accable-t-elle une femme ; à peine lui laisse-t-on le temps de la sentir. Des raisons de bienséance ou d'intérêt ne lui permettent-elles pas de quitter un amant ennuyeux, ou qui a cessé de paraître aimable, tous ses amis se relaient pour l'étourdir sur le malheur de sa situation. Lui prend-il un caprice, dans la minute il est satisfait. Sommes-nous dans tous les cas dont je viens de faire l'énumération, nous trouvons les mêmes ressources dans la reconnaissance des femmes avec qui nous avons un peu intimement vécu ; et je crois, à tout prendre, qu'il y a bien de la sagesse à sacrifier à tant de plaisirs quelques vieux préjugés qui rapportent assez peu d'estime, et beaucoup d'ennui à ceux qui en font encore la règle de leur conduite.

CIDALISE. — Assurément, si vous croyez tout ce que vous venez de me dire, vous avez jusques à présent agi bien peu d'après vos maximes, vous qui n'êtes pas encore consolé de l'inconstance de Célimène, et qui l'avez si tendrement aimée.

CLITANDRE. — Je l'ai adorée, j'en conviens ; mais peut-être aussi est-ce moins ma façon de penser que je viens de vous peindre, que celle qu'il semble que quelques personnes ont aujourd'hui.

CIDALISE. — Ah ! quelques chagrins que la vôtre vous ait procurés, n'en changez pas. Il est possible, croyez-m'en, que vous rencontriez une femme plus digne de vos sentiments que ne l'a été Célimène ; et vous auriez trop à vous reprocher, si vous cherchiez à vous venger sur une Maîtresse estimable, des affreux procédés de celle-là.

CLITANDRE. — Ce n'est pas non plus mon intention ; et si vous connaissiez celle que mon cœur désire, vous ne me soupçonneriez pas d'une idée aussi injuste, qu'elle serait barbare.

CIDALISE. — Vous n'aimez donc plus du tout Célimène ?

CLITANDRE. — Non, je vous le jure ; mais en revanche, je ne connais personne qui m'inspire un si souverain mépris.

CIDALISE. — Prenez-y garde, Clitandre, vous croyez la haïr ; et quand on hait encore ce qu'on a tendrement aimé, il s'en faut beaucoup que le cœur soit guéri.

CLITANDRE. — Je l'ai haïe, sans doute, et avec une violence qu'il me serait difficile de vous exprimer ; mais il ne me reste plus à présent pour elle, que ce mépris froid et paisible dont personne ne pourrait se dispenser de l'honorer, si tout le monde savait, comme moi, combien elle en mérite : ce mépris enfin, que vous, qui la connaissez si bien, avez pour elle.

CIDALISE. — Serait-ce Araminte qui l'aurait si absolument bannie de votre cœur ? J'aurai peine à le croire ; et je vous avoue que j'en serais fâchée.

CLITANDRE. — Araminte ! Mais de bonne foi cela peut-il se supposer ! Pensez[13] donc du moins une femme que l'on puisse aimer un peu.

CIDALISE. — Mais que vient-elle donc faire ici ?

CLITANDRE. — Je crois que je m'en doute ; mais cela ne dit pas que je l'aime.

CIDALISE. — Pourquoi aussi, ne vous sentant point en disposition de la traiter mieux, ne l'avez-vous pas laissée à Paris ? Car, toute plaisanterie à part, c'est sans que je l'aie en aucune façon priée, et même sans qu'elle m'ait pressentie[14], qu'elle est venue s'établir chez moi : et je vous le dis naturellement, elle me ferait plaisir de s'en retourner.

CLITANDRE. — Et à moi aussi, je vous le proteste ; je vous assure de plus, que si elle ne s'en va pas, c'est que je m'en irai, moi[15].

CIDALISE. — Non, Clitandre, elle restera, et vous ne vous en irez pas.

CLITANDRE. — En vérité ! Madame, il est aussi trop singulier que vous croyiez que l'on puisse rester dans un lieu où l'on a le malheur de trouver une Araminte, surtout quand elle s'avise d'y être tendre.

CIDALISE. — Oh ça ! Comte, je suis votre amie, et je crois que vous ne doutez pas de ma discrétion. Puisque le hasard de la conversation nous a portés sur elle, ouvrez-moi votre cœur, et ne me cachez rien de ce qui s'est passé entre elle et vous. *(Il rêve.)* Ah ! je vous en prie! « au fond[16] » après être convenu avec moi de l'avoir eue, doit-il tant vous en coûter pour me dire comment elle s'est engagée avec vous?

CLITANDRE. — Vous avez raison; et je sens bien que je ne devrais pas vous refuser ce que vous me demandez : mais ce sont des choses sur lesquelles, soit principe, soit préjugé, je ne parle pas volontiers : ce n'est pas que je ne sache qu'elle mérite peu de ménagements, et que mille autres pourraient dire d'elle, ce qu'elle m'a mis à portée d'en savoir; cependant…

CIDALISE. — Le beau scrupule! Vous l'avez eue, je le sais; que vous reste-t-il à m'apprendre que des détails?

CLITANDRE. — Cela est vrai; et c'est à cause de cela précisément que je ne conçois pas votre curiosité. Ces sortes d'aventures sont si peu variées, que qui en sait une, en sait mille. Au reste, puisque vous le voulez, je ne vous cacherai rien.

CIDALISE. — Avant tout, ouvrez un peu plus ce rideau, je ne vous vois pas.

CLITANDRE. — J'étais allé au commencement de l'été à la campagne, chez Julie. Il y avait beaucoup de monde; Araminte entre autres, que personne ne désire, et qui se prie partout. Je commençais à perdre beaucoup de la douleur que l'inconstance de Célimène m'avait causée; et de jour en jour ma liberté me devenait plus à charge. Je brûlais de me rengager; et si vous me permettez de vous le dire, mon cœur qu'à votre entrée dans le monde, vous aviez assez vivement blessé, reprenait pour vous ses premiers penchants; mais vous aimiez encore Éraste : je me représentai fortement l'inutilité de mes vœux. La certitude de ne pas réussir, et la crainte de vous ennuyer et de vous déplaire en vous poursuivant avec cette opiniâtreté fatigante que nous croyons nous devoir, quand une fois nous avons expliqué nos désirs, m'obligèrent à garder le silence.

CIDALISE. — Vous fîtes fort bien. J'aimais en effet Éraste avec la plus grande vivacité; et sûrement vous n'auriez pas eu à vous louer du succès.

CLITANDRE. — J'avais aussi quelques raisons de croire que quand même vous auriez été libre, vous ne m'en auriez pas rendu plus heureux. Quoi qu'il en soit, je n'imaginai même pas de vous informer des perfidies qu'il vous faisait tous les jours. J'étais sûr que cette confidence ne ferait que vous tourmenter; et toutes réflexions faites, je crus devoir me taire et sur mes désirs et sur ses infidélités.

CIDALISE. — L'ingrat! que je l'aimais! Croiriez-vous bien que depuis qu'il m'a forcée de rompre avec lui, il n'y a que bien peu de temps que je me sens pour lui, cette indifférence profonde qu'il n'est plus possible de surmonter.

CLITANDRE. — En ce cas il est donc bien sot de n'avoir pas avancé son voyage; car, à ne vous rien cacher de ses idées, il n'est venu ici que pour se raccommoder avec vous; et il en a l'espérance.

CIDALISE. — Ce n'est en lui qu'un ridicule de plus; mais j'avoue que je voudrais qu'il fût devenu sincèrement amoureux de moi.

CLITANDRE. — Ah! qu'il entre encore d'amour dans ce désir.

CIDALISE. — Je conviens que l'on pourrait le soupçonner; mais je vous donne ma parole d'honneur, que c'est sans aucune idée que je doive me reprocher, que je le forme.

CLITANDRE. — A vous parler franchement, j'ai tant de peine à croire que vous l'aimiez, que je croirai bien aisément que vous ne l'aimez plus. Mais puisque nous en sommes sur ce chapitre, dites-moi, je vous en prie, comment un petit homme si mauvais plaisant, si peu fait pour plaire, d'une si misérable santé...

CIDALISE. — Ah! Clitandre, me feriez-vous l'injure de croire que j'aie pu faire quelque attention à ce dernier article!

CLITANDRE. — Non, assurément! Mais c'est qu'un amant malade, pour ainsi dire, de profession, est, à ce que je crois, toujours moins amusant qu'un autre. Vous conviendrez du moins que si ce n'est pas une raison de rejeter un homme, ce n'en est pas non plus une de le prendre.

CIDALISE. — Aussi ne fut-ce pas ce qui me détermina

en sa faveur. Grand Dieu! que l'amour est un sentiment bizarre! Quand je vois aujourd'hui ce même objet qui, il n'y a encore que si peu de temps, avait sur moi tant de pouvoir; lorsque je juge de sang-froid cet homme qui a été si dangereux pour mon cœur, j'avoue que j'ai peine à comprendre qu'il ait pu me tourner si violemment la tête, et que j'en sens contre moi-même la plus forte indignation.

CLITANDRE. — Vous êtes donc bien sûre que vous ne renouerez pas avec lui?

CIDALISE. — Quelle idée! Dans le temps même que je mourais de douleur de l'avoir perdu, il a tenté vainement de me ramener à lui; et les dispositions où je me trouve, ne me permettent pas de craindre qu'il puisse à présent ce qu'alors il ne put pas.

CLITANDRE *avec inquiétude*. — Est-ce que vous penseriez à en prendre un autre?

CIDALISE. — Non, je vous le jure; mais s'il était vrai que j'aimasse, je me flatte que je saurais triompher de mon amour, et le laisser même ignorer à celui qui en serait l'objet.

CLITANDRE. — Cruelle! pouvez-vous former de pareils projets!

CIDALISE. — Eh! que vous importe que... Mais reprenez votre histoire.

CLITANDRE. — Croyez-vous que je n'eusse rien de plus intéressant à vous dire?

CIDALISE. — Je ne sais; mais vous ne pouvez me dire rien qui me fasse autant de plaisir.

CLITANDRE. — Ce que vous me dites est assez peu poli; mais vous affligez plus mon cœur, que vous ne mortifiez mon amour-propre.

CIDALISE. — Finissez donc! Attendrai-je éternellement? Vous êtes insupportable!

CLITANDRE. — Eh bien! Araminte, en me voyant me destina *in petto* au glorieux emploi de l'amuser. Vous savez avec quelle promptitude elle fait connaissance; vous connaissez son indécente familiarité, et ses agaceries mille fois plus indécentes encore. Nous sommes libertins: je n'avais rien dans le cœur pour me défendre d'elle. Elle ne me toucha point, mais elle me tenta. Je lui parlai sur le ton qui convenait également à son caractère et à la sorte d'impression qu'elle faisait sur moi. Loin de s'en offenser, les désirs les moins flatteurs pour elle, et les moins tendrement exprimés, lui parurent une passion violente qu'elle ne pouvait récompenser trop tôt. La façon vive et assez peu honnête dont je lui exposai mes intentions, acheva de me concilier son estime. Je lui dis des choses très libres, elle les prit pour des galanteries. Je ne voulais pas, comme vous le croyez bien, d'affaire en règle avec elle ; mais je la jugeais bonne pour une passade, et je résolus de m'en amuser tant qu'elle resterait chez Julie. En revenant de la promenade, le hasard nous fit passer par un petit bosquet assez obscur. Par le même hasard, nous étions insensiblement séparés de la compagnie. Je trouvai et le lieu très propre à prendre avec elle les plus grandes libertés, et elle si disposée à me les souffrir, que je ne sais comment elle eut la force de ne m'en pas remercier. En me priant le plus poliment du monde de finir, elle me laissait continuer avec une patience admirable. Cependant une faiblesse lui prit ; et, ce que je me reprocherai toujours ! j'eus l'indignité d'abuser de l'état où je l'avais réduite.

CIDALISE. — Ah ! grand Dieu ! comment ! vous !...

CLITANDRE. — Oui, Madame, on ne saurait pousser plus loin le manque de respect ; j'en suis encore d'une honte !

CIDALISE. — Mais, Clitandre, avec votre permission, les faits sont-ils bien tels que vous me les racontez ?

CLITANDRE. — Ils sont si simples, que je m'étonne que vous y trouviez de quoi vous faire une histoire. Vous me connaissez assez pour savoir qu'ordinairement je ne mens pas. D'ailleurs tout cela n'est qu'un coup de foudre ; et ils sont depuis quelque temps devenus aussi communs, que l'on prétend qu'ils étaient rares autrefois.

CIDALISE. — Je vous avoue que je sais qu'Araminte a eu quelques affaires, et que le Public la croit peu cruelle ; mais elle est étourdie, assez méchante ; sa conduite est légère, sa langue ne l'est pas moins; j'ai cru que la calomnie lui prêtait beaucoup de choses, et qu'elle était dans le fond plus coquette que galante. Vous me confondez! Après?

CLITANDRE. — Je suis poli, moi; et quoiqu'elle ne me fît pas de reproches, je crus qu'il était de la bienséance que je lui fisse des excuses. Elle les reçut comme une suite de bons procédés de ma part, et en fut si enchantée, qu'elle voulut absolument que j'allasse, quand tout le monde serait couché, les lui réitérer dans sa chambre. Cette affaire, comme vous le voyez, ne commence pas tout à fait sur le ton du sentiment; et il me semble qu'elle s'était mise elle-même dans le cas de ne m'en pas oser demander. Je lui rends justice; d'abord elle n'y pensa pas plus que moi. Le souper fut fort gai; elle m'y honora de toutes les faveurs qu'une femme qui ne se contraint qu'à un certain point, peut accorder à quelqu'un en assez nombreuse compagnie. Je les reçus comme je le devais, ou plutôt comme je ne le devais pas, puisque j'y répondis. Cependant, par vanité, je la priai de vouloir bien se contenir un peu. Elle fut tout l'après-souper d'une tendresse exécrable. Enfin on alla se coucher, et je passai dans sa chambre, le plus tôt qu'il me fut possible.

CIDALISE. — Vous y allâtes!

CLITANDRE. — Assurément! Que vouliez-vous donc que je fisse? Pouvais-je manquer à ma parole? Elle m'attendait! Je la trouvai couchée; et j'avoue que je crus qu'après toutes les libertés qu'elle m'avait laissé prendre, celle de me mettre dans son lit, n'avait rien qui dût la choquer à un certain point. En effet, la seule chose qu'elle me demanda, fut de vouloir bien éteindre les bougies, ou de fermer les rideaux. Cela ne me parut qu'un caprice; je ne les aime pas; et je lui refusai durement la grâce qu'elle me demandait. Quand elle vit que je ne me prêtais pas à ses intentions, elle eut la complaisance de plier à mes volontés. Les bougies restèrent allumées, et les rideaux ouverts. Nous commençâmes à en agir ensemble familièrement; et j'étais sur le point de lui avoir encore les dernières

obligations, lorsqu'une tendre inquiétude la saisit. Elle
se rappela que je ne lui avais pas encore dit que je
l'aimais ; et me protesta, si je ne la rassurais pas sur mon
cœur, que quelque extraordinaire que fût le goût qu'elle
avait pour moi, et quelques preuves même qu'elle
m'eût déjà données de sa faiblesse, elle saurait indubitablement la vaincre. Je sentais bien que si elle m'eût
aimé, elle n'aurait pas eu lieu d'être contente de ce
qu'elle m'inspirait ; mais la bienséance et l'état où
j'étais, ne me permettaient que de la tromper ; et je lui
répondis que je ne concevais pas qu'avec les preuves
actuelles que je lui donnais de mes sentiments, elle pût
s'obstiner à en douter. Elle avait jusque-là, paru ne se
livrer à sa tendresse qu'avec contrainte ; mais la certitude d'être aimée, bannissant ses scrupules, elle devint
d'une tendresse, d'une vivacité, d'une ardeur
incompréhensibles ! Ah ! si vous aviez vu, Madame !
Non ! c'est que cela était d'une beauté !...

CIDALISE *sèchement*. — Je le crois, Monsieur le
Comte, mais n'en supprimez pas moins ces agréables
détails.

CLITANDRE. — Enfin, quoique j'eusse dans le fond
plus à me plaindre d'elle, qu'à la remercier, je crus que
la politesse me condamnait à lui faire des remerciements ; et si ce ne fut pas du fond du cœur que je lui en
fis, je mis du moins dans les miens tant de galanterie, et
elle en fut si contente, qu'elle n'oublia rien pour que je
lui en fisse encore. Mon Dieu ! quand j'y songe, que
c'est une digne femme ! Cependant, malgré tout ce que
je lui devais, et la sorte d'égarement où nous mettent
toujours les premières bontés d'une femme, soit que
nous devions ou ne devions pas les recevoir avec
transport, il m'avait paru que j'aurais été plus heureux
encore, et que j'aurais eu moins à prendre sur mon
imagination, si elle eût eu autant à se louer de la nature,
qu'elle semblait le croire. J'ai le malheur d'être fort
curieux : mon doute me tourmentait : je la priai donc
de le faire cesser. Rien n'était si simple, ni même si
galant que cette prière. Vous ne pourriez cependant que
difficilement imaginer combien j'eus de peine à la lui

faire agréer. Cette proposition blessait mortellement sa pudeur !

CIDALISE. — Ah ! quel conte ! Ce scrupule était bien placé !

CLITANDRE. — Enfin, elle ne voulait pas, mais je voulais, moi ; et quelque résistance qu'elle m'opposât, je voulus si bien qu'elle fut obligée de céder. Ah ! Madame...

CIDALISE. — Quoi donc ?

CLITANDRE. — Ah ! quel monstre !

CIDALISE. — Elle ! vous m'étonnez ! Je ne comprends pas ce que cette femme peut avoir de si horrible ? Sa gorge n'est point parfaite, mais elle n'est pas mal non plus ; elle a le bras bien tourné, la main assez jolie, le pied assez bien fait, et j'ai ouï dire que tout cela devait faire penser...

CLITANDRE. — Eh ! mon Dieu ! Madame, si vous saviez combien peu il faut se fier aux règles, et combien tous les jours, soit d'une façon, soit d'une autre, nous y sommes attrapés, vous ne seriez pas si surprise de ce qu'Araminte ne tient pas tout ce qu'elle semble promettre.

CIDALISE. — Qu'avant l'aventure du bosquet, vous jugeassiez d'elle comme je faisais tout à l'heure, cela me paraît tout simple ; mais ce que je ne conçois pas, c'est qu'après, vous ayez été la trouver dans sa chambre avec autant d'empressement que si vous l'eussiez trouvée charmante.

CLITANDRE. — Si j'avais l'honneur d'être un peu plus intimement connu de vous, vous ne me feriez pas cette question. D'ailleurs, après ce qu'elle avait bien voulu faire pour moi, comment vouliez-vous que je lui refusasse d'aller la trouver ? Il ne me restait de parti à prendre, que de la satisfaire, ou de m'enfuir : le dernier aurait sans doute été le plus sage ; mais malheureusement il ne me vint pas dans l'esprit. Au surplus, je m'étais instruit dans le bosquet moins que vous ne pensez. L'insolence n'a jamais permis l'examen ; et si je n'eus pas de quoi la croire parfaite, du moins ne pus-je pas non plus la trouver aussi détestable qu'elle l'est en effet.

CIDALISE. — Ce que je ne comprends pas, c'est qu'une femme, telle que vous me dépeignez Araminte, soit aussi galante. L'amour-propre devrait au moins lui tenir lieu de principes; car en supposant qu'elle se fût crut en entrant dans le monde, tous les charmes imaginables, il ne serait pas possible que tous les hommes qu'elle a eus, se fussent accordés pour servir sa vanité; ou que s'ils ont eu la politesse de la ménager, ou la fausseté de l'entretenir, que le peu de temps qu'ont duré les liaisons qu'elle a voulu former, et mille autres circonstances aussi propres à nous faire ouvrir les yeux sur nous-mêmes, ne l'eussent pas désabusée.

CLITANDRE. — Nous sommes, sur cet article, aussi faux, ou aussi polis que vous le croyez; et nous quittons ordinairement une femme sans chercher à l'humilier, à moins cependant que notre vanité ne soit intéressée à le faire. Il est certain, au reste, que si j'eusse su combien la noble confiance qu'Araminte a en elle-même, est mal fondée, je ne l'aurais pas prise; mais j'étais à cet égard dans le cas du monde le plus cruel. Il y a fort peu de gens qui ne l'aient eue; mais il n'y a pas un homme d'un certain genre qui ait cru devoir se vanter de l'avoir possédée; et elle est peut-être la femme de France que l'on connaît le plus, et sur laquelle pourtant on trouverait le moins de renseignements : elle est enfin de ces sortes d'espèces dont on ne dit rien, ou par égard pour soi-même, ou par méchanceté pour les autres.

CIDALISE. — Vous ne la connaissiez donc point du tout?

CLITANDRE. — Pardonnez-moi. Je la connaissais comme nous nous connaissons tous. Je l'avais trouvée deux fois à l'Opéra dans la loge de Julie; j'avais soupé avec elle autant de fois, je crois, chez la même; je l'avais rencontrée à la Cour chez les Princesses : mais dans toutes ces occasions nous nous étions parlé fort peu; et soit que mon attachement pour Célimène lui imposât, soit qu'elle-même eût à la Cour, contre sa coutume, quelque affaire suivie, elle m'avait regardé avec une indifférence que je voudrais bien qu'elle eût eu la bonté de me conserver.

CIDALISE. — Je n'ai pas à présent de peine à le croire. Mais voilà un insupportable rideau, de retomber toujours! Arrangez-le donc de façon qu'on n'ait pas besoin de l'arranger sans cesse!

CLITANDRE. — Si vous le vouliez, je pourrais mieux faire. Vous n'êtes pas prude, je ne suis point impertinent; je vais m'asseoir sur votre lit.

Elle lui fait place.

CIDALISE. — Vous dûtes au moins lui trouver des charmes, qui, en général, vous touchent assez? Vous m'entendez, sans doute?

CLITANDRE. — A elle! Elle n'en a point!

CIDALISE. — Ah! pour cela, Clitandre, je ne saurais vous croire; après ce que vous m'avez dit de ses transports, de sa vivacité...

CLITANDRE. — Vous vous trompez; tous ces transports n'étaient pas plus causés par ce que vous pensez, que par l'amour même, qui sûrement n'y entrait pour rien. C'était une galanterie qu'elle me faisait gratuitement; pure générosité de sa part, ou, pour parler plus juste, habitude et fausseté. Elle sait que les femmes qu'il nous est impossible d'intéresser ne nous plaisent pas; et elle ne feignait tant d'ardeur, que pour me faire croire qu'elle m'aimait, et pour m'en donner à moi-même.

CIDALISE. — Puisqu'elle avait dans le fond si peu de sensibilité, quel besoin avait-elle de vous voir si ardent?

CLITANDRE. — Elle a l'imagination fort vive et fort déréglée; et quoique l'inutilité des épreuves qu'elle a faites en certain genre, eût dû la corriger d'en faire, elle ne veut pas se persuader qu'elle soit née plus malheureuse qu'elle croit que d'autres ne le sont; et elle se flatte toujours qu'il est réservé au dernier qu'elle prend, de la rendre aussi sensible qu'elle désire de l'être. Je ne doute même pas que cette idée ne soit la source de ses dérèglements, et de la peine qu'elle prend de jouer ce qu'elle ne sent pas. Ajoutons aussi que ces sortes de femmes sont fort vaines; et que sans avoir besoin en aucune manière qu'un homme soit si singulier, leur

amour-propre désire de le voir tel, comme le nôtre
quelquefois, nous fait faire des efforts qui passent nos
forces ou nos désirs. Je dirai plus, c'est qu'aujourd'hui
il est prouvé que ce sont les femmes à qui les plaisirs de
l'amour sont le moins nécessaires, qui les recherchent
avec le plus de fureur ; et que les trois quarts de celles
qui se sont perdues, avaient reçu de la nature, tout ce
qu'il leur fallait pour ne l'être pas.

CIDALISE. — C'est une chose que je sais comme vous,
et que j'ai encore plus de peine que vous à comprendre.

CLITANDRE. — C'est, je vous l'avoue, un fort plaisant
siècle que celui-ci, et délicieux à considérer un peu
philosophiquement[17].

CIDALISE. — Faisons dans cet instant, ce que ce siècle
paraît faire toujours ; ne réfléchissons point. Cette
admirable Araminte vous trouva-t-elle digne de tout ce
qu'elle voulait bien faire pour vous ?

CLITANDRE. — Il faut que vous me croyiez bien peu
vrai et bien vain pour me faire une pareille question.
Qu'il y a de femmes à qui je mentirais, si elles m'en
faisaient une pareille !

CIDALISE. — Cela serait assez égal avec moi.

CLITANDRE. — C'est ce que je pense ; et pour vous
dire la vérité, si elle eut de quoi ne pas regarder comme
perdus les moments qu'elle voulait bien me donner, elle
n'eut pas lieu non plus de les regarder comme absolument bien employés. Elle, ne piquant pas à un certain
point ma fantaisie, moi n'étant plus assez jeune pour
que la vanité me tint lieu du goût qu'elle ne m'inspirait
pas, vous pouvez aisément juger que la conversation
languissait quelquefois entre nous. Ne sachant plus que
faire de cette grosse femme-là, connaissant assez ses
ridicules pour ne pouvoir plus m'en amuser, ne pouvant avec décence la quitter sitôt, et craignant l'ennui,
je me divertis à chercher si elle était en effet aussi
singulièrement tendre qu'elle se croyait obligée de le
paraître ; malgré l'art avec lequel elle jouait ce qu'elle
n'était pas, je m'étais fort bien aperçu de ce qu'elle est.
Mais comme sur certaines choses, les femmes sont
extrêmement capricieuses ; que ce qui ne paraîtrait pas

à l'une, digne de la plus légère attention, est pour l'autre un objet considérable ; qu'il y en a beaucoup, qui par une tournure d'esprit particulière, préfèrent l'illusion à la réalité ; que chacune enfin a ses idées, et même ses manies, je crus, puisque le sérieux l'avait intéressée si peu, qu'il fallait l'essayer par les minuties[18]. Ce parti non seulement était le plus raisonnable, mais encore (ce qui peut-être vous étonnera) c'est qu'il me parut le plus convenable. Devineriez-vous bien, Madame, ce que j'eus l'honneur de lui dire ?

CIDALISE. — Vous ne vous flattez pas peut-être que je répondrai à cette question ? Quel fut le succès de vos soins ?

CLITANDRE. — De m'ennuyer à périr, et de me lasser comme un chien. Enfin, excédé d'elle et de ma sotte curiosité, j'allai gagner mon lit, en me promettant bien de ne plus faire de pareilles épreuves, du moins avec si peu de raison de les tenter.

CIDALISE. — L'avez-vous eue longtemps ?

CLITANDRE. — Plus que je ne devais ; cinq ou six jours, à ce que je crois, plus ou moins.

CIDALISE. — Quoi ! cette femme que vous trouviez si horrible ! Libertin !

CLITANDRE. — Lorsque nous revînmes à Paris, nous en usâmes comme si c'eût été aux eaux que nous nous fussions pris. Nous nous rencontrâmes plus d'une fois sans nous parler de rien, et même, sans qu'elle et moi en puissions dire la raison, nous n'avions l'un pour l'autre que la plus simple politesse. Enfin, un mois après, je la trouvai à un souper que Valère nous donnait à sa petite maison. Luscinde, elle, Julie, une petite provinciale, parente de Luscinde, étaient les femmes. Les hommes étaient Valère, Oronte, Philinte et moi. Le souper fut on ne peut pas plus fol. Lorsqu'il fut fini, chacun de nous s'écarta. Nous nous partageâmes le jardin : Araminte, qui, pendant le souper, s'était ressouvenue de m'avoir vu quelque part, et m'avait fait d'assez tendres agaceries, me dit quand nous fûmes seuls, qu'elle avait une grande nouvelle à m'apprendre, qu'il lui était arrivé un grand bonheur. Je devinai

aisément ce qu'elle voulait me dire; et mon premier
mouvement fut de l'en croire sur sa parole : mais nous
étions seuls, j'avais soupé; je me souvins qu'il n'y avait
rien sur quoi elle méritât d'être crue, et je voulus voir si
elle me disait vrai. Croiriez-vous bien, Madame, qu'elle
m'avait menti ?

CIDALISE. — Je m'en doutais. Une si noire perfidie ne
vous donna pas apparemment le désir de renouer avec
elle ?

CLITANDRE. — De renouer ! Je l'aurais battue !
Cependant depuis cette malheureuse nuit, elle a jugé à
propos de s'acharner sur moi, a décidé que dans toutes
les règles j'étais obligé de l'aimer, m'a suivi, tourmenté,
excédé partout. Qu'elle y prenne garde ! on n'a des
complaisances pour elle, que parce qu'on la croit sans
conséquence; je la perdrai si je parle.

CIDALISE. — Mais, Clitandre, ne me supprimez-vous
pas quelques soins, quelques lettres tendres, quelques
serments d'aimer toujours, mille choses, enfin, qu'ordinairement les hommes comptent pour rien, et que nous
avons toujours le malheur de compter pour trop ? Est-il
bien vrai que vous n'ayez pas trouvé dans sa possession
plus de charmes, et que sa conquête ne vous ait pas
coûté plus de temps que vous ne me l'avez dit ?

CLITANDRE. — Non, Madame, je vous jure; le sentiment, le goût et le plaisir ne sont entrés pour rien dans
notre affaire; et ce qu'elle me fait aujourd'hui est d'une
injustice affreuse. En arrivant ici, elle m'a signifié avec
hauteur, qu'elle venait pour me faire expliquer. Je lui ai
répondu avec tout le respect que j'ai pour son sexe, et
tout le mépris que peut inspirer sa personne, qu'il ne se
pouvait pas que nous eussions rien à démêler ensemble.
Quand elle m'a vu si bien armé contre la dignité, elle est
revenue au sentiment, et m'a demandé en grâce d'aller
cette nuit dans sa chambre, ou de la recevoir dans la
mienne; et je l'ai bien cordialement assurée que je ne
ferais ni l'un ni l'autre.

CIDALISE. — C'était en effet ce que vous pouviez faire
de mieux : aussi dans le fond, n'était-ce pas dans cette
chambre-là que je vous croyais des affaires.

CLITANDRE. — Je n'en avais, comme vous voyez, que dans la vôtre. Mais à laquelle des femmes qui sont chez vous, votre imagination m'avait-elle donc destiné?

CIDALISE. — A Julie, au moins.

CLITANDRE. — A Julie! Mais est-ce que je l'ai eue donc?

CIDALISE. — Comment, si vous l'avez eue! En vérité! la question est admirable!

CLITANDRE. — Elle ne me paraît pas, je le confesse, aussi déplacée qu'à vous. Je trouve Julie fort aimable; mais vous m'étonnez de me croire avec elle d'aussi intimes liaisons, lorsque je ne lui ai jamais rendu de soins.

CIDALISE. — Je crois pourtant savoir ce que je dis. Mais qu'avez-vous, Clitandre, vous frissonnez? Est-ce que vous vous souviendriez d'Araminte?

CLITANDRE. — Je ne serais pas surpris que son idée produisît sur moi cet effet : car véritablement ce n'est jamais sans horreur que je me la rappelle.

CIDALISE. — Vous paraissez mourir de froid!

CLITANDRE. — Cela n'est pas bien extraordinaire. La nuit devient fraîche; je n'ai pour tout vêtement que ma robe de chambre, et je commence à la trouver terriblement légère.

CIDALISE. — J'en suis fâchée. Je désirais d'apprendre votre histoire avec Julie; et ce contre-temps me choque à un point que je ne puis dire. De quoi aussi vous avisez-vous de n'avoir qu'une robe de chambre de taffetas? La belle idée! Mais il ne se peut pas, du moins je me plais à le penser! que dessous vous soyez tout nu.

CLITANDRE. — Le plus exactement nu du monde. Eh! pourquoi pas? Nous ne sommes encore qu'au commencement de l'automne.

CIDALISE *fort sèchement*. — Vous pouvez être dans votre appartement comme il vous plaît; mais vous me permettrez de vous représenter que pour passer dans le mien, vous vous êtes mis dans un assez singulier équipage.

CLITANDRE *embarrassé*. — Vous me faites faire une réflexion qui me peine; et je ne saurais vous exprimer à quel point je suis honteux de vous faire penser un instant que j'ai pu avoir l'intention de vous manquer.

CIDALISE *avec dignité*. — Je crois ne mettre dans ceci ni humeur, ni ce qu'aujourd'hui l'on appelle *bégueulerie*[19], et qui pourrait bien être ce que l'on appelait pudeur autrefois; mais je vous avoue que je ne comprends pas comment vous avez imaginé de paraître devant moi dans l'état où vous êtes.

CLITANDRE *en lui baisant respectueusement la main*. — Ah! Madame, vous me percez le cœur. Je n'étais qu'à demi, s'il faut vous le dire, dans le dessein de passer chez vous. Je le voulais, je ne le voulais pas. Je craignais de prendre mal mon temps; et, si vous me permettez d'être vrai jusqu'au bout, l'idée du rendez-vous que je vous supposais, me tourmentait au-delà de toute expression; je n'ai jamais[20] pu résister au désir de savoir si en effet vous en aviez donné un. Absorbé dans ma rêverie, je me suis machinalement laissé déshabiller; je l'étais enfin quand je me suis déterminé à entrer chez vous. La confusion de mes idées, notre conversation qui a commencé sur-le-champ, une forte préoccupation ne m'ont pas permis de songer à l'état où j'étais, où j'ai le malheur d'être encore, et dont je vous demande autant de pardons que si j'eusse effectivement eu le dessein de vous offenser.

CIDALISE *avec plus de douceur*. — Je suis bien aise d'avoir moins à me plaindre de vous que je ne pensais; mais vous conviendrez, je crois, que toute autre à ma place, aurait trouvé votre procédé d'une légèreté inexprimable.

CLITANDRE. — Je n'aurais pas été surpris non plus, que toute autre que vous m'eût supposé quelque idée qui pouvait prouver assez peu d'estime; mais vous, Madame, vous qui me connaissez, vous qui savez à quel point je vous respecte (quoique vous ignoriez peut-être encore combien il me serait impossible non seulement de vous manquer, mais encore d'en former le désir); comment se peut-il que vous me mettiez dans la nécessité de m'en justifier?

CIDALISE. — Je me sens en effet si peu faite pour être

méprisée, qu'il ne vous sera pas bien difficile de me
faire croire que vous ne me méprisez pas. Mais laissons
cela, parlons d'autre chose. Eh bien! Julie?

CLITANDRE. — Julie sûrement ne meurt pas de froid
comme moi à l'heure qu'il est; et cela ne m'inquiète
guère.

CIDALISE. — Il m'est assez égal aussi que vous en
mouriez; et, dans quelque position que vous vous
trouviez, je veux, ne fût-ce que pour vous punir, que
vous me disiez ce que je vous demandais, lorsque vous
m'avez forcée de m'interrompre.

CLITANDRE. — Vous désirez donc cette histoire bien
vivement?

CIDALISE. — Oui, très vivement, je n'en disconviens
pas.

CLITANDRE. — Eh bien! puisque c'est absolument
que vous le voulez, je sais un moyen qui me mettra en
état de vous la conter, si vous l'agréez.

CIDALISE. — Et c'est?

CLITANDRE. — Mais c'est que vous ne voudrez
peut-être pas?

CIDALISE. — Voyons toujours.

CLITANDRE. — C'est... de me laisser coucher[21] avec
vous.

CIDALISE. — Rien que cela?

CLITANDRE. — Pas davantage.

CIDALISE *d'un air moqueur*. — Vous avez perdu
l'esprit, Clitandre, de me prendre pour une Araminte.

CLITANDRE. — Je n'ai pas une si lourde méprise à me
reprocher : c'est, je vous jure, en tout bien et en tout
honneur que je vous propose...

CIDALISE. — Après tout ce que je viens de vous dire,
ce serait à moi une assez belle inconséquence de vous
accorder ce que vous me demandez.

CLITANDRE. — Eh! Cidalise, quand il est question de
sauver la vie à quelqu'un, qu'est-ce qu'une inconséquence?

CIDALISE. — Allez, Clitandre, vous êtes fol, mais de
ceux qu'on enferme.

CLITANDRE. — Mais se peut-il que vous doutiez de
mon respect pour vous?

CIDALISE. — Non, je veux croire que vous me respec-
tez beaucoup ; et comme c'est une idée qui me flatte, je
ne vous mettrai absolument pas à portée de me la faire
perdre.

CLITANDRE. — Songez donc à ce que vous me dites.
Nous sommes seuls. Tous vos gens sont loin de vous,
hors Justine, qui ne vous serait pas d'un grand secours,
puisqu'il n'y a au monde, personne de si difficile à
réveiller. Vous êtes dans un état qui vous livrerait
presque sans défense à mes emportements, si j'oubliais
assez ce que je vous dois pour oser tenter rien qui vous
déplût ; et pourtant vous voyez, que, même vous trouvant plus aimable que quelque femme que ce soit, je ne
vous ai seulement pas fait la plus légère proposition. Je
ne vois pas bien pourquoi je serais moins sage dans
votre lit que je ne l'ai été dessus. Accordez-moi, de
grâce, ce que je vous demande, rien ne tire moins à
conséquence.

CIDALISE *en colère*. — Oh ! Clitandre, vous m'excé-
dez ! Je n'y consentirai jamais.

CLITANDRE. — Eh bien ! Madame, il faut donc vous
épargner la douleur d'y consentir ?

*Ici il ôte sa robe de chambre, la jette dans la ruelle, se
précipite dans le lit de Cidalise, et la prend dans ses bras.*

CIDALISE *avec effroi*. — Clitandre ! Monsieur ! si vous
ne quittez point mon lit ! si vous ne me laissez pas ! si
vous ne vous en allez point, je ne vous reverrai de mes
jours !

CLITANDRE *vivement*. — Mais, Madame, y pensez-
vous ! songez-vous que l'on peut entendre vos cris ! Que
voudriez-vous, si quelqu'un venait ici, que l'on imaginât de la situation dans laquelle on nous trouverait tous
deux ?

CIDALISE *avec emportement*. — Tout ce qu'on voudrait. Il n'y a rien que je ne m'expose à faire penser,
plutôt que de me voir réellement victime de votre
témérité.

CLITANDRE. — Eh, Madame ! Lucrèce même ne
pensa pas comme vous[22].

CIDALISE *avec fureur*. — Je crois encore que vous plaisantez !

CLITANDRE. — Cela serait assez déplacé dans la colère où j'ai le malheur de vous mettre, et, je vous le proteste, beaucoup plus innocemment que vous ne pensez.

CIDALISE *toujours du même ton*. — Allez, Monsieur, il est infâme à vous d'abuser, comme vous faites, de mon estime et de mon amitié. Laissez-moi, je vous abhorre ! Laissez-moi, vous dis-je !

CLITANDRE. — Si je vous retenais, c'était beaucoup moins pour vous faire violence, que pour vous empêcher de prendre un mauvais parti. Vous voilà libre ! eh bien ! que vous fais-je ? Je suis pourtant avec vous dans le même lit ; à ma sagesse, devriez-vous le croire ?

CIDALISE. — Taisez-vous, je vous déteste ! Que voulez-vous que pensent demain mes gens quand ils verront mon lit ?

CLITANDRE. — Rien du tout, Madame, car je le referai avant que de m'en aller.

CIDALISE. — Ah ! sans doute, ce sera, je crois, un bel ouvrage !

CLITANDRE. — Vous verrez. Oh ça ! ne m'abhorrez donc plus tant ; rapprochez-vous un peu de moi, et que la tranquillité où vous me voyez auprès de vous, vous rassure.

CIDALISE. — Vous pouvez compter que si vous osez tenter la moindre chose, vous serez à jamais l'objet de ma plus cruelle aversion.

CLITANDRE. — Soit ! puissiez-vous en effet me haïr autant que je désire que vous m'aimiez, si vous avez à vous plaindre de moi !

CIDALISE. — Je ne pardonne pas même une proposition, quelque modérée qu'elle puisse être.

CLITANDRE. — Cela est dur, par exemple ! N'importe, je le veux bien, point de proposition ; aussi bien ne serait-ce pour moi qu'une honte de plus.

CIDALISE. — Je voudrais bien que vous le crussiez.

CLITANDRE. — Je ne sais pas comment les autres pensent sur ces sortes de choses ; mais pour moi je n'ai jamais trouvé plaisant d'être refusé. N'en étions-nous pas à Araminte ?

CIDALISE. — Non, nous l'avions passée. Mais est-ce que réellement vous comptez rester dans mon lit ?

CLITANDRE. — Eh ! Madame, il me semblait que cela était arrangé, et que nous avions fait nos conditions.

CIDALISE *riant*. — Quoique je sois assurément très fâchée contre vous, il m'est impossible de ne pas rire de la singularité de ce qui m'arrive.

CLITANDRE. — Dans le fond, je crois qu'il est plus sage à vous de vous en faire un objet de plaisanterie, qu'un sujet de colère.

CIDALISE. — De quoi vous avisez-vous aussi de vous opiniâtrer à entrer dans un lit où l'on ne vous désire pas du tout, lorsqu'il y en a tant ici où je suis sûre que vous auriez été reçu à bras ouverts.

CLITANDRE. — Je ne puis pas douter, par exemple, qu'Araminte ne m'eût bien voulu faire cette grâce ; mais je crois qu'elle est la seule chez vous, de qui je puisse l'attendre.

CIDALISE. — Et la seule peut-être de qui vous ne la voulussiez point recevoir. Si Julie, par exemple...

CLITANDRE. — Julie actuellement ne me tente pas plus qu'Araminte, ou pour mieux dire, je ne désire pas plus l'une que l'autre ; mais il est vrai pourtant que si bien absolument Julie le voulait, je ne lui tiendrais pas rigueur comme à l'espèce de monstre dont vous me parlez. Est-ce que cela ne vous paraît pas tout simple ?

CIDALISE. — C'est-à-dire que vous avez plus trouvé dans Julie, de cette espèce de sensibilité qui vous amuse tant, que l'autre ne vous en a montré.

CLITANDRE. — A mérite égal sur cet important article, n'est-il pas vrai que Julie devrait avoir la préférence ?

CIDALISE. — Cela n'est pas douteux. Mais en supposant que, pour parler comme vous, le mérite ne fût pas égal, je crois que l'on aurait beau jeu à parier contre la plus aimable des deux.

CLITANDRE. — Vous êtes donc bien convaincue que cette vertu, quand nous la rencontrons chez une femme, nous tient absolument lieu de tout ?

CIDALISE. — Non, mais je suis persuadée qu'elle vous leur fait pardonner beaucoup de choses.

CLITANDRE. — Il est réel qu'elles nous en plaisent davantage, en général s'entend ; car tous les hommes ne sont pas là-dessus du même avis.

CIDALISE. — Autant que j'ai pu le remarquer, vous n'êtes pas moins injustes à notre égard sur cet article, que vous ne l'êtes sur beaucoup d'autres. Une femme est-elle comme Araminte ? Elle vous ennuie. Joue-t-elle ce qui lui manque ? elle vous choque. En a-t-elle ? Quelque plaisir qu'il en résulte pour vous, vous la craignez. Comment faut-il donc qu'elles soient à cet égard pour vous plaire, ou pour ne pas vous causer d'inquiétude ?

CLITANDRE. — Comme vous, Madame ; qu'elles aient cette sensibilité modérée, que l'amant lui-même est obligé de chercher, qui n'est émue que par sa présence, déterminée que par ses caresses, et que tout autre que lui voudrait vainement éveiller.

CIDALISE. — Oserais-je bien vous demander qui vous a donné sur moi, de si belles connaissances ?

CLITANDRE. — Éraste, sans doute, puisque je ne vis pas avec Damis.

CIDALISE. — L'indigne ! Quoi ! il est donc vrai que les hommes se confient ces choses-là ?

CLITANDRE. — Oui, quand, ce qui leur arrive souvent, ils n'en ont pas d'autres à se dire.

CIDALISE. — Quelle horreur !

CLITANDRE. — Je n'aurai pas de peine à convenir que cela n'est pas bien ; mais ils n'attaquent presque tous une femme, que par vanité ; et la vanité serait-elle satisfaite d'un triomphe qu'on ignorerait ?

CIDALISE. — Que nous sommes à plaindre de ne le pas savoir !

CLITANDRE. — Je ne lui aurais sûrement pas fait les mêmes confidences, moi.

CIDALISE. — Eh ! qui le sait !

CLITANDRE *vivement*. — Quoi ! Cidalise, vous en doutez ! C'est quelqu'un que vous honorez de votre estime, que vous pouvez croire capable d'une pareille

indignité! Quelle réparation ne m'en devriez-vous pas?
Vous ne répondez rien!

CIDALISE. — C'est que je crois vous avoir assez peu
offensé. J'aime mieux, au reste, avoir à vous demander
pardon d'avoir trop mal pensé de vous, que de me
mettre dans le cas d'être forcée de me reprocher d'en
avoir pensé trop bien.

CLITANDRE. — C'est-à-dire que vous ne doutez pas
que vous ne fussiez victime de la confiance que vous
pourriez prendre en moi?

CIDALISE. — Je crois qu'il vous est assez égal qu'à cet
égard je pense de vous mal ou bien; et moi-même, pour
vous dire la vérité, je n'ai pas encore arrangé tout à fait
mes idées sur votre compte.

CLITANDRE *d'un air piqué.* — Oh! pour cela, vous
n'aviez pas besoin de me le dire, il y a longtemps que je
ne doute pas que je ne vous sois l'homme du monde le
plus indifférent.

CIDALISE. — J'aimerais assez que vous m'en fissiez
une querelle; il y aurait à cela bien de la vanité.

CLITANDRE. — Je croyais bien que vous y en trouveriez plus que de sentiment; mais, avec votre permission, cela ne dit pas que vous rencontrassiez juste.

CIDALISE. — Ah! ah! cela est assez nouveau! Est-ce
que vous voudriez me faire croire que vous êtes amoureux de moi?

CLITANDRE *en s'approchant d'elle, d'un air tendre et
soumis.* — Mais, de bonne foi, vous-même ne le croyez-
vous pas?

CIDALISE. — Non, en honneur!

CLITANDRE *en s'approchant d'elle un peu plus.* — En
honneur! vous me confondez. Je ne me flattais pas de
vous trouver reconnaissante; mais je vous avoue que je
vous croyais plus instruite.

CIDALISE *fort sérieusement.* — D'un peu plus loin, je
vous prie.

CLITANDRE. — Quel sang-froid, et qu'il est insultant!

CIDALISE *sèchement.* — Je ne sais s'il vous choque;
mais il me semble qu'il ne devrait pas vous surprendre.
A ce que je vois, vous avez formé de grands projets, et
conçu de terribles espérances!

CLITANDRE. — Je ne croyais pas me conduire de façon à mériter de pareils reproches.

CIDALISE. — Mon Dieu! Je sais que vous n'en méritez aucun, et je crois aussi ne vous en pas faire; mais je voudrais bien toujours que vous vous en allassiez.

CLITANDRE. — Je vous obéirais sans balancer, puisque j'ai le malheur de vous déplaire où je suis, si je ne trouvais pas de danger pour vous, à vous quitter actuellement. Araminte sûrement m'ira chercher; j'ignore quel temps elle prendra pour me faire sa visite. J'ai à craindre, en ouvrant votre porte, de la trouver à la mienne; et cette aventure serait d'autant plus affreuse, que, comme vous savez, mon appartement est en face du vôtre.

CIDALISE. — Ah! pourquoi vous a-t-on logé là?

CLITANDRE. — Je n'en sais rien; mais on ne m'aurait pas sans doute donné cet appartement, si vous ne me l'aviez pas destiné.

CIDALISE. — A quelle heure comptez-vous donc me quitter?

CLITANDRE. — Que sais-je, moi? Demain matin; on ne se lève pas ici de bonne heure; je m'en irai avant que l'on entre chez vous; et personne ne pourra se douter que j'ai passé la nuit dans vos bras.

CIDALISE. — Dans mes bras!...

CLITANDRE. — Hélas! je me trompe : c'est vous qui êtes dans les miens, et qui ne m'en rendez que plus à plaindre.

CIDALISE. — Ah! ne me rappelez point ce qui se passe entre nous; j'en suis d'une honte!... Mais, car il faut tout prévoir, si nous nous endormons? Il est vrai que c'est Justine qui entre toujours la première... Je serais cependant bien fâchée qu'elle vous trouvât ici. Il serait impossible qu'elle imaginât qu'ayant fait une chose aussi singulière que celle de vous laisser coucher avec moi, je n'eusse rien de plus à me reprocher.

CLITANDRE. — Véritablement elle ne le devrait pas; et par votre jolie conduite, vous n'aurez pas dormi, vous vous serez ennuyée; et Justine, par-dessus le

marché, me croira l'homme du monde le plus heureux ;
et ne gardera peut-être pas ses conjectures pour elle
toute seule.

CIDALISE. — Non, toutes réflexions faites, je ne puis
me prêter à cela. Il est au moins douteux qu'Araminte
aille chez vous. D'ailleurs, la nuit s'avance ; si son
intention est de vous aller trouver, il y a apparence
qu'elle l'a déjà fait ; et vous ne me persuaderez pas
qu'elle attende dans le corridor, que vous ayez la bonté
de lui faire ouvrir. Non, encore une fois, Monsieur, il
faut que vous vous en alliez ; je le veux, et le veux
absolument.

CLITANDRE. — Soit, Madame, puisque vous en voulez bien courir les risques.

CIDALISE. — Ah ! les risques que vous voulez me faire
envisager, ne sont rien, existassent-ils, au prix de ceux
qu'en effet vous me feriez courir, si vous restiez ici.

CLITANDRE. — Ah ! que craignez-vous de moi ? Ce
n'est pas avec les sentiments que vous m'inspirez, que
l'on ose le plus.

CIDALISE *d'un air moqueur.* — Vos sentiments !...

CLITANDRE. — C'est-à-dire que vous ne croyez pas
que je vous aime ?

CIDALISE *avec humeur.* — Non, assurément, je ne le
crois pas : mais demain je pourrai peut-être vous dire
mieux que ce soir, ce que je pense de votre cœur. Vous
me ferez, je vous le répète, le plus grand plaisir du
monde de sortir de mon lit ; et je voudrais bien n'être
plus forcée de vous le redire.

CLITANDRE *vivement.* — Pardonnez si je vous oblige à
me le dire encore plus d'une fois ; le bonheur de me
trouver avec vous comme j'y suis en cet instant, est si
doux pour moi, malgré les bornes que vous y avez
mises !... Ah ! Madame, quelle idée ! Est-il concevable
que je sois couché avec la plus aimable femme du
monde, et celle de toutes dont les faveurs me flatteraient
le plus ! que je la tienne dans mes bras ! que je l'y serre !
qu'il n'y ait entre elle et moi, que les obstacles les plus
légers, et qu'elle ne me permette pas de les franchir !

CIDALISE. — C'est, en effet, à moi une grande
cruauté !

CLITANDRE. — Eh quoi! payerez-vous toujours mes soins de cette affreuse indifférence!

CIDALISE. — Je n'ai jamais dû croire que vous m'en rendissiez de bien sérieux. Je sais, à la vérité, que quelquefois je vous inspire des désirs; mais, Clitandre, des désirs ne sont pas de l'amour; et quoique vous les exprimiez, à peu de chose près, comme la passion même, j'ai trop d'usage du monde pour m'y méprendre. Non, vous dis-je, vous ne m'aimez pas; et mille femmes feraient sur vous la même impression que moi.

CLITANDRE. — Que vous vous plaisez à le croire! Cruelle!...

CIDALISE. — Clitandre, nous sommes amis depuis trop longtemps pour que j'use avec vous de tous les petits détours que nous croyons ordinairement devoir à la décence de notre sexe, et que, dans le fond, nous ne mettons en œuvre que pour satisfaire notre coquetterie; de votre côté, faites-moi grâce de ce jargon frivole, et de cette fausseté avec lesquels vous faites tous les jours tant de dupes. Il serait infâme à vous de me parler amour, sans en ressentir; et je crois pouvoir vous dire, que, notre amitié même à part, vous me devez d'autres procédés. Ou vous ne m'aimez pas aujourd'hui, ou (ce que j'ai de fortes raisons pour ne pas croire) vous m'aimez depuis bien longtemps.

CLITANDRE. — Oui, Madame, je vous aime depuis l'instant que mon bonheur[23] vous a offerte à mes yeux.

CIDALISE. — Vous conviendrez donc, en ce cas, que vous vous êtes plu à vous chercher des distractions : car enfin, sans compter toutes les femmes de l'espèce d'Araminte avec lesquelles vous vous êtes amusé, vous avez eu, depuis que nous nous connaissons, Aspasie et Célimène. Vous les avez toutes deux très tendrement aimées : la mort de la première a pu seule rompre les nœuds qui vous attachaient à elle; et si l'autre ne vous avait pas fait la plus noire des perfidies, vous y tiendriez encore. Il est, permettez-moi de vous le dire, bien singulier que m'aimant autant que vous me le dites, vous ayez pu vous attacher si fortement à d'autres, et

que vous ne m'ayez même jamais parlé de vos sentiments.

CLITANDRE. — Eh! comment vouliez-vous que je
fisse? Lorsque nous nous connûmes, vous aimiez éper-
dument Damis; il vous quitta, j'étais en Italie. Quand
j'en revins, Éraste s'était attaché à vous. Si vous ne
l'aviez pas encore, il vous plaisait déjà. Quel temps
donc pouvais-je prendre pour vous parler de ma tendresse?

CIDALISE. — Vous faisiez bien de vous taire, puisque
vous me croyiez prise; mais vous auriez peut-être
mieux fait de ne le pas croire si légèrement. Il est encore
naturel que je pense que si vous m'aviez aimée, vous
auriez tâché de faire diversion[24]; c'était du moins ce
qu'un autre aurait fait; mais chacun a ses maximes.

CLITANDRE. — J'ai là-dessus celles de tout le monde;
et vous m'auriez trouvé pour le moins aussi empressé
qu'Éraste, si vous eussiez répondu avec moins de
froideur à la Lettre que je vous avais écrite de Turin,
sur l'inconstance de Damis, et que vous eussiez paru
faire un peu d'attention à l'offre que je vous y faisais de
mon cœur.

CIDALISE. — En effet! il est très singulier que dans le
temps que je mourais de douleur des infâmes procédés
d'un homme à qui j'étais attachée depuis mon entrée
dans le monde, je n'aie pas répondu favorablement à
des propositions assez tendres, il est vrai; mais que je
devais beaucoup plus attribuer à la politesse qu'à
l'amour.

CLITANDRE. — Vous les auriez attribuées à leur
véritable cause, si elles eussent eu de quoi vous plaire.
Non, Madame, mon amour vous aurait importunée, et
sans doute il vous importunerait encore.

CIDALISE. — Cela se pourrait; ma tranquillité me
plaît. Les deux épreuves que j'ai faites, n'ont pas dû me
disposer à un nouvel engagement; et d'ailleurs, je pense
de façon à ne pas vouloir passer perpétuellement des
bras d'un homme dans ceux d'un autre. Fort jeune
encore, j'ai eu le malheur d'avoir deux affaires; je m'en
méprise. Le Public a été indigné de l'inconstance de

Damis, que je ne méritais assurément pas ; mais il m'a blâmée d'avoir pris Éraste ; et avec un cœur tendre et vrai, n'ayant été que faible, peut-être on me croit galante, ou du moins née avec de grandes dispositions à le devenir. Je dois, et je veux me laisser oublier.

CLITANDRE. — Eh ! Madame, quand vous avez pris Éraste, est-ce d'avoir une nouvelle passion que le Public vous a blâmée, et pensez-vous que le choix de l'objet n'y soit entré pour rien ? C'est une tyrannie de sa part, peut-être ; mais enfin, il veut que ce qui nous paraît aimable, lui plaise, et ne nous pardonne pas d'attacher un certain prix à ce qu'il ne juge point à propos d'estimer ; et vous ne pouvez pas ignorer qu'Éraste ne s'est pas acquis son estime. J'oserai même vous dire que si vous m'aviez choisi, l'on n'en aurait point parlé de même. Éraste peut l'emporter sur moi par les agréments ; mais j'ose dire que l'on fait de ma façon de penser, un autre cas que de la sienne ; et je n'en veux pour preuve, que ce qui arrive à Célimène, plus perdue peut-être pour m'avoir quitté, qu'Araminte ne l'est pour se donner à tout le monde. Les dispositions où vous êtes, ne dureront pas toujours. Vous êtes née tendre ; et si les malheurs que vous avez éprouvés vous ont fait craindre l'amour, ils n'ont point détruit en vous le besoin d'aimer. Je crois vous devoir l'égard de ne vous pas importuner de mes sentiments ; mais si jamais vous voulez vous rengager, n'oubliez pas, je vous en conjure, que je vous ai demandé la préférence.

CIDALISE. — Nous verrons alors. Tout ce qu'à présent je puis, et crois même devoir vous dire, c'est que vous êtes de tous les hommes du monde, celui que j'estime le plus ; et que je veux même ne pas douter que je n'eusse été aussi heureuse avec vous, que je l'ai été peu avec les deux indignes mortels à qui je me suis donnée.

CLITANDRE, *en lui baisant tendrement la main.* — Ah ! Madame, vous comblez mes vœux ! Je puis donc enfin vous parler de mon amour !

CIDALISE. — On ne peut pas moins, à ce qu'il me semble ; vous venez de vous engager tout à l'heure à ne m'en parler jamais; et c'est une parole que je vous avertis que je ne vous rends pas.

CLITANDRE. — Ah! pouvez-vous penser que je vous l'aie donnée sérieusement, et que je puisse garder le silence sur une passion renfermée si longtemps, lorsque je puis me flatter qu'en le rompant, je ne vous déplairai pas?

CIDALISE. — Je ne crois pas que ce soit cela que je vous ai dit; mais laissons, de grâce, cette discussion. Vous ne mourez plus de froid à présent, et vous m'obligeriez de vous souvenir que vous me devez l'histoire de Julie.

CLITANDRE. — En vérité! Madame, il est affreux pour moi, que vous vous souveniez encore qu'elle est au monde. D'ailleurs, je n'ai rien à dire de Julie, moi.

CIDALISE. — Ah! des réserves! J'en suis bien aise! vous m'en verrez[25] à votre tour.

CLITANDRE. — Encore une fois, Madame, je n'ai rien à vous dire de Julie. Si vous saviez de plus à quel point je raconte mal dans un lit, vous ne voudriez sûrement pas m'y transformer en historien.

CIDALISE. — Toutes ces excuses sont inutiles; ou nous parlerons de Julie, ou nous ne parlerons plus de rien. Combien y a-t-il que vous l'avez eue?

CLITANDRE. — Vous êtes, permettez-moi de vous le dire, singulièrement opiniâtre! Mais en supposant que j'eusse eu Julie, et qu'il y eût dans notre affaire, quelque chose de fort plaisant, et qui la distinguât de toutes les autres de ce genre, ce serait actuellement l'histoire la plus déplacée qu'il y eût au monde.

CIDALISE. — Pour vous, peut-être!

CLITANDRE. — Et si déplacée, que si l'on écrivait notre aventure de cette nuit, et que dans la position où nous sommes ensemble, on vît arriver cette histoire-là, il n'y aurait personne qui ne la passât sans hésiter, quelque plaisir que l'on pût s'en promettre.

CIDALISE. — Ce serait selon le goût et les idées du Lecteur.

CLITANDRE. — Il n'y en a point, je crois, qui aimât que pour un long narré, l'on vînt lui couper le fil d'une situation qui pourrait l'intéresser[26].

CIDALISE. — Je ne vois pas pour moi ce qu'il y a de si intéressant dans celle où nous nous trouvons. J'avoue qu'elle peut être extraordinaire, et qu'il n'est pas bien commun qu'un homme vienne se mettre d'autorité dans le lit d'une femme, qui n'est faite, d'aucune façon, pour qu'on prenne avec elle une pareille liberté ; on ne trouverait pas cela vraisemblable, et l'on ferait bien ; il devrait le paraître moins encore qu'elle l'eût souffert : mais pour[27] de l'intérêt, et une situation, je ne vois pas...

CLITANDRE. — Eh bien, Madame, quand tout ce que vous dites serait vrai, je n'en voudrais pas plus avoir devant[28] moi-même, le ridicule de vous faire des histoires, lorsque je ne dois vous parler que de ma tendresse, et tâcher de vous déterminer à y être sensible.

CIDALISE. — C'est donc fort sérieusement que vous en avez formé le projet ?

CLITANDRE. — Oui, Madame, et ce n'est en vérité pas de cette nuit.

CIDALISE. — Je croyais avoir quelques raisons de penser le contraire, et si la nuit était moins avancée, je pourrais vous les dire ; mais je sens le sommeil qui m'accable, et je voudrais bien que vous me laissassiez tranquille.

CLITANDRE. — Voyez, je vous prie, combien vous êtes inconséquente !

CIDALISE. — C'est encore une discussion dans laquelle je ne me soucie pas d'entrer. Inconséquente, injuste même, pis encore si vous le voulez, je conviendrai de tout, pourvu qu'il vous plaise de quitter mon lit.

CLITANDRE. — Si vous saviez combien j'aurais d'envie de n'en rien faire !

CIDALISE. — A la rigueur, cela se pourrait ; mais je ne crois pas que dans cette occasion ce soit ni[29] vos désirs, ni vos répugnances que je doive consulter.

CLITANDRE. — Oh ! ça ! parlons sérieusement. Que voulez-vous me donner pour que je ne dise pas que j'ai couché avec vous ?

CIDALISE. — Voilà une très mauvaise bouffonnerie, Monsieur ; ne badinons pas, je vous prie, sur cet article. Quand je songe à ma sotte complaisance !...

CLITANDRE. — Et moi à mon imbécillité!... Ah! ce qui m'en console; c'est que, comme effectivement elle est incroyable, personne ne la croira : et dans une sottise aussi grande que celle que je fais, c'est toujours beaucoup que de pouvoir mettre son honneur à couvert.

CIDALISE. — Je vous entends! C'est-à-dire que vous ne vous tairez pas sur cette aventure, et que vous ne manquerez pas de vous vanter de l'avoir poussée aussi loin qu'il est possible, et de ne m'avoir ménagée en aucune façon.

CLITANDRE. — Je ne croyais pas, par exemple, que ce que je viens de dire, pût s'interpréter comme vous faites. Mais, à propos de cela pourtant, s'il vous plaisait de m'accorder quelques faveurs ?

CIDALISE. — Quelques faveurs! Ah! je n'en accorde pas, ou je les accorde toutes.

CLITANDRE. — Toutes! eh bien soit.

Ici il perd assez indécemment le respect. Elle se défend avec fureur, et lui échappe.

CIDALISE *avec une colère froide.* — Je vois, Monsieur, que quoique vous viviez avec moi depuis longtemps, vous ne m'en connaissez pas davantage. Je n'emploierai point contre vous, des cris qui ne feraient que rendre ma sottise publique; mais comme je ne suis ni prude, ni galante, que les coups de tempérament, et les éclats de vertu ne sont pas à mon usage, je ne ferai pas de bruit; mais vous ne m'aurez point : et s'il est vrai que vous pensiez à moi, vous aurez le chagrin de me voir rompre avec vous pour jamais. C'est à vous à voir actuellement le parti que vous avez à prendre.

CLITANDRE. — Ah! Madame, que je suis loin encore du bonheur que vous aviez semblé me promettre, et que, si vous pensiez sur mon compte comme vous me l'avez dit, vous vous offenseriez peu de tout ce que mon amour pourrait tenter! Eh! ne vous ai-je pas donné de mon respect les preuves les plus fortes que vous puissiez jamais en exiger! Je vous adore! Quand ma passion pour vous serait moins vive, vous êtes belle, je suis jeune! La situation où je me trouve avec vous, est peut-être la plus pénible situation dans laquelle on puisse jamais se trouver. Je meurs de désirs, et vous n'en doutez pas! cependant n'ai-je pas été aussi sage que vous m'avez prescrit de l'être? Mes mains se sont-elles égarées? Ai-je abusé des vôtres? Et maître de disposer, du moins à bien des égards, de la plus aimable femme du monde, ne m'avez-vous pas trouvé aussi retenu qu'aujourd'hui je le serais avec cette exécrable Araminte qui m'inspire de si violents dégoûts? Je veux[30] ne point mériter de récompense, et que vous ne croyiez pas me devoir des faveurs, par cette seule raison que je n'ai pas tenté de vous en arracher; mais qu'au moins l'effort que je me suis fait, trop cruel pour n'être pas l'ouvrage de la passion la plus vive qui fût jamais, vous prouve la vérité de mes sentiments!

CIDALISE. — J'admire les hommes, et je considère avec effroi tout ce que le moment peut sur eux! Vous n'étiez pas venu ici dans l'intention de me marquer tant de tendresse; et quoiqu'il se puisse que vous ayez toujours eu pour moi une sorte de goût, et que même je doive croire que depuis que vous me voyez libre, il s'est accru, j'ai plus d'une raison de penser que je ne vous inspire pas d'amour : mais vous êtes désœuvré, seul avec moi la nuit; et par une imprudence que je ne me pardonnerai jamais, qui n'est presque pas croyable, et dont moi-même je doute encore [31]! j'ai souffert que vous vous missiez dans mon lit. Quand je serais moins bien à vos yeux, je vous inspirerais des désirs, et surtout celui de triompher de moi dans ce moment même, pour avoir une aventure singulière à raconter. Convenez que si je vous prête quelques motifs, je dois du moins beaucoup au moment, de cette violente passion que vous voudriez que je vous crusse.

CLITANDRE. — Ce n'est pas d'aujourd'hui, Madame, que je sais que l'on est aussi ingénieux à trouver des raisons contre ce qui déplaît, qu'habile à s'affaiblir celles qui s'opposent à un goût qui nous est cher. Vous n'ignorez pas, quand vous voulez paraître penser de moi si désavantageusement, que je n'ai jamais eu le

ridicule d'être homme à bonnes fortunes, ni d'attaquer
pour la seule gloire de les vaincre, des femmes pour qui
je ne sentais rien : vous m'avez autrefois rendu volontairement cette justice ; mais les temps sont changés ; et
ce serait en vain qu'aujourd'hui je l'attendrais de vous.
Il faudrait, pour l'obtenir que je vous aimasse aussi peu
que vous le désiriez. *En cet endroit il lui baise la main
avec tendresse et respect, et continue jusqu'à ce qu'elle lui
réponde. De son côté, elle l'écoute avec une extrême attention, et un air fort embarrassé.* Eh! Madame, pourquoi
me chercher des crimes ? pourquoi avoir la cruauté
d'ajouter au mépris dont vous payez ma tendresse ?
Vous ne m'aimez point ! Est-il possible que vous ne
croyiez pas me rendre assez malheureux ! Vous me
reprochez mon silence ! Quoi ! c'est parce que je n'ai
jamais osé vous dire que je vous aime, que vous doutez
de mes sentiments. Hélas ! et dans quel temps ai-je pu
me flatter que cet aveu ne vous déplairait point ! Ai-je
jamais pu sans vous offenser, vous dire que je vous
adorais ? Ignorais-je vos engagements, et devais-je imaginer que vous me pardonneriez de vous croire légère
ou perfide ? Je vous vois libre enfin ; et assez heureux
pour l'être moi-même, je pouvais, il est vrai, vous
parler de ma tendresse ; mais trop vivement épris pour
ne pas toujours craindre, mes yeux seuls ont osé vous en
instruire. J'ai cru qu'avant que de vous la découvrir, je
devais travailler à y disposer votre cœur. Vous m'avez
vu constamment attaché sur vos pas, vous préférer à
tout, ne chercher que les lieux où je me flattais de vous
rencontrer, et ne connaître de plaisir que celui de passer
ma vie auprès de vous. Eh bien ! Madame, continuez
donc de me haïr : vous me verrez, toujours constant et
soumis, préférer toutes les rigueurs dont vous m'acca-
blerez, aux faveurs que je pourrais attendre d'une
autre. Mon amour vous déplaît, je consens à ne vous en
jamais parler, pourvu que vous me permettiez de vous
le témoigner sans cesse.

CIDALISE *avec émotion.* — Ah ! traître ! serais-je en
effet assez malheureuse pour désirer que vous me disiez
vrai ?

Ici Clitandre la serre dans ses bras, et elle ne se défend que mollement.

CLITANDRE. — Cidalise! charmante Cidalise! que si vous le vouliez, vous me rendriez heureux!

CIDALISE. — Eh! croiriez-vous longtemps l'être? Vous donner mon cœur, et tout ce que je sais qu'enfin je vous donnerais avec lui, ne serait-ce pas me remettre volontairement dans l'horrible situation dont je ne fais que de sortir? Glacée encore par le souvenir de mes peines, je vous avoue que je ne regarde l'amour qu'avec horreur, et que je voudrais vous haïr de ce que vous cherchez à me plaire, et de ce que peut-être ce n'est pas inutilement que vous le cherchez.

CLITANDRE *en se rapprochant d'elle.* — Daignez, de grâce, ne vous pas faire de si tristes idées; que ce que j'ai été jusques ici vous rassure sur l'avenir; tournez les yeux vers moi, et que, s'il se peut, ils ne s'y arrêtent plus avec peine! *(Elle soupire.)* Ces craintes cruelles ne se dissiperont-elles point, et paraîtrez-vous toujours désespérée de vous voir dans mes bras?

Elle soupire encore, le regarde tendrement, s'approche de lui, et ne le trouve pas à beaucoup près aussi respectueux qu'il lui promettait de l'être.

CIDALISE *en se défendant.* — Ah!... Clitandre!... que faites-vous?... Si vous m'aimez!... Clitandre!... laissez-moi!... je vous l'ordonne.

Il obéit enfin; elle pleure, et s'éloigne de lui avec indignation.

CLITANDRE *d'un ton piqué.* — Je m'aperçois trop tard, Madame, qu'emporté par mon ardeur, me flattant à tort que vous ne la désapprouviez pas, je me suis exposé à vous déplaire. La douleur que vous cause mon audace, m'apprend que je suis le dernier des hommes à qui vous voudriez accorder les faveurs que je viens de vous ravir; et je ne comprends pas en effet comment j'ai pu m'aveugler sur cela si longtemps.

Elle ne lui répond rien; il se tait aussi, en soupirant: enfin voyant qu'il ne lui parle plus,

CIDALISE, *sans le regarder, et d'un ton fort sec.* — Je crois, Monsieur, qu'il serait temps que vous me laissassiez tranquille.

CLITANDRE. — Oui, Madame, je le pense comme vous ; je ferai même plus que vous ne semblez exiger, et je vais vous quitter pour jamais.

CIDALISE. — Allez, Monsieur, puissiez-vous oublier mon imprudence, et ne m'en faire un crime ni devant vous, ni devant personne.

CLITANDRE. — Eh ! Madame, je puis n'être pas digne de votre tendresse ; mais je le serai toujours de votre estime ; et vos procédés, tout durs qu'ils sont, n'altéreront jamais dans mon cœur le profond respect que j'ai pour vous.

CIDALISE *ironiquement.* — J'aime à vous l'entendre vanter après la façon dont vous m'avez traitée !

CLITANDRE. — Je ne chercherai point à excuser une chose qui vous a déplu, quoiqu'il ne me fût peut-être pas bien difficile de la justifier : mais vous me voulez coupable ; et je croirais l'être en effet, si j'entreprenais de vous faire remarquer votre injustice. C'est au temps que je laisse à vous la faire sentir ; et plaise au Ciel qu'il ne m'en venge pas ! Adieu, Madame, je vais...

Il paraît chercher quelque chose.

CIDALISE *toujours sans le regarder.* — Que cherchez-vous donc, Monsieur ?

CLITANDRE. — Madame, c'est ma robe de chambre : dans la situation où nous sommes ensemble, je ne crois pas qu'il fût bien décent que je parusse déshabillé à vos yeux.

CIDALISE *toujours froidement.* — Vous vous avisez tard d'observer les bienséances avec moi ; attendez, Monsieur, vous l'avez jetée de mon côté, et je vais vous la donner.

CLITANDRE *se rapprochant d'elle avec transport.* — Cruelle ! est-il bien vrai que vous me perdiez avec si peu de regret, et que ce soit l'homme du monde qui vous aime le plus tendrement, que vous accabliez de votre haine !

CIDALISE. — Hélas! Monsieur, vous ne savez que trop que je ne vous hais pas.

CLITANDRE. — Eh bien! s'il est possible que je me sois trompé, que ces yeux charmants où je viens de lire une si vive indignation, daignent me parler un plus doux langage! *(Elle lui sourit tendrement.)* Oui, Cidalise, j'y retrouve quelques traces de cette bonté dont vous aviez bien voulu me flatter; mais qu'ils sont loin encore de ce sentiment que les miens vous expriment, et que je ne puis parvenir à faire passer dans votre cœur!

CIDALISE *après quelques instants de silence.* — Vous voulez donc absolument que j'aime! Eh bien! cruel! jouissez de votre victoire, je vous adore!

CLITANDRE. — Ah! Madame!... ma joie me suffoque, je ne puis parler.

Il tombe, en soupirant, sur la gorge de Cidalise, et y reste comme anéanti.

CIDALISE. — Les voilà donc encore revenus dans mon cœur, ces cruels sentiments qui ont fait jusques ici tout le malheur de ma vie! Ah! pourquoi avez-vous cherché à me les rendre? Hélas! j'ignorais, ou plutôt je cherchais à ignorer, la force et la nature du goût qui m'entraînait vers vous; et peut-être en aurais-je triomphé, si vous n'eussiez pas cherché à me séduire.

CLITANDRE *avec ardeur.* — C'en est trop! je ne puis plus tenir à tant de charmes! Venez, que j'expire, s'il se peut, dans vos bras!

CIDALISE. — Un moment, de grâce, Clitandre, vous me connaissez; et puisque enfin je consens à vous livrer mon cœur, vous ne devez pas douter que vous ne soyez un jour maître de ma personne; mais laissez-moi m'accoutumer à ma faiblesse, et donnez-moi la consolation de ne pas succomber comme la malheureuse de qui vous venez de me raconter les horreurs.

CLITANDRE. — Quoi! vous pouvez craindre que je vous confonde avec elle?

CIDALISE. — Si j'étais assez heureuse pour que vous fussiez mon premier engagement, et que vous connussiez mieux ma façon de penser, vous ne me verriez ni les

mêmes scrupules, ni les mêmes craintes; mais je ne
vous apporte pas un cœur neuf; et de quelque prix que
le mien puisse vous paraître aujourd'hui, je tremble que
vous ne l'estimiez pas toujours autant que vous paraissez le faire, et que le peu qu'il vous a coûté, ne vous le
rende un jour bien méprisable.

CLITANDRE. — Pourriez-vous me soupçonner de
penser mal de vous, et doutez-vous de mon estime?
Mais oui, car vous m'avez dit que je vous prenais pour
une Araminte. Il était assurément flatteur pour moi, ce
propos-là.

CIDALISE. — Je n'ai peut-être rencontré que trop
bien; et la façon dont je me rends...

CLITANDRE. — Eh! comment vouliez-vous ne vous
pas rendre? Vous m'aimez; quoique vous ne me l'ayez
dit que d'aujourd'hui, ce n'est cependant pas de ce
moment-ci que je le sais. Votre confiance en moi; les
sacrifices que vous m'avez faits, sans que je vous les
eusse demandés, ni que vous-même, peut-être, crussiez
m'en faire; la sorte d'aigreur que, toute douce que vous
êtes, vous preniez contre les femmes que je voyais un
peu trop souvent, ou que je louais devant vous; la
crainte que vous aviez que je ne vinsse pas ici, l'empressement avec lequel vous m'y avez toujours cherché, la
gaieté que je vous ai vue, l'humeur qui vous a saisie à
l'arrivée de toutes ces femmes; les regards inquiets et
troublés qu'en les voyant, vous avez jetés sur moi; tout
enfin, ne m'a-t-il pas instruit de votre tendresse[32]?
Pouvez-vous croire qu'avec de pareilles dispositions,
accoutumée à moi par l'ancienneté de notre liaison,
moins en garde par conséquent contre les libertés que je
prenais, sûre d'être aimée, pressée également par votre
amour et par le mien, vous eussiez pu résister à mon
ardeur; et devez-vous comparer ce qui se passe entre
nous, à ce qui s'est passé entre Araminte, et moi?

*Il n'est peut-être pas hors de propos d'avertir ici le
Lecteur, que pendant que Clitandre parle, il accable Cidalise de caresses fort tendres, qu'elle ne lui rend point tout à
fait, mais auxquelles elle ne s'oppose pas non plus, à un
certain point.*

CIDALISE *répondant plus à ce qu'il dit, qu'à ce qu'il fait.*
— A vous parler franchement, on ne peut pas en avoir
moins d'envie; et la seule chose que je puisse actuellement avoir quelque plaisir à croire, c'est que je ne
pouvais faire que ce que j'ai fait. Il faut pourtant que je
me trompe, car vous ne sauriez concevoir combien j'ai
de peine à me le persuader.

CLITANDRE. — Vous ne m'en êtes que plus chère;
mais à quelque point que j'approuve votre délicatesse,
je serais fâché que vous ne l'employassiez qu'à vous
tourmenter.

CIDALISE. — Hélas! puis-je être aussi tranquille que
vous voudriez que je le fusse, quand je songe qu'un
jour, peut-être, vous trouverez plus de raisons pour
blâmer ma conduite, que vous ne venez de m'en dire
pour que je puisse me l'excuser?

*Il ne lui répond qu'en entreprenant; elle se tait aussi,
mais elle résiste.*

CLITANDRE. — En vérité! Cidalise, ce que vous faites
est de la dernière déraison. Vous ne m'aimez donc
point? *(Elle le serre tendrement dans ses bras.)* Mais
comment voulez-vous que je vous croie, lorsque je vous
vois écouter plus vos craintes que votre tendresse, et
démentir par votre conduite, tout ce que votre bouche
veut bien me jurer? Accordez du moins quelque chose
à mes désirs.

CIDALISE. — Vous ne saurez sûrement pas les contenir, et je n'aurai peut-être pas la force de les arrêter. *(Ici
il lui demande quelque chose, mais presque rien*[33]*.)* Grand
Dieu!... me tiendrez-vous parole, et respecterez-vous
mes craintes?

CLITANDRE. — Oui, puisque enfin je ne puis les
bannir de votre esprit.

*Ici elle consent à ce qu'il lui a demandé; et comme elle l'a
prévu, et espéré peut-être, il lui manque de parole. Le
lecteur croira facilement qu'elle s'en fâche.*

CIDALISE *avec assez de majesté, pour l'instant*[34]. — Ah!
Monsieur, vous savez nos conventions?

CLITANDRE. — Hors celle de nous aimer toujours, je
ne crois pas que nous en ayons fait aucune ensemble ;
mais quittez, de grâce, cet air et ce ton qui ne sont pas
faits pour nous. La cérémonie que vous conservez
encore avec moi, me fait presque douter que vous
m'avez dit que vous m'aimez ; et je ne saurais vous
exprimer à quel point j'en suis blessé.

CIDALISE *avec transport*. — Ah ! vous ne devriez pas
pouvoir un moment douter de ma tendresse ; et je serais
trop heureuse, si je vous en voyais toujours aussi
satisfait, que vous aurez toujours lieu d'en être persuadé.

CLITANDRE. — Vous me baisez pourtant sans plaisir ;
et pendant que mon cœur vole sur vos lèvres, et s'y
pénètre de la plus douce des voluptés, je vous vois vous
refuser au même bonheur, ou être incapable de le
sentir.

CIDALISE. — Pourquoi vous plaisez-vous à faire de
mes mouvements une peinture si infidèle !... Convenez
donc que vous êtes bien injuste !

*Les transports de Cidalise autorisant en quelque façon les
témérités de Clitandre, il lui demande des complaisances.
Comme, sans être les plus fortes que l'on puisse exiger d'une
femme, elles ne laissent pas que d'être singulières, elle les lui
refuse : il les demande encore ; nouveau refus : il en est
piqué, et use d'autorité, avec une insolence que l'on peut
dire sans exemple, ou qui du moins n'est pas bien commune ;
et doit apprendre aux femmes à ne pas laisser mettre
quelqu'un dans leur lit, si légèrement.*

CIDALISE *désespérée*. — Non !... je ne veux pas...
Vous m'offensez mortellement ! Eh bien ! Monsieur,
vous voilà !... voilà, pourtant, comme je puis compter
sur vous.

*Loin que de si violents reproches le contiennent, et que la
résistance de Cidalise, qu'il doit croire très réelle, lui donne
d'autres idées, il continue d'employer la violence ; elle lui
réussit ; car que fera-t-elle, et quelles sont ses ressources ? Ce
n'est pas qu'elle ne lui dise qu'il est un impertinent ; mais
quand une fois on a pris sur soi d'en être un, il y aurait assez*

peu de mérite, et moins encore de sûreté peut-être, à cesser
d'offenser. Il continue donc d'abuser de la supériorité de ses
forces, tout indigne que cela est; ensuite il la regarde en
souriant, et d'un air aussi content que s'il eût fait les plus
belles choses du monde; et veut même lui baiser la main. On
n'aura pas de peine à croire qu'après ce qu'on a à lui
reprocher, cette marque de reconnaissance toute respec-
tueuse qu'elle est, est assez froidement reçue.

CIDALISE *outrée, et d'un ton terrible*. — Laissez-moi, je
vous prie, Monsieur, je suis indignée contre vous; vos
procédés sont odieux.

CLITANDRE. — Mais voyez donc quelle est votre
injustice! Avez-vous pu penser, je laisse même l'amour
à part, que comblé de caresses d'une femme telle que
vous, la modération que vous me prescriviez, fût en
mon pouvoir? D'ailleurs, de quoi vous plaignez-vous?
Ne serait-ce pas à moi à m'offenser de vous voir me
refuser les complaisances les plus ordinaires? Vous êtes
trop singulière aussi.

CIDALISE. — Cela n'est pas douteux! je vois bien que
j'aurai toujours tort. Ce n'est pas là pourtant ce que
vous m'aviez promis.

CLITANDRE. — Cessez donc, je vous en conjure, de
croire qu'à cet égard j'aie été d'assez mauvaise foi pour
vous promettre quelque chose. Songez que dans les
termes où nous en sommes ensemble, il n'est plus
possible que je vous fasse des impertinences; et lorsque
c'est vous qui offensez l'amour, n'allez pas croire que je
blesse votre dignité.

CIDALISE *bien plus doucement*. — Mais, mon Dieu!
pensez-vous que je m'aveugle au point de croire que je
ne ferai pas un jour pour vous, plus que vous ne venez
d'exiger de moi? Vous avez raison! Si ma résistance
n'était fondée sur rien, elle serait du dernier ridicule;
mais enfin, que les motifs en soient pitoyables ou
sensés, vous m'avez, quoi que vous en disiez, promis de
les respecter; et je me crois du moins en droit de me
plaindre de ce que vous me manquez de parole.

CLITANDRE. — Vous êtes donc bien fâchée? Ah!
revenez dans mes bras, je meurs d'envie de vous

pardonner vos injustices ! Venez ! ne vous dérobez pas à
ma clémence !

CIDALISE *en riant.* — En vérité ! vous êtes singulièrement ridicule ! Ah, Clitandre ! je vous sens bien !

*Apparemment elle a ici quelques raisons pour lui parler
comme elle le fait.*

CLITANDRE. — N'allez-vous pas vous fâcher encore ?

CIDALISE. — Dans le fonds, j'aurais de quoi ; mais je
vois bien au train que vous prenez, qu'il faudrait que je
ne fisse que cela ; et ne fût-ce que pour vous attraper,
j'ai quelque envie d'être un peu moins cruelle.

CLITANDRE. — Pour m'attraper ! Où avez-vous donc
pris cela, s'il vous plaît ?

CIDALISE. — Est-il donc vrai que je sois si injuste ?

*Le Lecteur aura ici la bonté de prendre que c'est à lui
qu'on fait cette question. Si par hasard, et ce qu'on a peine
à croire, quelque femme lit cet endroit, elle en doit
apprendre à ne jamais insulter personne, qu'à bonnes
enseignes ; c'est-à-dire, qu'il faut qu'elle se garde bien de
parler dans de certaines occasions, d'après de simples
probabilités auxquelles il serait possible qu'elle fût attrapée ;
et qu'elle ne saurait pour montrer des doutes offensants, être
trop sûre physiquement, que cela ne peut pas tirer à
conséquence.*

*Clitandre prouve donc à Cidalise, qui d'abord lui
demande pardon, et qui ensuite se fâche très vivement,
qu'elle aurait beaucoup mieux fait de ne lui avoir pas
montré de doutes. C'est en vain qu'elle lui dit qu'une
plaisanterie si simple, ne devrait pas avoir des suites si
sérieuses ; soit qu'il en soit réellement piqué, ou qu'il la
prenne pour prétexte, il est certain qu'il s'en venge. Toutes
réflexions faites, pourtant, il fallait bien que de façon ou
d'autre, cela finît et qu'elle eût à se plaindre de lui autant
que vraisemblablement elle s'en flattait.*

*En cet endroit Clitandre doit à Cidalise les plus tendres
remerciements, et les lui fait. Comme on ne peut pas
supposer qu'il y ait parmi nos Lecteurs quelqu'un qui ne soit
ou n'ait été dans le cas d'en faire, ou d'en recevoir, ou de
dire et d'entendre ces choses flatteuses et passionnées que*

suggère l'amour reconnaissant, ou que dicte quelquefois la
nécessité d'être poli, l'on supprimera ce que les deux amants
se disent ici; et l'on ose croire que le Lecteur a d'autant
moins à s'en plaindre, que l'on ne le prive que de quelques
propos interrompus, qu'il aura plus de plaisir à composer
lui-même d'après ses sentiments, ou ses souvenirs, qu'il n'en
trouverait à les lire.

Il est bien vrai qu'il peut y en avoir quelques-uns qui ne
sachant pas encore ni comment on remercie, ni comment on
est remercié, ne seraient pas fâchés de pouvoir ici s'en
instruire; mais on ne veut pas rendre dans l'un, la nature
artificieuse, et avoir la barbarie d'ôter à l'autre, le plaisir
de la surprise.

CLITANDRE *se remettant auprès de Cidalise, qui n'ose*
pas le regarder, ou ne le regarde qu'avec confusion. — Eh
quoi! charmante Cidalise, voudrez-vous toujours vous
reprocher d'avoir fait mon bonheur, ou plutôt me punir
d'avoir osé me rendre heureux? Je suis coupable sans
doute; mais si vous vouliez vous rendre justice, vous
trouveriez non seulement bien des raisons pour me
pardonner mon crime, mais même de quoi vous étonner de ce que je ne l'ai pas commis plus tôt. *Elle se tait,*
soupire, et s'obstine à ne le pas regarder. Il continue. Levez
donc sur moi vos beaux yeux; qu'ils me disent, si votre
bouche ne veut pas le prononcer, que vous ne me
haïssez pas. Je ne puis vivre un instant avec la crainte de
vous avoir déplu. Voulez-vous donc me faire mourir de
douleur? *Il lui baise tendrement les mains.*

CIDALISE *toujours fâchée.* — Ah! traître!

CLITANDRE. — Eh bien! accablez-moi de tous les
reproches imaginables: il n'y en a point, sans doute,
que je ne mérite; mais encore une fois regardez-moi!
Dites-moi donc, de grâce, quelle est l'inquiétude qui
vous agite!

CIDALISE. — Hélas! puis-je n'être pas tourmentée de
la crainte de vous perdre!

CLITANDRE *vivement.* — Ah! ne vous livrez pas à de
si injustes terreurs! Je vous adore! Rien ne m'a jamais
été aussi cher que vous; rien ne me le sera jamais
autant.

CIDALISE *en le regardant avec une extrême tendresse.* —
Est-il bien vrai que vous m'aimiez encore?

Clitandre ne cherche à bannir les craintes de Cidalise
qu'en l'accablant des plus ardentes caresses. Mais comme
tout le monde peut n'avoir pas sa façon de lever les doutes,
ceux de nos Lecteurs à qui elle pourrait ne point paraître
commode, en prendront une autre, comme de faire dire à
Clitandre les plus belles choses du monde, et ce qu'ils
croiront de plus fait pour rassurer une femme en pareil
cas[35].

CLITANDRE. — Eh bien! ingrate, êtes-vous rassurée?

CIDALISE. — Ah! Clitandre, quel dommage que je
sache si bien que le désir n'est pas de l'amour!

CLITANDRE. — C'est-à-dire que vous doutez encore
du mien.

CIDALISE *en soupirant.* — Ce doute serait moins
déplacé que vous ne semblez le croire; mais vous
répondez aux miens de façon à me forcer de les renfermer : pourtant, vous ne les détruisez pas.

CLITANDRE. — En croiriez-vous plus à mes serments?

CIDALISE. — Cette façon de me parler de votre
tendresse n'amuserait pas tant vos sens, et flatterait
moins votre vanité; mais j'avoue que toute trompeuse
qu'elle pourrait être encore, elle calmerait plus mon
cœur, que les transports que vous mettez à sa place.

CLITANDRE *tendrement.* — Ah! comment pouvez-
vous un instant penser que je ne goûte pas un plaisir
extrême à vous parler d'un sentiment qui pénètre mon
âme, et qu'à la vivacité dont vous me le rendez, je crois
éprouver pour la première fois de ma vie?

CIDALISE. — Non, je vous ai coûté trop peu, pour
que je sois aussi heureuse que vous me le dites.

CLITANDRE. — En vérité! vous êtes bien peu raisonnable!

CIDALISE *en lui baisant la main avec transport.* — Vous
ne savez pas combien je vous aime! combien je
m'abhorre d'avoir été à d'autres qu'à vous! combien
même je vous hais de m'avoir aimée si tard! et quand je

songe en effet que si vous aviez voulu, je n'aurais pas eu le malheur d'avoir Éraste, puis-je ne pas vous détester de me l'avoir laissé prendre!

CLITANDRE. — Éraste! ne commençait-il pas à vous plaire quand je revins?

CIDALISE. — Non, il le cherchait encore; et si vous m'aviez à votre retour, confirmé ce que vous m'aviez écrit, il l'aurait cherché vainement.

CLITANDRE. — Ah! si je l'avais cru! Mais comment pouvais-je vous supposer pour mon amour, dans de si favorables dispositions, lorsque je vous voyais plus froide et plus réservée avec moi, qu'avec qui que ce fût, et qu'à peine même vous me marquiez de l'amitié?

CIDALISE. — Le désir de fuir tout engagement, et la crainte que vous ne nuisissiez plus que personne à mes résolutions, furent les premières causes de la froideur que je vous marquai à votre retour; et la douleur de vous voir reprendre Célimène, lorsque, malgré moi-même, je me flattais que vous n'aimeriez que moi, m'inspira pour vous une haine si violente, que je ne sais encore comment elle a pu s'effacer.

CLITANDRE. — Je vous avoue que vos sentiments ne m'ont pas tout à fait échappé; et qu'un jour même, sur un mot que vous dites à l'Opéra, et qui depuis m'a donné bien à rêver...

CIDALISE *en le baisant avec fureur.* — Tu l'entendis, ingrat! et tu n'y répondis pas!

CLITANDRE. — Que voulez-vous? Éraste, de qui vous connaissez les ruses, s'apercevant sans doute de l'impression que vous faisiez sur moi, et craignant qu'enfin je ne vous en parlasse, vint le lendemain avec le plus grand mystère du monde, m'apprendre plus d'un mois avant que vous le prissiez, qu'il avait tout réglé avec vous; et ce fut cette fausse confidence qui m'empêcha de vous entendre, et de vous répondre, et qui me fit me rengager avec Célimène.

CIDALISE. — Ne parlons plus de lui, je vous en conjure. Vous ne sauriez concevoir à quel point ce souvenir m'afflige, ni combien je me méprise d'avoir eu la faiblesse de me livrer au plus perfide de tous les hommes, et à celui de tous, peut-être, que j'étais le moins faite pour aimer.

CLITANDRE. — C'est comme moi, qui ne saurais comprendre comment j'ai pris une Araminte, et dix vilaines bêtes de la même espèce.

CIDALISE. — Belise, par exemple.

CLITANDRE. — Du moins elle est jolie.

CIDALISE. — J'en conviens; mais elle est à tout le monde.

CLITANDRE. — Oui, un peu, cela est vrai. C'est qu'elle a, malheureusement pour elle, une sorte de nonchalance dans le caractère qui l'expose à l'inconvénient de ne savoir pas résister; car elle serait, sans cela, absolument ou à peu près, comme une autre.

CIDALISE. — Comment vous engageâtes-vous avec elle?

CLITANDRE. — M'engager! moi! je la pris, à la vérité, mais ce fut sans avoir un moment l'intention de la garder. C'était tout à la fois la femme de France que je méprisais le plus, et qui me coûtait le moins.

CIDALISE. — Vous la prîtes pourtant.

CLITANDRE. — Mais, oui, il le fallait bien. J'allais lui faire une visite que je lui devais depuis assez longtemps. Je ne sais comment elle était disposée : mais elle me fit des agaceries, et de si vives, que tout le mépris qu'en ce moment même elle m'inspirait, ne m'empêcha pas d'y répondre. Savez-vous bien que dans le fond, cela est horrible?

CIDALISE. — Vous croyez rire; mais je vous assure qu'il n'y a rien de plus infâme, que de se livrer comme vous faites presque tous, à toutes les occasions qui se présentent.

CLITANDRE. — Vous ne sauriez imaginer aussi combien nous nous faisons de reproches de ces honteuses fragilités, lorsque nous nous trouvons, comme j'avoue que j'étais alors, avec la plus violente passion du monde dans le cœur, et pour une femme charmante assurément, puisque c'était pour Aspasie.

CIDALISE. — Je suis bien sûre, malgré cela, que Belise ne vous en crut que pour elle.

CLITANDRE. — Elle est vaine, je suis ardent; il était naturel que dans ce moment-là nous nous trompassions tous deux.

CIDALISE. — Cependant vous adoriez Aspasie?

CLITANDRE. — Si je l'aimais! A la fureur!

CIDALISE. — Mais comment accordiez-vous votre tendresse pour elle, avec les complaisances que vous aviez pour Belise?

CLITANDRE. — Oh! je n'avais vis-à-vis de moi-même, ni la mauvaise foi de prétendre les accorder, ni le malheur de m'y méprendre. Comblé des faveurs de Belise, et dans l'instant même où elles prenaient le plus vivement sur moi, vous ne sauriez imaginer combien elle était loin de mon cœur, et à quel point j'y sentais l'empire d'Aspasie[36].

CIDALISE. — Je le crois. Vous revîtes pourtant Belise?

CLITANDRE. — Oui. Elle n'avait jamais, à ce qu'elle disait, soupé en petite maison[37], et elle me demanda en grâce de lui donner une fête dans la mienne. Il ne me parut pas possible, dans les termes où nous en étions ensemble, de ne la pas satisfaire sur cette fantaisie. Je ne vous cacherai même pas qu'elle m'amusa quelque temps, et que tous les reproches que je m'en faisais, ne m'empêchèrent pas de la garder un mois. Il est vrai qu'Aspasie en passa plus de la moitié hors de Paris, et qu'alors j'avais réellement besoin qu'une femme que j'aimais, ne fût pas si longtemps absente.

CIDALISE. — Infidèle!... Ah! laissez-moi donc.

Pour bien entendre cette exclamation, qui paraît venir à propos de rien, il est nécessaire de savoir que Clitandre tourmente toujours Cidalise, de façon, ou d'autre. Nouvelles propositions, nouveaux refus. Plaintes de Clitandre; complaisance de Cidalise. Il faut au reste qu'elle se plaigne de se trouver trop sensible, et de paraître craindre que ce ne soit pour Clitandre une raison de se défier de sa constance. Car sans cela, que voudraient dire les propos qu'on va trouver ci-dessous?

CLITANDRE. — Vous avez de singulières idées,

d'imaginer que je vous reprocherai d'être sensible, moi qui avais toutes les peines du monde à pardonner à Célimène de ne l'être pas.

CIDALISE. — Cela est plaisant; à la voir j'en aurais tout différemment jugé.

CLITANDRE. — Il y a cependant peu de femmes plus froides qu'elle; et vous ne sauriez imaginer combien sur cet article, il faut peu croire aux physionomies.

CIDALISE. — Ai-je l'air d'être sensible, moi?

CLITANDRE *en la regardant avec attention.* — Mais oui; vous avez dans les yeux une langueur tendre qui promet passablement.

CIDALISE. — Ah! vous me désespérez; la chose du monde que je crains le plus, c'est de passer pour être si tendre. Vous ne savez ce que vous dites. Cette langueur que vous me trouvez dans les yeux peut bien annoncer un cœur sensible; mais il me semble que ce n'est que les femmes qui ont une extrême vivacité, que vous accusez d'être...

CLITANDRE. — Non pas les connaisseurs; et nous laissons aux jeunes gens, qui entrent dans le monde, à croire que toutes les femmes ont beaucoup de cette sorte de sensibilité; et que surtout c'est chez celles qui ont du feu dans les yeux, une grande vivacité dans leurs actions, et de l'inconsidération dans leur conduite, que l'on en trouve le plus. Pour nous, de la langueur, de l'indolence, de la modestie, voilà nos affiches[38].

CIDALISE. — Vous deviez bien importuner Céli-mène?

CLITANDRE. — Beaucoup moins que vous ne pensez; soit caprice, soit vanité, la chose du monde qui lui plaît le plus, est d'inspirer des désirs : elle jouit du moins des transports de son amant. D'ailleurs, la froideur de ses sens n'empêche pas sa tête de s'animer : et si la nature lui a refusé ce que l'on appelle le plaisir, elle lui a en échange donné une sorte de volupté, qui n'existe, à la vérité, que dans ses idées; mais qui lui fait peut-être éprouver quelque chose de plus délicat que ce qui ne part que des sens. Pour vous, plus heureuse qu'elle, vous avez, si je ne me trompe, rassemblé les deux.

CIDALISE. — Je ne sais pourquoi; mais il me semble que j'aimerais mieux le partage de Célimène, que le mien.

CLITANDRE. — C'est-à-dire que vous voudriez être moins heureuse de la moitié, que vous ne l'êtes. Soyez contente. A quelque point que les idées de Célimène s'enflammassent, et dans quelque volupté qu'elles sussent la plonger, ce désordre ne lui suffisait pas toujours. Quoiqu'elle eût le malheur d'être convaincue que les bornes que la nature lui avait imposées, ne pouvaient se franchir, elle n'en désirait pas moins cette jouissance entière que rien ne pouvait lui procurer. Son imagination s'embrasait; elle se révoltait contre la froideur de ses sens, et mettait tout en usage pour la vaincre : cette ardeur dont elle se sentait brûler, et qui se répandait dans toutes ses veines, devenait enfin un supplice pour elle; et je l'ai vue plus d'une fois pleurer d'être livrée à des désirs si violents, et de ne pouvoir ni les éteindre, ni les satisfaire.

CIDALISE. — Si elle n'a pu parvenir avec vous au bonheur qu'elle cherchait, je ne lui conseille pas de le chercher avec un autre.

CLITANDRE. — Je doute, en effet, qu'elle l'ait trouvé dans le nouveau choix qu'elle a fait, puisque c'est une sorte d'Éraste qui m'a banni de son cœur : aussi ne suis-je pas plus flatté que surpris, de la voir se ressouvenir de moi un peu tendrement.

CIDALISE. — La reprendrez-vous, Clitandre!

CLITANDRE. — Comme vous reprendrez Éraste, de qui je doute qu'à quelque égard que ce puisse être, vous ayez été contente.

CIDALISE *d'un air assez mécontent.* — Ce qui me paraît assez singulier, c'est que vous semblez croire que ce que vous imaginez qu'il est, me le rendait insupportable : c'est pourtant lui qui m'a quittée.

CLITANDRE. — Je n'en suis pas étonné; ces sortes d'amants qui, au reste, ne le sont jamais que par air, après avoir ennuyé beaucoup une femme, finissent toujours par la quitter, et même avec aussi peu d'égards que s'ils n'avaient pas besoin de sa discrétion.

CIDALISE. — Il faut, aux propos que vous tenez, que
vous ayez vécu avec des femmes bien extraordinaires!

CLITANDRE. — N'allez pas croire cela! Je vous jure
que hors Aspasie, et vous, il n'y a jamais rien eu de si
ordinaire que les femmes qui m'ont honoré de leurs
bontés.

CIDALISE. — Mais, à ce que je vois, vous en avez eu
quelques-unes?

CLITANDRE. — Mais, oui. Comment voulez-vous
qu'on fasse? On est dans le monde, on s'y ennuie, on
voit des femmes, qui, de leur côté, ne s'y amusent
guère : on est jeune; la vanité se joint au désœuvrement. Si avoir une femme, n'est pas toujours un plaisir,
du moins c'est toujours une sorte d'occupation.
L'amour, ou ce qu'on appelle ainsi, étant malheureusement pour les femmes, ce qui leur plaît le plus, nous ne
les trouvons pas toujours insensibles à nos soins :
d'ailleurs, les transports d'un amant, sont la preuve la
plus réelle qu'elles aient de ce qu'elles valent. J'ai
quelquefois été désœuvré; j'ai trouvé des femmes qui
n'étaient peut-être pas encore bien sûres du pouvoir de
leurs charmes; et voilà ce qui fait que comme vous
dites, j'en ai eu quelques-unes.

CIDALISE. — Quelle pitié! Il me semble pourtant que
vous m'avez dit plus d'une fois, et cette nuit même
encore, que vous n'avez jamais été homme à bonnes
fortunes.

CLITANDRE. — Je ne l'ai pas du moins été longtemps;
et je puis vous jurer que j'ai aujourd'hui peine à
comprendre comment et pourquoi j'ai fait un si pénible
et si méprisable métier. Ce fut d'abord malgré moi, et
par la fantaisie de quelques femmes qui alors donnaient
le ton, que je devins à la mode. La réputation que mes
premières affaires me firent, m'en attira nécessairement
d'autres; et sans avoir formé le projet d'avoir toutes les
femmes, bientôt il n'y en eut point dans Paris, de celles
que leurs vices encore plus que leurs agréments mettent
sur le trottoir[39], qui ne se crussent obligées de m'avoir,
et qu'à mon tour, je ne me crusse obligé de prendre.
Enfin, que voulez-vous que je vous dise? La tête me

tourna, et si bien que sans Aspasie, que j'attaquai
comme alors j'attaquais toutes les femmes, mais de qui
je fus forcé de respecter les vertus, et à qui je ne parvins
à plaire, qu'en tâchant de les imiter, j'aurais peut-être
encore tous les travers qui me rendaient en ce temps-là
si brillant, et si ridicule[40].

CIDALISE. — Vous vous en croyez donc bien corrigé ?

CLITANDRE. — Je le crois peut-être à trop bon
marché ; mais en cas qu'Aspasie eût laissé quelque
chose à faire, je suis entre vos mains ; et je ne connais de
plus digne de finir son ouvrage, que la seule personne
qui, à sa place, aurait pu le commencer.

CIDALISE *en le baisant*. — Ah ! Clitandre.

Il la tourmente.

Finissez donc ! on ne saurait impunément vous
remercier de rien.

CLITANDRE *(nouveaux transports de Clitandre : Cidalise s'en fâche d'abord, et finit par les partager)*. — Je suis
donc bien insupportable !

CIDALISE *en le voyant sourire*. — Ah ! Clitandre,
quand je meurs d'amour entre vos bras, ma faiblesse
n'est-elle pour vous qu'un spectacle risible ?

CLITANDRE. — Je n'aurais jamais cru, je vous
l'avoue, que vous eussiez trouvé dans mes regards, de
quoi me faire ce reproche ? Tout ce que je sais, c'est que
si je trouvais la même expression dans les vôtres, je
croirais avoir plus à vous en rendre grâces, qu'à m'en
plaindre.

CIDALISE. — Clitandre, ne me trompez pas, je vous
en conjure ! Je ne chercherai point à vous faire l'éloge de
mon cœur ; mais si vous saviez combien je suis vraie, et
avec quelle vivacité je vous aime, vous rougiriez de ne
m'aimer que médiocrement.

CLITANDRE. — Non, vous ne m'aimez pas, puisque
vous pouvez vous faire sur moi de pareilles inquiétudes.

CIDALISE *en le baisant avec transport*. — Je ne t'aime
pas ! Ah ! Dieu !

CLITANDRE *en la pressant dans ses bras*. — Calmez-
vous donc, je vous en conjure à mon tour ; songez que

vos craintes me désespèrent : jouissons tranquillement
du bonheur de nous aimer, et que ce soit la seule chose
qui nous occupe. Oui! vos sentiments seuls peuvent
égaler les miens, s'il est vrai cependant que je puisse
jamais vous inspirer autant d'amour que vous m'en
faites sentir.

CIDALISE. — Ah! ne doutez pas d'un cœur tout à
vous, d'une femme qui se pardonne ses erreurs bien
moins facilement que vous-même ne les lui pardonnez,
et qui peut-être même, n'est pas contente de vous voir si
tranquille sur l'usage, qu'avant que d'être à vous, elle a
fait de son cœur.

CLITANDRE. — Quoi! vous voudriez que j'eusse
l'injustice...

CIDALISE. — Oui! je voudrais que l'on ne pût prononcer devant vous, le nom d'Éraste et de Damis, sans
vous faire changer de couleur; que si j'avais le malheur
de les rencontrer, vous ne m'en fissiez pas un moindre
crime que si j'eusse cherché à les revoir. Si vous saviez
combien les femmes que vous avez aimées, ou avec qui
seulement vous avez vécu, me sont odieuses, vous vous
reprocheriez sans doute de ne les pas regarder tous
deux, comme vos plus mortels ennemis.

CLITANDRE. — Il serait peut-être encore moins déraisonnable que dangereux, que je leur voulusse tant de
mal, d'un bonheur qu'ils ne possèdent plus. Je vous
adore! ne me souhaitez pas jaloux! Si vous saviez
jusques à quel excès cette passion m'emporterait, vous
ne voudriez pas sans doute, m'en trouver si susceptible.

CIDALISE. — Ah! qu'importe? Soyez injuste, soupçonneux, emporté; comblé sans cesse de preuves de
mon amour, ne vous croyez jamais assez aimé. A
quelque point que vous portiez la jalousie, vous ne me
verrez jamais m'en plaindre.

Clitandre toujours plus honnête[41] *que Cidalise ne voudrait, croit devoir encore la remercier des preuves de passion
qu'elle lui donne; mais elle s'oppose si sérieusement à cette
politesse, qu'il est forcé de renoncer à ses projets. Il la
boude; elle le baise, le raille sur sa prétention, et ose même
lui soutenir qu'il n'est pas malheureux pour sa vanité,*

qu'elle ne s'y prête pas. Ce propos le choque, il lui soutient que la vanité n'a pas autant de part qu'elle le pense, au désir qu'il aurait de lui rendre grâces des choses obligeantes qu'elle vient de lui dire; et comme elle s'obstine à ne le pas croire, il croit devoir lui prouver qu'il n'a pas de mensonge à se reprocher. Enfin, elle lui rend justice; mais loin d'en être plus disposée à le laisser lui marquer sa reconnaissance comme il le désirerait, elle l'assure que tout ce qu'elle peut, est de le plaindre. Cette plaisanterie ne lui plaît pas, et il se plaint de la trouver si peu complaisante.

CLITANDRE. — Je ne croyais pas, je l'avoue, que l'on pût badiner sur un malheur tel que le mien. Cela est, si vous me permettez de vous le dire, d'une barbarie sans exemple.

CIDALISE. — Mauvais plaisant! J'aurais presque envie pour consoler Araminte du peu de cas que vous avez fait de ses charmes, et des rigueurs dont vous l'accablez ici, de lui conter comme quoi vous avez été cette nuit un des plus galants Chevaliers à qui l'on ait oncques octroyé le gentil don d'amoureuse merci[42]. Elle serait, à ce que je crois, bien étonnée?

CLITANDRE. — Non, elle ne vous croirait pas; et sa vanité, en effet, devrait la rendre très incrédule sur cet article.

CIDALISE. — Eh! Julie, dites-moi, n'a-t-elle pas eu plus à se louer de vous, qu'Araminte?

CLITANDRE. — Ah! nous revoici à Julie à présent? C'est-à-dire que vous voulez absolument que je l'aie eue? Je ne crois pourtant pas...

CIDALISE. — L'avoir eue, sans doute?

CLITANDRE. — Mais quand j'aurais quelque doute là-dessus, il serait mieux placé que vous ne croyez; après tout, je ne l'ai jamais eue qu'une après-dînée. Est-ce là, dans le fond, ce que l'on peut appeler avoir une femme?

CIDALISE. — Comment peut-on n'avoir qu'une après-dînée, une femme d'une certaine façon! Julie! en vérité! je ne l'aurais jamais cru!

CLITANDRE. — Ne la blâmez pas, rien ne serait plus injuste. Il eût été infâme à elle de me garder plus

longtemps, et vous-même en conviendrez quand vous
saurez de quelle façon les choses se sont passées. Vous
vous souvenez que l'été de l'année dernière, fut d'une
chaleur extrême. Un de ces jours où l'on étouffait,
j'allai la voir ; je la trouvai seule dans un cabinet dont
toutes les jalousies étaient fermées ; de grands rideaux
tirés par-dessus y affaiblissaient encore la lumière ; elle
était sur un sopha, fort négligemment étendue, vêtue
plus négligemment encore. Un simple corset dont les
rubans étaient à demi dénoués, un jupon fort court
étaient ses seuls ajustements. Sa tête était nue[43] et ses
cheveux, ainsi que le reste de sa personne, étaient dans
cette sorte de dérangement mille fois plus piquant pour
nous que quelque parure que ce soit, quand, comme
chez elle, il est soutenu par tout ce que la propreté[44] la
plus recherchée, la jeunesse et les grâces peuvent avoir
de plus enchanteur. Vous savez combien elle est jolie ;
elle m'avait souvent tenté, et je le lui avais quelquefois
dit en passant. Il me prit ce jour-là plus d'envie que
jamais de le lui dire encore. L'attitude dans laquelle je
la surprenais, était charmante ; et je conseillerai à toute
femme bien faite d'en prendre une pareille, quand elle
voudra faire la plus vive des impressions. Son jupon,
surtout, lui couvrait assez peu les jambes ; elle ne
l'ignorait pas sans doute ; mais comme après les vôtres,
je n'en connais pas au monde de plus parfaites, mon
arrivée ne lui fit rien changer à la position où elle était.
Dans l'instant que j'allais lui dire à quel point j'étais
frappé de ses charmes, elle mit la conversation sur
l'horrible chaud[45] dont nous étions accablés depuis
quelques jours. Vous savez qu'elle a fait des cours chez
Pagny, et qu'elle donne quelquefois à dîner à quelques
Illustres de l'Académie des Sciences ; et il ne vous
paraîtra pas sans doute bien extraordinaire que moyen-
nant tout cela, elle croie savoir parfaitement la Physique[46]. Je l'avais si souvent plaisantée sur la fantaisie
qu'elle avait d'être savante, qu'elle crut devoir saisir
une si belle occasion de me prouver qu'elle l'était
devenue. Elle entama donc une dissertation sur les
effets de la chaleur, et sur la sorte d'anéantissement où

elle nous plonge lorsqu'elle est extrême. Ce qu'autant
que je puis m'en souvenir, elle prétendait causé par la
trop grande dissipation des esprits, et par le relâche-
ment des fibres[47]. Je la contredis; elle s'anima, et si
bien qu'elle vint enfin jusques à me soutenir que ce
jour-là, notamment, il n'y avait point d'homme, qui
dans les bras de la femme non seulement la plus
aimable, mais encore la plus aimée, ne se trouvât
absolument éteint. Je donnais dans le moment même, le
plus furieux démenti du monde à son opinion; cependant quelque avantage que j'eusse sur elle, je me
contentai de lui dire modestement, que je craignais
qu'elle ne se trompât. Ma modestie, et la douceur de
mon ton, la persuadèrent apparemment que je n'avais
pour n'être pas de son avis, aucune bonne raison; et
que je contredisais simplement pour contredire. Cette
idée l'armant contre moi d'un nouveau courage, elle me
dit fièrement qu'elle était sûre de ce qu'elle avançait, et
que les premiers Physiciens du monde pensaient
comme elle là-dessus. Je lui répondis toujours avec la
même douceur, qu'il n'était pas impossible que l'on fût
excellent Physicien, et que l'on se trompât pourtant sur
cette matière; qu'il se pouvait que ces grands hommes
sur l'autorité de qui elle se fondait, n'eussent décidé
que d'après eux-mêmes, et que c'était à moi que j'osais
appeler de leur jugement.

CIDALISE. — Assurément! vous ne pouviez guère
jouer à la Physique de tour plus noir.

CLITANDRE. — Je devrais bien, par exemple, vous
remercier de cela; mais vous ne voudriez peut-être pas?

CIDALISE. — Cela est à parier : continuez votre
histoire.

CLITANDRE. — Eh bien; Julie tenant de plus en plus
à son idée, et peut-être ayant fait là-dessus quelque
expérience secrète dont elle n'osait pas s'appuyer
devant moi, mais qui pouvait n'en être pas moins la
cause de son opiniâtreté, me dit enfin, d'un air de
vanité qui me choqua, je l'avoue, que s'il y avait au
monde un homme sur qui le chaud ne prit pas autant
qu'elle le soutenait, cet homme-là était un phénomène.

Jugez combien, moi qui avais depuis plus d'un quart
d'heure, l'honneur d'être ce phénomène, et qui ne m'en
croyais guère plus rare, je fus étonné qu'elle prisât tant
une chose dont je faisais si peu de cas. Loin toutefois
d'en vouloir abuser contre elle, je lui répondis, toujours
avec la même humilité, que je ne croyais pas qu'un
homme qui aurait en lui-même de quoi n'être pas de
son avis, dût s'en estimer beaucoup davantage. Là-
dessus elle me dit, mais d'un air qui me faisait aisément
juger à quel point elle me croyait éloigné d'avoir de si
fortes preuves contre son système[48], que j'étais comme
tous les ignorants, de qui la fantaisie est de disputer
contre l'évidence même, et souvent même contre leur
sentiment intérieur. Je lui représentai sur cela, qu'il
pouvait y avoir des miracles; mais je la vis si décidée à
n'en pas admettre dans ce genre, qu'enfin je fus obligé
de la convaincre que les Physiciens pouvaient n'avoir
pas toujours raison. Elle fut stupéfaite; jamais je n'ai vu
de Philosophe plus humilié. Cependant, soit amour-
propre, soit préjugé, les reproches succédèrent bientôt
à sa confusion. Sans m'en alarmer, je pris la liberté de
lui représenter qu'elle m'avait forcé, en n'admettant
aucune de mes raisons, à recourir à une démonstration
qui pût la réduire au silence, et lui prouver que quelque
générale que puisse être une règle, on doit toujours y
supposer des exceptions : j'ajoutai que pour l'honneur
de la Physique, ou pour achever de se convaincre
qu'elle avait eu tort, elle ne pouvait se dispenser de
pousser l'expérience jusqu'au bout; que jusques-là je
ne prouvais qu'à demi contre son système; et qu'il lui
serait honteux de se tenir pour subjuguée, lorsqu'il n'y
avait encore contre elle que des apparences qui pouvaient ne pas soutenir une épreuve d'une certaine
façon. La crainte de s'être en effet crue trop tôt vaincue,
le désir de m'humilier à mon tour, la singularité de la
chose, le moment, la preuve déjà offerte, et que les
contradictions n'affaiblissaient pas; plus que tout cela,
sans doute, l'envie de s'éclairer, l'emportèrent sur les
scrupules vains qui la retenaient encore. Un soupir
assez tendre, cette rougeur que le désir, et l'attente du

plaisir font naître, si différente de celle que l'on ne doit qu'à la seule pudeur, des yeux où brillait l'ardeur la plus vive, et qui trahissaient l'air sévère qu'elle avait pris, tout enfin m'annonça qu'elle ne demandait pas mieux que de s'instruire ; et je ne sais quel air ironique, qu'au milieu de tout cela je lui remarquais, m'apprit en même temps que je ne viendrais pas aisément à bout de son opiniâtreté. Pour n'être pas troublé dans l'importante leçon que j'avais à lui donner, j'allai fermer la porte, et revins, avec ardeur, lui prouver la fausseté de son opinion.

CIDALISE. — Et vous l'en convainquîtes sans doute ?

CLITANDRE. — Oui, mais ce ne fut pas sans peine. Quelque entêtée qu'elle fût, à la fin elle se rendit. Il est vrai que je la tourmentai cruellement, mais aussi je la désabusai bien.

CIDALISE. — Oh ! je m'en rapporte à vous.

CLITANDRE. — Cela est encore bien obligeant, par exemple !

CIDALISE. — Et sans prétentions ; c'est, peut-être ce que vous ne croirez point.

CLITANDRE. — C'est du moins ce que j'aurais le plus grand désir du monde qui ne fût pas ; si, par hasard vous vous trompiez ?

CIDALISE. — Que Julie se trompât en décidant affirmativement ce que les circonstances peuvent rendre les autres, cela était tout simple ; mais que je m'abuse en sentant ce que je suis, c'est ce qui ne peut pas être. Au reste, et quoi qu'il en soit, je veux que vous acheviez votre histoire. Je l'ai, je crois, assez bien payée, pour que vous ne puissiez sans injustice m'en refuser la fin.

CLITANDRE. — Comme, si Julie n'est pas bonne Physicienne, cela ne l'empêche pas d'être une des plus aimables femmes qu'il y ait au monde, j'aurais extrêmement désiré que le cours que je lui faisais commencer, ne se fût pas borné à ce jour-là ; et je la pressai très vivement de s'engager avec moi. Plus reconnaissante du soin que j'avais pris de l'éclairer, qu'elle n'était fâchée de ce que j'avais eu raison contre elle, je l'y aurais sans doute déterminée, si l'amour extrême dont alors elle brûlait pour Cléon, et la crainte que le commerce savant que je voulais lier avec elle, ne lui fût suspect, ne l'eussent obligée de me refuser. Persuadé cependant qu'après ce qui venait de se passer, je retrouverais sans peine auprès d'elle quelque moment favorable, je n'insistai pas jusques à me rendre importun, et nous nous quittâmes les meilleurs amis du monde. J'ai cependant en vain cherché depuis, ces occasions que je croyais devoir trouver si facilement. Sans avoir avec moi de procédés dont je pusse me plaindre, elle a seulement évité que je ne la trouvasse seule, tant qu'elle m'a vu pour elle une sorte d'empressement. L'hiver dernier pourtant, malgré toutes ses précautions, je la rencontrai seule chez Lucile qui n'était pas encore rentrée. La solitude où nous nous trouvions, ranima mes désirs; et l'air contraint qu'elle avait avec moi, et que j'interprétais mal, les encouragea : je lui demandai en souriant, si par hasard elle n'aurait point de doutes sur la façon dont le froid opère sur nous. Elle rougit; je me jetai à ses genoux, et lui dis tout ce que l'on peut imaginer de tendre et de pressant : elle en fut plus embarrassée qu'émue. Les droits qu'elle m'avait donnés, et dont, par les libertés que j'osais prendre en lui parlant, je ne paraissais que trop me souvenir, loin, comme je m'en flattais, de séduire ses sens, ne faisaient que l'affliger. N'osant après ce qui s'était passé entre nous, s'armer d'une sévérité qui aurait pu me paraître ridicule, et désespérée de la légèreté dont je la traitais, elle se mit à pleurer amèrement. La chose du monde que j'ai toujours le plus détestée, et qui est en effet la plus indigne d'un honnête homme, est de remporter sur les femmes, de ces triomphes qui les humilient. Sûr de la vaincre; mais ne doutant pas davantage qu'en abusant contre elle, des raisons qu'elle avait pour ne me pas résister, je ne lui causasse la plus vive douleur, je lui demandai pardon de ce que j'avais fait, et renonçai à ce que je voulais faire. Elle fut si touchée d'une générosité que mes entreprises ne lui laissaient pas espérer, que je crois qu'elle m'aurait accordé par reconnaissance, plus encore que je n'avais tenté de lui ravir, si, dans le moment même, Lucile ne fût pas rentrée. Les bonnes actions, au reste, ne demeurent jamais sans récompense; et je fus le soir même, dédommagé par Luscinde, du sacrifice que j'avais fait à Julie.

CIDALISE *avec empressement*. — Ah! Clitandre, je vous en conjure, racontez-moi l'histoire de Luscinde : c'est de toutes les femmes du monde, celle que je hais le plus; et je ne puis vous exprimer la joie que je ressens, quand j'imagine qu'il lui est arrivé quelque chose de peu digne de la majesté de sentiments dont elle se pique.

CLITANDRE. — Je veux bien vous faire ce plaisir; mais je ne vous conseille pas de croire que je vous donne pour rien une de mes plus belles histoires, surtout lorsqu'elle excite si vivement votre curiosité.

CIDALISE *tendrement*. — Vous êtes un cruel homme !

CLITANDRE. — Je conviens que j'abuse un peu du désir que vous me marquez d'entendre cette histoire, et que, dans le fond, cela n'est pas généreux; mais je me suis arrangé, vous ne l'aurez pas à moins que celle de Julie; et vous êtes bien heureuse que je ne puisse pas vous la mettre à plus haut prix[49].

CIDALISE. — Eh bien! si demain vous voulez venir passer la nuit avec moi, nous verrons.

CLITANDRE. — Si je le voudrai! Quoi! vous en doutez! Oui! je coucherai sûrement demain avec vous, puisque vous voudrez bien me recevoir dans vos bras; mais vous savez quelle gêne cruelle va succéder à mes transports! mes yeux même n'oseront rien vous dire de ce que je sens, ou du moins ils ne le devraient point; puis-je vous répondre cependant que mes désirs, plus irrités que satisfaits, ne me trahiront pas ? Je me sens, et ne vous réponds pas de moi, si je vous quitte dans la fureur où je suis. Songez que nous avons à tromper, sur nos sentiments, des personnes fort méchantes et fort éclairées. Eh! comment voulez-vous que je puisse dissimuler les miens, quand je ne pourrai vous regarder sans la plus vive émotion; que vos yeux ne se tourneront pas vers moi, sans pénétrer jusqu'à mon âme; que je ne vous verrai pas ouvrir la bouche, sans désirer de vous la

fermer avec mes lèvres; qu'enfin tout, en vous voyant,
me rappellera sans cesse les plaisirs dont vous m'avez
comblé, et me jettera dans l'impatience d'une jouissance nouvelle. Laissez régner dans mon cœur une
volupté plus paisible : en me rendant plus tranquille,
vous ne m'en verrez pas moins amoureux; quoi que
vous puissiez accorder à mes désirs, il ne m'en restera
que trop encore pour mon supplice!

CIDALISE. — Eh bien! sois content!... jouis de toute
ma tendresse, et des transports que tu m'inspires! Tu
m'apprends, qu'avant toi je n'ai pas été aimée; et je
sens avec plus de plaisir encore, que jamais je n'ai rien
aimé comme toi. Tu troubles... tu pénètres... tu
accables mon âme!... Mais, sens-tu comme je
t'aime?... Je ne me connais plus, je meurs de ton
amour, et du mien.

L'on ne met pas ici la réponse de Clitandre, quelque vive
qu'elle puisse être. On n'ignore point que tout ce que se
disent les amants n'est pas fait pour intéresser; et que
souvent les discours qui les amusent le plus, sont ceux qu'il
serait le plus difficile de rendre, et qui valent le moins la
peine d'être rendus. On supprime donc ici, comme en
quelques autres endroits, les propos interrompus qu'ils se
tiennent; et l'on n'y rend les deux interlocuteurs, que
lorsque le lecteur peut sans se donner la torture, entendre
quelque chose à ce qu'ils se disent.

CIDALISE *voyant que Clitandre la regarde encore avec*
des yeux menaçants. — Ah! Clitandre, n'êtes-vous pas
honteux de vous faire craindre encore? Ne me regardez
pas comme vous faites, je vous en conjure; et s'il se
peut, laissez-moi jouir paisiblement de vos sentiments,
et des miens.

CLITANDRE. — Quel sujet d'inquiétude vous
donné-je donc?

CIDALISE. — Ne pourrais-je pas en trouver dans
l'idée où je vous vois que vous me prouvez beaucoup
d'amour, et que vous me plaisez singulièrement,
lorsque vous ne faites peut-être que m'effrayer?

CLITANDRE. — Vous êtes injuste de me prêter cette

réflexion : je vous proteste que je ne la faisais pas. Je me
rends simplement à l'impression que font sur moi vos
charmes, et ne pense point du tout que la façon dont je
vous l'exprime, soit, de toutes celles que je pourrais
prendre, celle dont vous me devez savoir le plus de gré.
Je ne crois pourtant pas non plus, à vous dire vrai, que
ce doive être pour vous une raison de douter de ma
tendresse.

CIDALISE. — Vous avez de nous, dans le fond, une
opinion bien singulière ; et je vous avoue que je ne suis
pas sans crainte d'en être un jour la victime.

CLITANDRE. — Il est si peu vrai que je pense de
toutes les femmes, de la même façon, que je n'ai point
été surpris de ne pas recevoir de vous, des compliments
sur un mérite qui a paru à la respectable Araminte,
digne des plus grands éloges.

CIDALISE. — Je serais étonnée, en effet, que nous
louassions les mêmes choses.

CLITANDRE. — Il est juste aussi de dire que sans
compter la différence qu'il y a entre votre façon de
penser, et la sienne, vous n'avez pas les mêmes besoins.

CIDALISE. — Que je serais humiliée s'il vous était
possible de faire entre nous, sans la plus grande injustice, la plus légère comparaison !

CLITANDRE. — Je ne crois point, par exemple, quelque aisément que vous conceviez des terreurs, avoir
jamais à vous guérir de celle-là.

CIDALISE. — En vérité ! c'est une odieuse femme ; et
j'aime à croire pour l'honneur de mon sexe, qu'il y en a
peu qui lui ressemblent.

CLITANDRE. — Il y en a de son genre, je crois, plus
que vous ne pensez, et moins que nous ne disons.

CIDALISE. — Mais à propos, vous me devez l'histoire
de Luscinde.

CLITANDRE. — Non, toutes réflexions faites, elle
vous plairait peu ; et je vous ai trompée, quand je vous
ai dit qu'elle vous amuserait. C'est une chose si simple,
si ordinaire, que je doute qu'elle vaille la peine d'être
contée. Figurez-vous que c'est une aventure de carrosse, de ces choses que l'on voit tous les jours, une
misère enfin.

CIDALISE. — N'importe, je veux la savoir.

CLITANDRE. — Convenez que vous cherchez encore plus à me distraire, qu'à vous amuser.

CIDALISE. — Soit; mais parlez toujours.

CLITANDRE. — Oronte, qui le soir même que j'avais rencontré Julie chez Lucile, s'était en soupant, brouillé, je ne sais pas pourquoi avec Luscinde, s'en alla sans l'en avertir. Comme elle comptait qu'il la remènerait, et qu'en conséquence elle n'avait pas fait revenir son carrosse, elle fut aussi piquée de ce procédé qu'elle devait l'être, et me proposa de la remettre chez elle. Nous nous connaissions depuis longtemps, et même dans une espèce d'intervalle, elle avait paru avoir sur moi quelques vues. Aussitôt que nous fûmes seuls, nous invectivâmes tous deux contre Oronte. Elle me parut si humiliée de ce qui venait de se passer, que je crus qu'étant aussi sincèrement son ami que je l'étais, je ne pouvais me dispenser ni de l'exhorter à la vengeance, ni même de m'offrir en cas qu'elle prit ce parti-là, qu'au reste, je tâchai de lui faire envisager comme le seul qu'elle pût prendre en honneur, après le sanglant affront qu'on lui faisait. Je n'eus pas de peine à lui prouver qu'il était nécessaire qu'elle se vengeât; mais à quelque point que la colère l'animât, je ne la persuadai pas d'abord aussi facilement que je m'en étais flatté, qu'il fallait qu'elle se vengeât dans le moment même. Les propos tendres dont j'entremêlais mes conseils, me parurent aussi lui faire assez peu d'impression. Cependant le temps pressait; je sentais que si je lui laissais le temps de la réflexion, je la perdrais; ou en supposant qu'elle ne pardonnât pas à Oronte, une brusquerie qui n'avait selon toute apparence, que quelque jalousie, ou moins encore peut-être, pour sujet, qu'il faudrait pour la déterminer en ma faveur, des soins que je ne me souciais pas de lui rendre. Je me souvins qu'un jour qu'il était question de ce qu'on appelle des impertinences, elle ne s'était pas déclarée contre à un certain point, et qu'elle avait même dit en plaisantant, qu'elle les trouvait moins offensantes que l'indifférence. Mais quelque espérance que j'eusse qu'une impertinence de ma part, pourrait la blesser moins que de la part d'un autre, ce moyen me paraissait un peu violent; et tout pressé que j'étais qu'elle se déterminât, je crus encore devoir lui remontrer le tort qu'elle se faisait en ne se vengeant pas. Soit que le désir me donnât plus d'éloquence que de coutume, soit, comme il n'arrive que trop souvent aux femmes dans un mouvement de dépit, que ses réflexions ne fissent qu'ajouter à sa colère, et que par cette raison, il me fallût moins pour la persuader, je la trouvai beaucoup plus disposée à me croire, qu'elle ne l'était dans le premier moment. D'abord que je la sentis ébranlée, je cherchai à la décider pour moi, par des discours plus animés que ceux que je lui avais déjà tenus, et la pressai de ne point permettre que je ne réparasse que le plus léger des torts qu'Oronte avait avec elle. Comme elle ne me répondit point, je crus devoir interpréter son silence en ma faveur, et j'agis en conséquence. Je lui montrais peu de sentiments, mais beaucoup d'ardeur; et il n'est que trop ordinaire que l'un remplace l'autre, et mène même beaucoup plus loin. Elle me dit d'abord que j'étais un insolent; je le savais bien : qu'elle crierait; mais elle ne criait pas; et quand elle aurait eu recours à quelque chose de si indécent, mon Cocher, à moins que je n'eusse crié moi-même, n'aurait pas arrêté. Comme il fallait cependant dire quelque chose à Luscinde, je convins avec elle, qu'à la vérité elle pouvait me trouver un peu trop libre, mais que l'amour, le désir (excuses éternelles de toutes les impertinences qui se sont faites, se font, et se feront) devaient me justifier à ses yeux; qu'au reste, puisque l'un et l'autre m'avaient emporté si loin, et que plus je devenais coupable, plus je trouvais de raisons de m'applaudir de mon crime, je me rendrais criminel jusques au bout. Je ne sais si c'est qu'un ton ferme vous impose presque toujours, ou qu'en même temps que je trouvais, comme je lui disais, des raisons pour m'applaudir de mon crime, elle en trouvait pour m'excuser; mais elle s'adoucit au point de me dire simplement que cela était ridicule. Quand je n'aurais pas senti par la faiblesse de cette expression, combien la

colère qu'elle avait contre moi s'affaiblissait, mon parti
était pris et je n'en aurais pas plus cessé d'être coupable.
Elle n'en douta pas apparemment; mais quelles que
fussent là-dessus ses idées, ce qu'il y a de sûr, c'est
qu'avant que d'arriver chez elle, elle était vengée.

CIDALISE. — Mais il n'y a qu'une rue de chez Julie
chez elle?

CLITANDRE. — Cela est vrai, mais elle est longue; et
j'ai un cocher qui a un si prodigieux usage du monde,
que je ne remène jamais de femme la nuit, qu'il ne
suppose que j'ai des choses fort intéressantes à lui dire,
et qu'il ne prenne en conséquence l'allure qu'il croit
que je lui commanderais, si je le mettais au fait de mes
intentions. Le chemin, par cette attention de sa part,
devenait donc beaucoup moins court; d'ailleurs, elle
était d'une colère, et moi d'un emportement qui
devaient nécessairement la déterminer, la rue eût-elle
été beaucoup plus courte. Soit cependant qu'elle eût fait
quelques réflexions sur la promptitude singulière avec
laquelle elle s'était vengée; soit qu'elle craignît
qu'Oronte, naturellement ombrageux, n'apprît
qu'après l'avoir remenée, j'étais entré chez elle, nous ne
fûmes pas plus tôt à sa porte, qu'elle reprit le ton
majestueux, et me dit que cela était infâme, que de ses
jours elle n'irait en carrosse avec moi, et qu'elle ne
m'aurait jamais cru capable d'une insolence pareille
avec une femme de sa sorte. Je convins aisément que
j'avais été trop vite, que je ne concevais pas moi-même
comment j'avais osé lui manquer à ce point-là; que j'en
étais d'une honte horrible, d'autant plus que de
pareilles façons n'étaient guère plus à mon usage qu'au
sien, et que j'osais lui jurer qu'elle était la première avec
qui je me fusse oublié à ce point-là. Je me doutais
qu'une justification aussi obligeamment tournée, ne lui
plairait pas; et je fus peu surpris de la voir me remercier
avec beaucoup d'aigreur, de la préférence que je lui
avais donnée. L'amour, le tendre amour fut encore mon
excuse. Pendant qu'elle me querellait, et qu'entre
autres duretés, elle me disait que je la prenais apparemment pour une fille d'Opéra, mon carrosse était entré

dans sa cour; et je me préparais à la conduire respectueusement chez elle, lorsqu'elle me dit avec emportement qu'elle ne voulait pas que je descendisse. Je lui
représentai d'abord avec douceur, qu'il serait du dernier ridicule que je ne lui donnasse pas la main; que ses
gens, et les miens ne sauraient qu'en penser; qu'elle ne
pouvait même me montrer de la colère, sans s'exposer à
les instruire de ce qui était arrivé; qu'elle se perdrait
par cette indiscrétion; que je lui étais trop sincèrement
attaché pour la laisser se livrer à des mouvements qui
pouvaient avoir de si fâcheuses suites; que d'ailleurs il
m'était impossible de la quitter sans lui avoir mille fois
demandé pardon à ses genoux, et sans avoir par mon
respect, tâché d'obtenir ma grâce. Elle ne me répondit à
tout cela, qu'en voulant sortir impétueusement de carrosse. Je la retins, et paraissant en fureur à mon tour, je
lui dis que je ne souffrirais pas qu'elle se perdît. Soit
qu'elle jouât tous ces mouvements, pour se réhabiliter
un peu dans mon esprit, ou, ce que j'ai plus de peine à
croire, qu'elle fût véritablement fâchée, je fus encore
fort longtemps sans pouvoir parvenir à la calmer.
Enfin, quand elle fut lasse de feindre de la colère, ou
d'en avoir, elle me dit qu'elle voyait bien quel était mon
projet; que le désir de l'outrager encore, avait beaucoup plus de part à l'envie que j'avais de descendre avec
elle, que le désir de ménager sa réputation; mais qu'elle
saurait se dérober à mes insolentes entreprises, et
qu'elle ne me parlerait qu'en présence de ses femmes.
Eh bien! Madame, lui répondis-je d'un ton ferme,
j'aurai donc le plaisir de les avoir pour témoins de tous
les transports que vous m'inspirez. Quoique cette
courte réponse et la fermeté de mon ton lui impo-
sassent, elle chercha, mais vainement, à me dérober la
peur que je lui faisais, et elle me répondit courageusement, nous verrons! Eh bien! Madame, répliquai-je
avec un feint emportement, vous verrez. Là-dessus
nous descendîmes de carrosse, moi l'appelant Marquise, le plus familièrement du monde, et pour ne lui
laisser aucun doute sur mes intentions, lui serrant de
toutes mes forces la main que je lui tenais. Oh! tant

qu'il vous plaira, Monsieur le Comte, me dit-elle tout
bas, mais vous n'en partirez pas moins, je vous assure.
En honneur! lui répondis-je, je ne vous conseille point
de me le proposer, si vous ne voulez pas vous exposer à
une scène qui pourrait ne vous être pas agréable. Dans
le fond, comme je vous l'ai dit, je l'effrayais; et la peur
qu'elle eut qu'en effet je ne fisse un éclat, la détermina,
mais avec toute l'humeur imaginable, à passer avec moi
dans ce petit cabinet que vous connaissez, et qui donne
sur le jardin. Elle se mit d'abord à s'y promener avec
une sorte de fureur. Sûr que cette promenade l'ennuie-
rait bientôt, je ne m'y opposai pas; et debout, les yeux
baissés, dans un morne silence, j'attendis qu'elle jugeât
à propos de s'asseoir. Enfin, elle tomba dans un grand
fauteuil, la tête appuyée sur une de ses mains, et tout à
fait dans l'attitude de quelqu'un qui rêve douloureuse-
ment. Je ne l'y vis pas plus tôt, que je courus me jeter à
ses genoux. Elle me repoussa d'abord avec assez de
violence; mais enfin, je saisis la main cruelle qui me
repoussait, et l'accablai des baisers les plus ardents.
Elle fit, pour la retirer, quelques efforts, dont, tout
exagérés qu'ils étaient, je sentis aisément la mollesse.
J'osai alors la serrer dans mes bras, mais plus avec
l'affectueuse tendresse de l'amour, qu'avec la brusque
pétulance du désir. Quoique je ne crusse pas avoir à la
ramener de bien loin, et que sa colère m'eût peu alarmé,
je ne pouvais, après le manque de respect dont elle se
plaignait, et qui, à dire la vérité, avait été un peu
violent, ne pas paraître la croire aussi fâchée qu'elle
affectait de l'être, sans lui donner peut-être contre moi
plus de fureur encore qu'elle ne voulait en montrer. Je
ne l'aimais pas, mais elle me plaisait; et quoiqu'elle ne
se fût point opposée à l'insolence que je lui avais faite,
de façon à me faire penser qu'elle la regardât comme
une violence, elle n'y avait pas mis non plus l'aménité et
les grâces inséparables du consentement; enfin, je
l'ignorais[50] encore à certains égards, et je ne voulais pas
que rien manquât à ma victoire. Un autre, peut-être,
n'aurait cherché à excuser son crime qu'en en rejetant
sur elle la moitié; mais quoique je susse parfaitement

qu'il n'avait tenu qu'à elle, que je ne fusse beaucoup moins coupable, je mis tout généreusement sur le compte de mon insolence. Tout en lui faisant des protestations de respect, j'écartais, mais d'une main qui paraissait timide, un mantelet[51] qui, à ne pas mentir, me dérobait d'assez belles choses. Je ne sais si la façon honnête dont je m'y prenais, et qui en effet annonçait beaucoup d'égards, l'empêchait de s'opposer à mes entreprises, ou si toute à sa colère, elle ne pensait pas à ce que je faisais; mais enfin, ce mantelet jaloux ne me nuisit plus. J'avais assurément de quoi louer ce qui s'offrait à mes yeux; mais je crus que des transports lui diraient mieux que des éloges, l'impression que j'en recevais; et je l'en accablai. Je crois bien qu'elle avait peine à concilier le profond respect dont je me vantais pour elle, avec mes emportements, et qu'elle voyait aisément à quel point j'étais en contradiction avec moi-même; mais elle crut apparemment que je le sentais aussi bien qu'elle, et qu'il serait inutile de me le dire; ou mes transports auxquels je joignais de temps en temps toute la galanterie imaginable, satisfaisant son amour-propre, et peut-être troublant ses sens, elle n'eut la force ni de les arrêter, ni de me faire honte de mon inconséquence. En paraissant toujours me résister, elle commençait à s'abandonner dans mes bras. Toutes mes prières cependant n'avaient pu encore en obtenir un regard; et quoique je n'eusse pas besoin de lire dans ses yeux, pour m'instruire de ses dispositions, et pour m'encourager à en profiter, je voulais, comme je vous l'ai dit, que rien ne manquât à mon triomphe; et je la pressai tendrement de daigner honorer d'un de ses regards, un infortuné qui l'adorait. Enfin j'obtins cette faveur; et comme je m'en étais douté, je trouvai dans ses yeux, plus de trouble que de colère. Ce moment de bonté de sa part, ne fut pas plus durable que l'éclair; je la pressai donc encore de me le rendre, et ne l'en pressai pas vainement. Ah! laissez-moi, Monsieur, me disait-elle assez tendrement, et s'il se peut, ne vous faites pas haïr davantage. Avec quelque douceur que ces paroles fussent prononcées, je ne pus tranquillement

m'entendre dire que j'étais haï; et je pris la liberté de lui
demander si c'était ainsi qu'elle pardonnait. Un sourire
plus tendre peut-être qu'elle ne le croyait elle-même,
fut toute sa réponse; et vous n'aurez pas de peine à
deviner comment je remerciai sa bouche de ce souris.
Elle s'attendait si peu à une familiarité de ce genre,
qu'elle n'eut pas le temps de s'arranger de façon que je
n'obtinsse que les apparences de la faveur que je lui
ravissais, et que j'en jouis aussi délicieusement que si
elle me l'eût accordée le plus volontairement du monde.
Ce nouveau bonheur que je me procurais (car vous
pensez bien que dans le carrosse, mille choses avaient
été négligées) n'était pourtant pas sans contradiction[52].
Si, de temps en temps, j'avais lieu de me louer de
l'indulgence de Luscinde, plus souvent même, elle
savait me prouver que je ne lui faisais que violence; et
quoique je sentisse que le désir était en elle plus vrai
que la colère, cette alternative me blessait. Cependant
comment le lui dire, sans lui rendre une liberté dont elle
aurait pu abuser contre moi? Il aurait fallu essuyer de
nouveaux reproches, me jeter dans de nouvelles justifi-
cations, et perdre dans ces misères, un temps que je
pouvais mieux employer. Je crus, toutes réflexions
faites, que le meilleur moyen que j'eusse pour triompher de son entêtement, était de m'entêter à mon tour;
et bientôt il ne me fut pas possible de douter que je
n'eusse pris le meilleur parti. Aussitôt que je la sentis
aussi raisonnable que je le désirais, j'achevai de me
dépouiller des apparences de respect que je conservais
encore à certains égards, et je voulus voir jusques où
elle porterait la clémence. Je ne la trouvai pas d'abord
aussi étendue que j'avais cru devoir m'en flatter; et
j'eus encore quelques irrésolutions à combattre. Sa
résistance me donnant enfin plus d'impatience que de
plaisir, et convaincu que j'avais porté les égards bien
au-delà de ce que la situation l'exigeait, je me déterminai en soupirant, au seul coup d'autorité qui pût terminer cette discussion, et m'en trouvai parfaitement bien.
Il est vrai que Luscinde me fit sentir d'abord qu'elle se
croyait encore offensée; mais je la vis enfin, plus à ce

qu'elle était, qu'à ce qu'elle voulait paraître, oublier tout à la fois qu'elle aimait Oronte, et qu'elle ne m'aimait pas, et trouver dans la vengeance, tous les charmes qu'on dit qu'elle a.

CIDALISE. — Comment, traître! vous m'aviez dit que cette histoire ne m'amuserait pas; et je la trouve délicieuse!

CLITANDRE. — Dans le fond, elle n'est pas absolument mauvaise. Je pense pourtant que Luscinde la trouverait détestable, et voilà comme on ne plaît pas à tout le monde : mais prouvez-moi, du moins, que vous m'en avez quelque obligation.

CIDALISE. — Non.

CLITANDRE. — Comment! non.

CIDALISE. — D'ailleurs, elle n'est pas finie, cette histoire, et je n'ai pas oublié que je vous l'ai payée d'avance; encore pourrais-je voir si vous ne m'en deviez plus rien.

CLITANDRE. — Mais si je ne veux pas la finir, moi?

CIDALISE. — Je doute que j'y perdisse beaucoup, et que vous ne m'avez pas raconté ce qu'elle a de plus intéressant.

CLITANDRE. — Eh bien! par exemple, vous vous trompez. Mais quoi qu'il en soit, il n'en est pas moins certain, que vous n'aurez ce qui en reste qu'au prix dont vous en avez payé le commencement.

CIDALISE. — Ne me parlez pas comme cela; car sérieusement vous me faites peur. (*Il veut la tourmenter.*) Oh! pour cela non, vous ne m'attraperez plus.

Elle prend contre lui toutes les précautions imaginables.

CLITANDRE. — Ah! cela est beau! voilà d'agréables procédés!

CIDALISE. — Je suis fâchée qu'ils vous déplaisent; mais vous pouvez compter que de la nuit, je n'en aurai pas d'autres. Au lieu de me tourmenter comme vous faites, et d'avoir les prétentions du monde les plus ridicules, que ne me finissez-vous cette histoire?

CLITANDRE. — Allons, je le veux bien, puisqu'enfin il en faut passer par là. Vous croyez peut-être que je ne

suis si doux, que parce que cela m'est plus commode,
que de m'obstiner contre vous? Il est pourtant réel...

CIDALISE. — Oh! mon Dieu! je vous rends là-dessus
toute la justice possible.

CLITANDRE. — C'est que je ne voudrais pas que vous
crussiez...

CIDALISE. — Eh non! je ne crois rien à votre désavan-
tage, soyez tranquille... En vérité! je vous dispensais
des preuves. Eh bien! je suis convaincue; aurai-je enfin
le reste de l'histoire?

CLITANDRE. — Les torts se trouvant assez également
partagés entre Luscinde et moi, pour qu'elle ne pût
avec quelque apparence de justice, me dire encore que
j'étais un impertinent, elle ne fut pas plutôt revenue de
l'erreur où je venais de la plonger, qu'elle baissa les
yeux avec les marques de la plus grande confusion. Je
sentis que dans le premier moment, ce ne serait point
par des transports que je la tirerais d'un état si désagréable; et je crus ne pouvoir mieux lui adoucir les
reproches que je voyais qu'elle se faisait, qu'en lui
remettant devant les yeux les torts d'Oronte, et en lui
représentant vivement à quel point il lui avait manqué;
j'ajoutai que l'on pouvait pardonner à un homme des
scènes particulières; mais que quand il s'oubliait assez
pour en faire de publiques, et pour ne rien respecter, il
était impossible de lui passer des éclats si scandaleux; et
que j'osais assurer que depuis que j'étais dans le
monde, je n'avais rien vu d'aussi déplacé que la scène
de ce soir-là; et qu'elle était la seule qui eût pu si
longtemps garder un amant qui ne savait exprimer son
amour que par les jalousies les plus injurieuses, et les
plus violents procédés. Ce discours produisit sur elle,
l'effet que j'en avais espéré; elle reprit feu, convint que
j'avais raison, s'emporta contre lui, avec toute la vivacité que vous lui connaissez, et ne fut plus surprise que
d'avoir attendu si tard à se venger d'un amant si
incommode, et si respectueux. A mesure qu'elle cessait
de se trouver si coupable, je devenais, comme de
raison, fort innocent à ses yeux. Le zèle ardent qu'elle
me voyait pour ses intérêts; je ne sais quelles comparai-

sons qu'elle s'avisa de faire entre Oronte, et moi, et
qu'en ce moment elle tournait à mon avantage, une
sorte de goût que peut-être elle prit subitement pour
moi, la forcèrent enfin à prendre ce ton tendre et
familier que je lui avais jusque-là vainement désiré[53].
J'y répondis de la façon qui pouvait l'encourager le
plus; et quoiqu'à dire la vérité, ce ne fût point par le
sentiment, que dans cette conversation, je brillasse le
plus, elle trouva que j'étais l'homme de mon siècle qui
avais le plus de délicatesse, et même s'étonna fort de ne
s'en être pas aperçue plus tôt. Ce qui lui avait paru avec
quelque sorte de raison, la plus énorme des insolences,
ne fut bientôt plus qu'une de ces témérités dont l'amant
le plus respectueux ne peut pas toujours se défendre;
un de ces moments malheureux, où l'on est emporté
malgré soi-même, et qu'il est impossible qu'une femme
ne pardonne pas, lorsque c'est par l'amour, et non par
le désir, qu'on est entraîné. Quoique tous ces propos
m'assurassent suffisamment de ma grâce, je voulus
qu'elle m'accordât tout ce dont l'impétuosité de ma
passion m'avait forcé de me priver, et que, pour effacer
jusques aux plus légères traces de mon impertinence,
nous suivissions toutes les progressions que notre
affaire aurait eues, si nous eussions eu le temps de la
filer. Je lui dis donc le plus vivement du monde, que je
l'adorais; bientôt l'aveu le plus tendre, me paya de celui
que je venais de faire, et fut suivi de toutes les petites
faveurs qui pouvaient le confirmer; celles-là en ame-
nèrent d'autres; elle ne m'opposa de résistance, que ce
qu'il en faut pour ajouter aux plaisirs. L'amour entrait à
la vérité, dans tout cela, pour assez peu de chose; mais
nous fûmes longtemps sans nous apercevoir qu'il nous
manquât. Quoiqu'elle ait mille choses charmantes, que
peu de femmes en rassemblent tant, qu'elle soit vive,
sensible, et qu'elle ait pour un amant, ou l'à peu près de
cela, mille grâces, toutes plus piquantes les unes que les
autres, je ne sais par quel caprice de goût, elle me
paraissait plus faite pour amuser un homme quelque
temps, que pour le fixer. Nous ne nous en apercevons
peut-être pas; mais à quelque point que ce qu'on

appelle mœurs, et principes soit discrédité, nous en
voulons encore. Je n'avais donc nulle envie de la
garder, à moins que (comme j'ai, lorsque je n'aime
point, on ne peut pas moins d'orgueil) elle ne se fût
arrangée de façon qu'Oronte, ou même quelqu'autre,
ne m'eût sauvé auprès d'elle, l'embarras de la représentation, et ne m'eût permis de rester dans la foule.
Quoique je ne désespérasse pas de l'amener sur cet
article, à un accommodement, elle me disait des choses
si tendres, et prenait si sérieusement pour l'avenir, de si
grandes mesures, que je ne savais comment lui exposer
un projet qui prouvait si peu de sentiment et même
d'estime. Ce n'était pas qu'il ne me fût aisé de lui
promettre plus encore qu'elle n'exigeait ; mais je ne
voulais pas avoir avec elle, le mauvais procédé de la
faire rompre avec un homme qui était du moins fort
nécessaire à sa vanité, lorsque je ne voulais pas le
remplacer. Je ne me pressai cependant point de la tirer
d'une erreur où, dans cet instant, j'avais besoin qu'elle
restât, et qui, en excusant son ardeur, la faisait se livrer
à la mienne sans crainte, et même sans scrupule.
Quelque vive que fût entre nous la conversation, j'étais
assuré qu'elle ne se soutiendrait pas toujours sur le ton
où nous l'avions commencée ; et je crus, pour lui
exposer mes intentions, devoir attendre qu'elle vînt à
languir. Aussitôt que ce moment que, malgré les plaisirs que je goûtais, j'attendais avec impatience, fut
arrivé, je me mis à lui parler du désespoir où serait
Oronte, de perdre, et par sa seule faute, la seule femme
qui pût rendre un homme parfaitement heureux. Elle
me demanda si je croyais qu'il y fût si sensible ; et je lui
répondis affirmativement, que je ne doutais pas qu'il en
mourût de douleur. Ce sera donc par vanité, reprit-elle,
car à sa façon de se conduire, il ne se peut pas que je lui
suppose un autre sentiment. Oh ! pour fort amoureux,
répliquai-je, il est impossible que vous ne conveniez pas
qu'il l'est. Là-dessus, je lui exprimai finement, mais
avec autant de feu que d'étendue, tout ce qu'Oronte
avait fait pour lui prouver qu'il avait pour elle, tout
l'amour qu'il est possible de sentir ; et en avouant qu'il

avait des torts avec elle, je lui fis remarquer qu'il n'en avait aucun qu'elle pût imputer à indifférence; que depuis quatre ans qu'il l'adorait, elle n'avait à lui reprocher que des jalousies, à la vérité fort dures, fort offensantes, et qu'elle avait raison de vouloir punir, mais qui n'étaient en lui un crime singulier, que par leur emportement et leur continuité, puisque tout amant en est coupable, plus ou moins. Dans l'instant où j'avais commencé à lui parler d'Oronte, j'avais vu ses sourcils se froncer, et son visage devenir sévère, comme si elle eût voulu par là me dire de ne lui point parler d'un objet qui lui déplaisait; mais lorsque j'eus commencé à m'étendre sur l'amour qu'il avait pour elle, et sur tout ce qu'il avait fait pour lui prouver à quel point elle lui était chère, elle prit insensiblement, et malgré elle, l'air de l'intérêt, se mit à rêver profondément, à soupirer de même; et enfin, il lui fut impossible de retenir ses larmes, au portrait qu'en la suppliant de l'oublier, je lui fis de sa tendresse et de ses agréments, et de pouvoir comprendre comment elle avait pu lui faire un moment l'injustice de ne s'en pas croire adorée.

CIDALISE. — En vérité! vous êtes singulièrement méchant!

CLITANDRE. — Que vouliez-vous donc que je fisse? Que je la gardasse?

CIDALISE. — Non, mais que vous ne prissiez pas.

CLITANDRE. — J'aurais mieux fait sans doute; mais sans compter qu'elle est assez bien pour qu'on puisse être tenté de l'avoir, j'avais à me venger d'Oronte, qui, pendant que j'étais aimé d'Aspasie, avait indécemment fait tout son possible pour me supplanter. Je m'étais bien promis de ne pas manquer la première occasion qui se présenterait de lui en marquer ma reconnaissance; et je crus ne le pouvoir mieux qu'en lui rendant sa maîtresse, après ce que j'en avais fait.

CIDALISE. — Rien n'était assurément ni plus judicieux, ni plus équitable.

CLITANDRE. — Mais, oui, c'était, je crois, le seul parti qu'il y eût à prendre. Mes discours cependant embarrassaient Luscinde, d'autant plus qu'en lui exa-

gérant les charmes et la tendresse d'Oronte, je lui
parlais avec feu de mes sentiments. Je voyais avec un
secret plaisir, qu'il s'en fallait peu qu'elle ne crût et
l'aimer à la folie, et me haïr fort raisonnablement. Je ne
me fus pas plus tôt aperçu de l'un et de l'autre, que je
me mis en devoir de reprendre avec elle des libertés,
qui, par notre dernier arrangement, devenaient entre
nous tout à fait simples; mais dont, par la nouvelle
révolution que son cœur venait d'éprouver, il était
impossible qu'elle ne me fît pas un crime. Avec quelque
adresse qu'elle cherchât à me dérober son trouble, ses
remords, ses nouveaux vœux, et la répugnance avec
laquelle elle se livrait encore à des transports, qui,
quelques instants auparavant, prenaient tant sur son
âme, elle m'inspirait trop peu d'amour, et j'ai trop
d'usage de ces sortes de choses, pour qu'elle pût me
tromper sur ses mouvements. Elle ne répondait plus,
soit à mes caresses, soit à mes protestations, que par ce
sourire faux, et cette complaisance froide et forcée que
l'on a pour un amant qui ne plaît plus, et à qui l'on
n'ose le dire; muette, les yeux baissés, se refusant
même, lorsqu'elle semblait se prêter, tout entière à ce
même objet qu'elle venait d'oublier si parfaitement;
non, jamais je n'ai vu l'humeur et le dégoût se peindre
avec si peu de ménagement, et tant de naïveté. Un
moment d'orgueil me fit regretter d'avoir voulu m'en
donner le plaisir; et je fus sur le point d'être assez
injuste pour la gronder le plus vivement du monde, de
me faire essuyer des humiliations que je m'étais moi-
même cherchées. Heureusement pour elle, et pour moi,
ce mouvement de fatuité ne fut pas long; et loin de
m'aveugler sur la sorte de chaleur qu'il rendait à mes
sens, et de le prendre pour de l'amour, je sus m'en
rendre le maître, et me voir tel que j'étais. Ne pouvant
sortir que par des reproches, de l'embarras où je m'étais
mis, je les fis, du moins, décents et modérés, et j'eus
tout le soin possible que rien de trop humiliant pour
elle, ne les empoisonnât pas. J'avais raison, car j'avais
assurément plus de tort qu'elle, qui aurait borné tout
son ressentiment contre Oronte, à se plaindre de lui,

avec moi, et tout au plus à de simples projets de
vengeance, si je n'eusse pas abusé contre elle de l'état
violent où elle se trouvait, et que je ne lui eusse pas
arraché des faveurs qu'elle n'eût peut-être jamais songé
d'elle-même à m'accorder. Ce fut donc sans fiel et sans
amertume, que je me plaignis qu'elle s'était trompée
sur son cœur, lorsqu'elle avait cru que je lui faisais
oublier Oronte. Un regard et un soupir, qui
m'apprirent combien en effet elle se reprochait de
l'avoir cru, furent toute sa réponse. Je lui dis alors tout
ce que l'on peut dire d'honnête et de flatteur à une
femme par qui l'on est quitté, et l'assurai que j'étais
d'autant moins surpris du malheur qui m'arrivait avec
elle, qu'au milieu même de tout ce qu'elle avait fait
pour moi, elle m'avait fait sentir combien elle tenait
encore à l'homme qu'elle semblait me sacrifier. J'ajoutai qu'il me serait, s'il se pouvait pourtant, plus cruel
encore de la posséder malgré elle-même, qu'il ne
m'aurait été doux de la tenir de son cœur ; que quelque
chose que j'en pusse souffrir, je devais cesser de me
croire des droits, de l'instant où elle ne les avouait plus,
et que j'aimais mieux n'avoir auprès d'elle, que le
stérile nom d'ami, que de conserver malgré elle le titre
d'amant, lorsqu'il ne pourrait servir qu'à faire le malheur de sa vie.

Que quelques femmes sont singulières ! Il est certain
qu'après ce qui venait de se passer entre nous deux, et
dans la situation où elle se trouvait, il ne pouvait lui
arriver rien de plus heureux, que la douceur avec
laquelle je lui permettais de cesser de m'aimer. J'aurais
naturellement dû en attendre des remerciements ; mais
elle sentit plus le tort que, par cette facilité à me
dégager, je semblais faire à ses charmes, que le sacrifice
que je faisais à ses sentiments : et si elle eut la force de
ne pas s'en plaindre, elle n'eut pas celle de me dissimuler le mécontentement de son amour-propre. Je ne sus
pendant quelque temps si je paraîtrais l'avoir remarqué, ou si je continuerais à suivre mon objet ; mais la
réflexion que je fis, que tout ce que je lui dirais sur cela,
ne ferait qu'allonger cette scène, et que cru amoureux

ou indifférent, elle n'en retournerait pas moins à son premier goût, me détermina pour le second parti. Après quelques tergiversations, de vengeur je devins confident. Ce second rôle ne flattait pas autant ma vanité que le premier ; mais comme il me convenait davantage, ce fut sans aucun chagrin que je vis Luscinde passer vis-à-vis de moi, de toutes les fureurs de l'amour, à la plus cruelle froideur. Quelle révolution[54] !

Mais, ô cruel Amour ! ce sont là de tes coups !

Luscinde, enfin, poussa l'indifférence si loin, et prit en même temps une si grande confiance en mon amitié, qu'elle ne craignit pas de me consulter sur ce qu'elle avait à faire. Je lui répondis avec le même sang-froid, que d'abord que je voulais bien me sacrifier, rien n'était moins embarrassant que son affaire ; que je me flattais qu'elle me rendait assez de justice pour ne pas douter de ma discrétion ; mais que comme il se pouvait qu'Oronte, qui véritablement est d'une jalousie à désespérer, apprît que j'avais passé la nuit chez elle, et qu'il ne s'en tourmentât, si l'on paraissait vouloir le lui cacher, j'irais ce matin-là même, le gronder sur ses caprices, et lui dire que j'avais vainement employé la plus grande partie de la nuit à la prier de les lui pardonner. Elle approuva l'arrangement que je lui proposais, et me promit une amitié éternelle.

CIDALISE. — Cela est assurément bien beau de part et d'autre, et cette affaire ne pouvait pas plus noblement se terminer.

CLITANDRE. — Se terminer ! Oh ! elle ne l'est pas encore.

CIDALISE. — Quoi ! lui arriva-t-il encore de changer d'avis ? En vérité ! je le voudrais.

CLITANDRE. — Oh, que non ! Ce que j'ai encore à vous dire est d'une bien plus grande beauté ; mais tout admirable que cela est, je ne veux pourtant pas trop vous le faire attendre[55].

Dans l'instant que j'allais quitter Luscinde, et que nous ne nous faisions plus que de très faibles protestations d'amitié, il me parut plaisant d'en obtenir encore des faveurs, malgré l'amour ardent dont alors elle brûlait pour Oronte. Cette idée me parut à moi-même si singulière et si peu faite pour réussir, moi ne voulant employer ni menaces ni violences, que je crus ne pouvoir trop finement la mettre en œuvre. Je feignis donc de la regarder avec plus d'ardeur que jamais, je poussai de profonds soupirs, levai au ciel, des yeux d'une tristesse à faire pleurer. Comme emporté par la force des mouvements qui m'agitaient, je me précipitai à ses genoux, et n'épargnai rien enfin de tout ce qui pouvait lui prouver que j'étais accablé du sacrifice qu'elle me forçait de lui faire, et ne craignis même pas d'ajouter qu'il était assez vraisemblable que je n'y survivrais pas. Quand il aurait été possible que de si grandes plaintes ne l'eussent pas émue, son amour-propre avait été trop piqué de la facilité avec laquelle je m'étais détaché d'elle, pour qu'il ne fût pas infiniment sensible à mon retour. Elle me pria donc bien sérieuse-ment de continuer de vivre. Je la conjurai à mon tour, s'il était vrai qu'elle s'intéressât à ma vie, de me recevoir encore une fois dans ses bras. Cette proposition parut l'étonner ; mais à ses regards, je jugeai qu'elle ne la trouvait pas si absurde, et même qu'elle ne m'en savait pas absolument mauvais gré. Il se pouvait aussi que la nécessité de me ménager, et la crainte que je ne me vengeasse de ses refus, par quelque malhonnête indis-crétion, entrassent pour beaucoup dans la douceur avec laquelle elle la recevait. Quoi qu'il en soit, elle me répondit seulement, avec toute la bonté que je pouvais attendre d'une amie sincère, que mes regrets n'en seraient que plus cruels, et que si j'étais sage, je devrais bien plus songer à éteindre mon amour, qu'à chercher à le rallumer. Je convins qu'elle avait raison ; mais je n'en insistai pas moins ; et le caprice, la crainte, et la vanité lui tenant lieu de tendresse, et même de compassion ; au moins, Clitandre, me dit-elle en se préparant à me secourir, souvenez-vous que c'est vous qui le voulez ; et si ma complaisance pour vous, produit l'effet que j'en crains, ne soyez pas assez injuste pour m'en rendre responsable. Croyant alors m'avoir suffisamment

averti, elle se livra d'assez bonne grâce à mes empresse-
ments. Je vous avouerais bien une noirceur que je lui
fis ; mais c'est que je crains qu'elle ne vous paraisse trop
forte. Dans le fond, ce n'est pourtant qu'une expérience ; et il n'est pas défendu d'en faire.

CIDALISE. — Au contraire, elles ne peuvent qu'être
utiles ; et d'ailleurs, c'est le goût d'aujourd'hui[56].

CLITANDRE. — C'était, ainsi que vous avez pu le
juger par mon récit, non seulement sans amour, mais
même avec d'assez faibles désirs, que je l'avais priée de
m'accorder une dernière preuve de son amitié. Il était,
par conséquent, tout simple que je ne fusse pas ému à
un certain point. Son cœur n'était pas, non plus, dans
une disposition plus favorable que le mien ; et nous
commençâmes tous deux cet entretien[57] sans apporter à
ce que nous disions, une attention assez marquée pour
que nous ne pussions pas voltiger sur d'autres objets.
Nous restâmes assez longtemps tous deux, dans cette
sorte d'indifférence ; enfin, il me parut qu'elle commençait à ne plus voir les choses avec tant de désintéresse-
ment. Ce n'était pas qu'elle m'aimât plus qu'elle ne me
l'avait promis ; mais apparemment elle s'amusait davantage. Il me prit envie de voir s'il est vrai que la machine
l'emporte sur le sentiment, autant que bien des gens le
prétendent ; et pour m'éclairer sur cela, dans l'instant
que Luscinde semblait avoir oublié toute la nature, ou
ne plus exister que pour moi ; Ah ! Madame,
m'écriai-je, pourquoi faut-il que dans des moments si
doux, je ne puisse perdre le souvenir de mon rival, ou
pourquoi du moins ne puis-je vous le faire oublier ? Car
enfin, je ne le vois que trop, l'heureux Oronte peut seul
vous occuper. Désespérée de vous voir dans mes bras,
vous n'aspirez qu'au bonheur de vous retrouver dans
les siens ; et ce serait en vain que je me flatterais de le
bannir un seul instant de votre cœur.

Non, Clitandre, me répondit-elle courageusement,
vous ne vous abusez pas, je l'adore.

Et ce qu'il y a de remarquable, c'est qu'en faisant à
Oronte une si tendre déclaration, elle m'accablait des
plus ardentes caresses et me donna même les plus fortes

preuves de sensibilité qu'en ce moment-là je pusse attendre d'elle.

CIDALISE. — Et vous avez conclu de cette épreuve si honnête...

CLITANDRE. — Que les femmes disent plus vrai que nous ne croyons, quand elles affirment que les plaisirs les plus vifs ne font point oublier à une femme qui pense avec une certaine délicatesse, l'objet dont elle a le cœur rempli ; et que quand ce n'est pas lui qui les lui procure, il n'en est pas moins celui à qui elle voudrait toujours les devoir. Ah ! c'est une chose bien vraie que celle-là ! Mais, pour en être convaincu, j'avais réellement besoin d'une expérience comme celle que j'ai faite.

CIDALISE. — Ah ! scélérat !

CLITANDRE. — Pourquoi donc ? Que peut-on faire de mieux que de chercher à se guérir de ses préjugés[58], et surtout de ceux auxquels les autres peuvent perdre ? Au reste, pour cesser de vous parler de Luscinde, je lui tins parole dans tous les points : vous êtes la seule à qui j'aie raconté cette histoire ; je forçai Oronte à s'avouer coupable, et l'envoyai aux pieds de Luscinde, lui demander pardon de ses injustices ; j'intercédai même pour lui, et j'eus la gloire de voir mettre dans le traité qu'ils conclurent entr'eux, que c'était à ma seule considération qu'on lui accordait la paix. Cette aventure, enfin, m'a donné un vrai plaisir ; et je n'y ai depuis, jamais songé sans rire.

CIDALISE. — Et moi, je ne vous entends pas sans trembler. Vous me paraissez avec les femmes, d'un libertinage et d'une mauvaise foi qui me donnent les plus vives terreurs, et qui me font cruellement repentir de ma faiblesse pour vous.

CLITANDRE. — Je ne vous conterai plus d'histoires, puisque le seul usage que vous sachiez en faire, est de vous tourmenter ; et pour vous faire mettre des bornes à vos craintes, j'en mettrai désormais à ma confiance. Ce que je puis pourtant vous jurer, et avec la vérité la plus exacte, c'est que je suis naturellement fidèle, et que vous serez, j'ose vous le dire, étonnée de ma régularité.

CIDALISE. — Hélas! Dieu le veuille! (*Elle fait sonner sa pendule*[59].) Déjà sept heures!

CLITANDRE. — Pour moi, je ne me lève ordinairement qu'à dix; et je doute que ce soit avec vous que j'apprenne à devenir plus matineux[60]. Vous sentez bien d'ailleurs qu'il ne se peut pas que je vous quitte sans vous avoir bien rassurée.

CIDALISE *sortant de son lit*. — Et moi, je vous proteste que je sonnerai plutôt Justine, que de souffrir que vous me tourmentiez davantage.

CLITANDRE. — Ah! sans doute! cela serait beau! Croyez-moi, venez vous recoucher.

CIDALISE. — Et mon lit? Vous m'avez promis de le refaire.

CLITANDRE. — Volontiers; je puis dire, sans trop me vanter, que Justine, toute fameuse qu'elle est, ne fait pas un lit mieux que moi[61].

Ils refont le lit.

CIDALISE. — Hélas! tant mieux! Je n'eus jamais plus de besoin d'être bien couchée.

CLITANDRE. — C'est-à-dire qu'on ne pourra vous faire sa cour qu'un peu tard?

CIDALISE. — Oh! très tard, en effet. Et je vous défends, de plus, de parler à aucune des femmes qui sont ici, à Luscinde surtout, que je ne sois levée.

CLITANDRE. — Je ne vois pas pourquoi elle vous paraît plus à craindre qu'une autre; mais ce dont je suis convaincu, c'est que je serais pour elle moins dangereux que personne, et que depuis notre aventure, elle a pensé sur moi, absolument comme Julie, quoique j'aie plus d'une fois tenté de la faire vivre avec moi, sur le ton de liberté qui aurait à la fois convenu aux désirs qu'elle m'inspirait, et au peu d'amour que j'avais pour elle.

CIDALISE. — Il est, en effet, assez singulier qu'elle ne se soit pas prêtée à des vues si raisonnables.

CLITANDRE. — Mais oui; cela est peut-être plus extraordinaire que vous ne pensez. Eh bien! que dites-vous de votre lit?

CIDALISE. — Que jamais il ne m'a paru mieux fait; je suis bien surprise de vous trouver ce talent!

CLITANDRE. — Il ne vous paraît peut-être rien ; mais je vous jure que jusques à un certain âge, il y en a peu qui soient aussi nécessaires que celui-là.

CIDALISE. — Vous avez beau le vanter ! je vous jure que je ne vous en estime pas davantage.

CLITANDRE. — Je trouve, à ce que vous me dites là, assez peu de reconnaissance ; et je ne sais si, pour vous punir de votre ingratitude, il ne me serait pas permis de gâter un ouvrage dont on me sait si peu de gré.

CIDALISE. — Ah ! cela serait horrible, lorsque si vous l'aviez voulu, j'aurais été, sans vous avoir la plus légère obligation, on ne peut pas mieux couchée.

CLITANDRE. — Vous m'avez insulté !

CIDALISE. — Eh bien ! je veux pousser l'injure jusqu'au bout ; je ne vous crains pas.

CLITANDRE. — Je trouve à cela, si vous me permettez de vous le dire, plus de courage que de prudence ; mais ne serait-ce pas pour avoir le plaisir d'être vaincue, que vous me défieriez ?

CIDALISE. — Non pas absolument ; mais serait-il bien vrai que ma sécurité fût si déplacée ?

CLITANDRE. — Je me flattais de vous avoir corrigée de ces doutes-là, par exemple.

CIDALISE. — En vérité ! s'il faut vous parler sérieusement, je n'en ai pas.

CLITANDRE. — Cela ne serait-il point un peu obscur ? Me rendez-vous justice, me faites-vous injure ? Ah ! ce doute me tourmente trop pour me le laisser.

Il se venge.

CIDALISE. — Ah ! Clitandre, je vous demande pardon.

CLITANDRE. — Il est bien temps !

CIDALISE. — En vérité ! vous êtes bien vain !... Un lit qui était le mieux fait du monde... Vous êtes réellement insupportable !

CLITANDRE. — Trouvez-vous ?...

Le Lecteur ne doit pas conclure de ce que lui dit Cidalise, que c'est sérieusement qu'elle le gronde. Il est vrai qu'elle a peut-être un peu d'humeur. (Eh ! qui n'en aurait pas à sa

place?) Mais il est, pour le moins, tout aussi vrai qu'elle
finit par ne lui en plus montrer.

CIDALISE. — Vous en irez-vous à présent?

CLITANDRE. — Si vous le voulez absolument, il le
faut bien; mais je ne saurais m'empêcher de vous dire
qu'en pareil cas, on ne m'a jamais renvoyé de si bonne
heure.

CIDALISE. — Cela se peut; mais, de grâce allez-
vous-en... *Il ouvre la porte.* Ah! Clitandre, bien doucement, je vous prie.

CLITANDRE. — Un autre talent que j'ai, c'est d'ouvrir
une porte plus doucement que personne, et de marcher
avec une légèreté incompréhensible.

CIDALISE. — Hélas! vous n'avez que trop de talents;
et si cela dépendait de moi, je donnerais volontiers ceux
des vôtres dont vous faites peut-être le plus de cas, pour
la certitude que vous me serez fidèle.

CLITANDRE. — Oh! sans doute, vous feriez là un
beau marché! Allez, mon ange, je vous la donnerai à
moins de frais. *(Il lui baise tendrement la main.)* Adieu,
puissiez-vous, s'il se peut, m'aimer autant que vous êtes
aimée vous-même!

Elle ne lui répond qu'en lui prouvant qu'elle l'aime.
Ils se séparent.

FIN

LE HASARD
DU
COIN DU FEU,

DIALOGUE MORAL

A La Haye
MDCCLXIII

INTERLOCUTEURS

CÉLIE
LA MARQUISE
LE DUC
LA TOUR, valet de chambre de Célie.

La scène est à Paris, chez Célie, *et l'action se passe presque toute dans une de ces petites pièces reculées, que l'on nomme* boudoirs. *A l'ouverture de la scène,* Célie *paraît couchée sur une chaise longue, sous des couvre-pieds d'édredon*[62]. *Elle est en négligé, mais avec toute la parure, toute la recherche dont le négligé peut être susceptible. La Marquise est au coin du feu, un grand écran devant elle, et brodant au tambour.*

SCÈNE PREMIÈRE

CÉLIE, LA MARQUISE

CÉLIE *poussant un profond soupir*. — En vérité! Monsieur d'Alinteuil, tout mon ami que vous êtes, vous m'obligez bien sensiblement de vous en aller.

LA MARQUISE. — Il est vrai que sa présence paraissait vous être si à charge, que j'ai peine à comprendre comment il ne s'en est pas aperçu.

CÉLIE. — Oh! je ne suis pas sa dupe : il le voyait bien; mais il trouvait tant de douceur à jouer le rôle d'amant outragé! Il croyait même y mettre tant de dignité, qu'il était tout simple qu'il cherchât à le prolonger le plus qu'il lui serait possible.

LA MARQUISE. — Les hommes, en voulant satisfaire leur vanité, nous donnent quelquefois de bien risibles spectacles; et je doute fort que s'ils savaient combien ils nous amusent quand ils prennent avec nous l'air piqué; et qu'ils n'intéressent pas notre cœur, ils n'aimassent pas mieux renfermer leur ressentiment que de nous le montrer.

CÉLIE. — Assurément! Quand l'amour leur tourne la tête, on peut dire qu'il la leur tourne bien!

LA MARQUISE. — Bon! l'amour! il est bien à présent question de cela!

CÉLIE. — Quoi! Est-ce que vous croyez qu'il ne vous a pas aimée?

LA MARQUISE. — Je me souviens qu'il m'a dit qu'il m'aimait; et il m'a, en effet, tant excédée du récit de ses tourments, qu'il serait difficile que je ne me le rappelasse pas ; mais, malgré toute l'importunité qu'il a cru devoir y mettre, il s'en est fallu beaucoup que j'aie été convaincue de ce qu'il voulait que je crusse.

CÉLIE. — Je ne doute cependant pas qu'il ne vous dît très vrai ; mais, comme vous ne l'ignorez pas, ce n'est point le sentiment que nous inspirons, mais le sentiment qu'on nous inspire, qui nous persuade.

LA MARQUISE. — Il fallait, à la cruelle opiniâtreté qu'il y a mise, qu'il n'admît pas cette maxime ; ou qu'il crût ce que tous les opéras du monde disent, et si faussement, du mérite de la constance.

CÉLIE. — Mais qu'espérait-il ? Ne voyait-il pas bien que vous aimiez Monsieur de Clerval ? Et se flattait-il de vous rendre inconstante ?

LA MARQUISE. — Pourquoi point ? Soit par le peu de cas qu'ils font de nous ; ou par la haute opinion qu'ils ont d'eux-mêmes, avez-vous jamais vu d'homme à qui la certitude d'avoir un rival aimé, fît abandonner le dessein de plaire ?

CÉLIE. — Moins il pouvait ignorer votre façon de penser, moins l'espoir lui pouvait être permis ; et je m'étonne en conséquence qu'il en ait pu concevoir une minute.

LA MARQUISE. — Ma façon de penser ! Eh ! depuis quand donc les hommes nous font-ils l'honneur de nous en croire une ?

CÉLIE. — A ce que je vois, Monsieur d'Alinteuil n'a été qu'un fou ; et, qui pis est, l'est encore. Car que veulent dire les façons qu'il vient d'avoir avec vous ? Que tant qu'il vous a aimée, il ait été piqué de n'avoir pas pu vous plaire, et que même il vous en ait haïe ; c'est un effet du sentiment et de l'orgueil également blessés, qui, pour être fort injuste, ne m'en surprend pas beaucoup plus. Mais ce qui, je l'avoue, me paraît le comble de la déraison, c'est qu'aussi amoureux de Madame de Valsy qu'il en est aimé, il paraisse encore autant vous haïr, de ce que vous n'avez point répondu à sa passion, que si vous n'eussiez pas cessé d'en être l'objet.

LA MARQUISE. — Cela ne me surprend pas, moi. Ce n'est pas d'aujourd'hui que je sais que la vanité se souvient de ces sortes de malheurs, longtemps après que le cœur les a oubliés.

CÉLIE. — S'il va porter à Madame de Valsy toute l'humeur qu'il vient de nous montrer, je doute, quelque éprise qu'elle en soit, qu'elle ne le trouve pas, ainsi que nous, de la plus mauvaise compagnie du monde.

LA MARQUISE. — Oh! son auguste front se déridera auprès d'elle. Mais, est-ce qu'en nous quittant il est allé à Versailles?

CÉLIE. — Sans doute! Il l'a dit du moins.

LA MARQUISE. — Je n'y avais pas pris garde : mais voilà ce qui s'appelle de l'empressement! De la nuit dernière à Paris; et ce soir auprès d'elle? Je croyais que rien ne pouvait égaler le froid qu'il fait aujourd'hui; mais je vois qu'on pourrait très bien y comparer le feu qui le brûle.

CÉLIE. — Voilà pourtant l'amant que vous avez dédaigné.

LA MARQUISE. — Et que j'ai, au surplus, l'injustice de ne regretter guère, comme vous voyez. Il est vrai que, tout admirable qu'il est, je puis dire que *j'en ai sur moi copie*[63] : car par le même temps qu'il va rejoindre Madame de Valsy, Monsieur de Clerval vient me retrouver. Mais dites-moi, je vous prie, comment jaloux au point où l'est Monsieur d'Alinteuil, s'arrange-t-il avec l'objet de sa nouvelle passion? Entre nous, elle pense de manière à donner un peu d'inquiétude à l'homme qui lui est attaché.

CÉLIE. — Ah! pour cela, il serait, s'il se pouvait, plus jaloux encore que le *Jaloux de Navarre*[64] que je le défierais d'en prendre : elle ne vit exactement que pour lui.

LA MARQUISE. — Je le crois bien; mais c'est que comme elle a déjà vécu pour quelques autres avec la même exactitude; et qu'elle ne les en a pas plus gardés, il ne serait absolument pas dans son tort, si, au milieu de la vive passion qu'il inspire, il craignait d'elle un peu d'inconstance.

CÉLIE. — Pour son affaire actuelle, elle tiendra sûrement ; car ç'a été de sa part le coup de foudre le plus étonnant qu'on ait jamais vu.

LA MARQUISE. — Bon ! Un coup de foudre ! Est-ce que vous croyez aux coups de foudre ?

CÉLIE. — Mais, Marquise, est-ce que vous n'y croiriez pas, vous ?

LA MARQUISE. — Je n'y ai pas, du moins, autant de foi qu'aux mauvaises têtes ; et je ne m'en crois pas plus dans mon tort. Il me semble, de plus, qu'il en est des coups de foudre comme des revenants. On ne voit de ces derniers, et l'on n'éprouve les autres, qu'autant qu'on a la stupidité de croire à leur existence.

CÉLIE. — Quoi ! vous proscrivez ce mouvement dont la cause nous est inconnue ; et qui nous entraîne, avec une violence à laquelle on voudrait vainement résister, vers l'objet qui nous enchante ; même avant que de savoir si nous le frappons aussi vivement que nous en sommes frappés nous-mêmes ?

LA MARQUISE. — Non ; en le croyant infiniment plus rare qu'on ne dit, je sais qu'il existe ; mais quand je vois de combien d'horreurs on le fait le prétexte, il s'en faut peu que je ne sois tentée de le nier.

CÉLIE. — Est-ce donc un si grand mal, si l'impression que l'on a reçue, est aussi forte qu'elle a été rapide, que les effets de la passion tiennent du genre de la passion même ?

LA MARQUISE. — Oui, sans doute, c'en est un très grand : tôt ou tard les hommes nous punissent de nous être manqué[65] ; et, moins encore pour l'intérêt des mœurs que pour le sien même, une femme ne doit point se livrer avec une légèreté qui l'expose toujours plus au mépris de ce qu'elle aime, qu'elle n'en obtient de reconnaissance. De tous les bonheurs que l'amour peut lui offrir, le premier, le plus essentiel, le moins idéal, est le bonheur d'être estimée de son amant. Si le caprice ne le recherche point, l'amour ne saurait s'en passer ; ou, du moins, ne s'en passe jamais sans en être cruellement puni.

CÉLIE. — Et pourtant, se rendre promptement ; se

rendre tard ; être estimée à cause de l'un, méprisée par rapport à l'autre ; tout cela, dans le fond, pure affaire de préjugé.

LA MARQUISE. — Je suis fort éloignée de penser comme vous sur cela ; mais, en supposant que vous eussiez raison, tout préjugé, dès qu'il peut être la source ou le soutien d'une vertu, quelle qu'elle soit, ne mérite pas moins de respect que le plus incontestable des principes.

CÉLIE. — A vous parler naturellement, je crois bien chimérique la différence qu'on s'efforce d'établir entre ces deux choses-là.

LA MARQUISE. — Pardonnez-moi : il y en a une entre elles ; et même beaucoup plus réelle que vous ne pensez : c'est que si les préjugés nous soutiennent jusqu'à l'occasion, ils nous y laissent ; et que les principes nous la font braver.

CÉLIE. — Quoi ! Ils nous font braver l'amour ! les principes ! Il faut avouer qu'ils ont là un bien beau secret !

LA MARQUISE. — Non, ils ne le font pas braver : nous n'en cédons pas moins ; mais nous en cédons avec plus de noblesse. Tout ce qui nous heurte ne nous fait pas tomber. Si, comme il n'est que trop vrai, les principes ne triomphent point de la sensibilité du cœur, ils ont, du moins, le pouvoir de dissiper les illusions de l'amour-propre ; de maîtriser l'imagination ; de commander aux sens ; et quand une femme n'a pas contre elle de si redoutables ennemis ; et qu'il ne lui reste plus que l'amour à combattre ; encore pour la vaincre, faut-il qu'on lui en inspire ; et quand la sotte ambition de tourner des têtes et la vanité ne la séduisent point, cela ne devient pas si facile.

CÉLIE. — Vous attribuez donc à la vanité bien de l'empire sur nous ?

LA MARQUISE. — Pour juger combien aisément on flatte la nôtre, il ne faut que considérer avec quelle facilité on la blesse.

CÉLIE. — Si elle est tout à la fois aussi puérile et aussi délicate que vous le prétendez, je crois que l'on doit moins en accuser la nature, qui, à cet égard peut-être, a moins de tort avec nous qu'on ne le dit, que notre éducation qui ne nous la tourne que sur de petits objets ; et les hommes qui, par le genre de leurs éloges, achèvent toujours en nous ce que l'éducation n'avait fait que commencer.

LA MARQUISE. — Le premier de ces reproches est très fondé, sans doute ; quant au second, on pourrait y répondre que comme quand l'on tend un piège à quelque animal que ce soit, on a soin de le munir de l'amorce qui a le plus en elle de quoi l'y attirer ; de même les hommes ne nous disent tant que nous sommes belles, que parce qu'ils savent que de tout ce qu'ils pourraient nous dire, ce sera ce qui nous flattera le plus ; que l'amour-propre est toujours en nous plus susceptible de reconnaissance que le cœur ; et que la plus sûre voie qu'ils aient pour gagner le dernier, est de flatter l'autre. Si donc nous ne prisions la beauté, et la peine qu'ils prennent de nous vanter nos charmes, que ce qu'elles valent en effet ; que nous missions à être estimables la vanité que nous mettons à n'être que belles ; que nous crussions enfin (ce qui est de la dernière et de la plus incontestable vérité) que l'amour promet plus de bonheur qu'il n'en procure ; et que la vertu en procure toujours plus encore qu'elle n'en promet ; vous verriez que leurs triomphes et nos chutes ne seraient pas si fréquents ; et que, si nous le craignions davantage, le malheur d'aimer ne serait plus si souvent compté parmi les nôtres.

CÉLIE. — Je ne suis point surprise qu'avec une pareille façon de penser, vous ayez tant fait attendre à Monsieur de Clerval son bonheur.

LA MARQUISE. — Il est vrai qu'il ne m'a pas conquise à bon marché.

CÉLIE. — Ah ! dites-moi un peu, je vous prie, Marquise, comment vous attaqua-t-il ?

LA MARQUISE. — Comme, apparemment, il fallait que je le fusse, puisqu'il m'a prise.

CÉLIE. — Je vous demande pardon ; mais c'est que je me souviens de lui avoir vu certain air léger qui, dans vos idées sur tout cela, ne devait pas le rendre fort propre à vous plaire.

LA MARQUISE. — A cet égard, les femmes n'ont guère à se plaindre des hommes, que quand elles auraient à se plaindre d'elles-mêmes. Je puis vous assurer, par exemple, que si Monsieur de Clerval ne m'eût pas dit quelle avait été sur cela sa méthode la plus ordinaire, je n'aurais jamais eu de quoi m'en douter ; mais malgré cela, je ne serais point surprise qu'en certaines occasions, l'air léger dont vous parlez, ne lui parût encore nécessaire.

CÉLIE. — Comment! En de certaines occasions! Est-ce que vous ne l'auriez pas rendu fidèle ?

LA MARQUISE. — Non ; mais constant ; et, à mon sens, c'est beaucoup plus.

CÉLIE. — Quoi! vous lui passez des infidélités!

LA MARQUISE. — Je crois, en effet, lui en avoir pardonné quelques-unes.

CÉLIE. — Assurément, vous êtes douée d'une belle patience!

LA MARQUISE. — Bon! Quand on est sûre du cœur d'un homme ; qu'on le connaît honnête ; et que l'on sent que, du côté des choses qui seules sont en droit de former un attachement durable, on a de quoi le fixer, qu'importent tous ces petits écarts dans lesquels les entraînent l'occasion, le caprice, et cette fureur de conquérir qu'ils nous reprochent tant, et dont je les crois, pour le moins, aussi atteints que nous-mêmes ?

CÉLIE. — En vérité! je ne vous conçois point.

LA MARQUISE. — Il est pourtant bien aisé de me concevoir : c'est que j'ai moins de vanité que d'amour ; et que je ne confonds pas avec ses sens, les sentiments de ce que j'aime.

CÉLIE. — Mais, si je m'en souviens bien, je ne vous ai pas toujours vue si tranquille.

LA MARQUISE. — Je l'avoue ; et cela était tout simple. Monsieur de Clerval avait, dans le monde, plus usé son imagination que son cœur ; mais je n'en savais rien ; et la peur m'était permise. Rien, il est vrai, n'égalait sa vivacité pour moi ; mais, quoiqu'il parût fort amoureux, il se pouvait qu'il ne fût qu'ardent, et qu'il s'y trompât lui-même. D'ailleurs, la galanterie naturelle de son esprit ; la noblesse et les agréments de sa figure ; la façon dont il avait vécu dans le monde ; sa réputation assez faite pour alarmer un cœur tendre ; l'idée qu'il semblait avoir des femmes, et, qu'à celles qui l'avaient occupé jusque-là, il ne se pouvait point, en effet, qu'il n'en eût pas prise, justifiaient ma défiance. S'il ne m'eut jamais montré que des désirs, il ne l'aurait pas bannie ; il m'a prouvé de l'estime ; et m'a tranquillisée.

CÉLIE. — Vous êtes assurément une maîtresse bien commode ! Vous croyez donc, comme ils voudraient que nous fissions toutes, qu'ils peuvent être infidèles et n'en pas moins aimer ?

LA MARQUISE. — Sans doute : ils sont nés libertins ; tout les tente ; mais tout ne les soumet point ; et je ne trouve pas si chimérique, la différence qu'ils s'obstinent à mettre entre ces deux choses-là. Encore une fois, fantaisie n'est pas amour[66] ; et si j'ai vu Monsieur de Clerval revenir quelquefois à moi un peu éteint, je ne l'en ai pas moins retrouvé toujours fort tendre.

CÉLIE. — Je ne sais que vous dire ; mais il me semble que vous risquez beaucoup de lui permettre de ces écarts-là.

LA MARQUISE. — Je risquerais beaucoup plus, selon moi, à les lui défendre. Tout ce qu'on gagne à gêner les hommes dans leurs caprices, c'est de les y attacher davantage ; et quelquefois de leur en faire des passions. Je veux, d'ailleurs, qu'il en soit ramené par le vide qu'il y trouve ; le goût du plaisir ne s'use en eux que par le plaisir même. S'il mettait de l'air à toutes ces misères-là, loin qu'il se corrigeât d'y attacher une sorte de prix, il tiendrait sans doute à la fureur des conquêtes jusqu'à l'âge auquel elle ne peut plus donner que le dernier, et le plus dégoûtant des ridicules : mais il n'est que libertin ; et avec la façon de penser que je lui connais, il ne me sera pas bien difficile de le faire revenir d'un travers dont, par le secours du temps, et de ses seules réflexions, il sentirait de lui-même tout le faux.

CÉLIE. — Je ne puis, Marquise, que vous admirer ; vous imiter, ne serait pas en mon pouvoir. Hélas ! le pauvre Prévanes a fait vainement tout ce qu'il a pu pour que je pensasse comme vous : nous avons eu pour cela des scènes !... Ah ! que je me les reproche aujourd'hui ! Qu'il m'est affreux de me souvenir que j'ai cent fois fait le malheur de sa vie !... Grand Dieu ! Quelle idée !... Et il n'est plus !

LA MARQUISE. — Eh ! Célie ! Quel malheureux souvenir !... Mais j'entends une chaise : c'est sûrement le duc. Voulez-vous que je le gronde d'être arrivé si tard ? Vous verrez un homme bien embarrassé. Il est tout à fait plaisant quand il croit m'avoir donné de l'humeur.

CÉLIE. — Hélas ! Marquise, que vous êtes heureuse ! La seule félicité qui puisse me rester au monde, est le spectacle de la vôtre. Puisse-t-elle être aussi durable que vous le méritez !

Elle pleure.

LA MARQUISE. — Savez-vous bien qu'il va croire que c'est sa présence qui vous afflige ; et qu'il se flattait de vous retrouver plus raisonnable ?

SCÈNE II

Les mêmes, LE DUC DE CLERVAL, LA TOUR,
annonçant M. le duc de Clerval.

CÉLIE. — Ah! qu'il entre, La Tour; qu'on dise là-bas que je ne veux absolument voir personne de la journée; et que le Suisse le retienne bien; entendez-vous?

LA TOUR. — Oui, Madame. Mais cet ordre sera, je crois, fort inutile; et à l'heure qu'il est, Madame n'a pas de visite à craindre.

CÉLIE. — A l'heure qu'il est!

LA TOUR. — Oui, Madame, à cause du temps qu'il fait.

CÉLIE. — Que vous êtes impatientants, vous autres, avec vos raisons! Les importuns ne marchent-ils point par tous les temps? *(Le duc entre.)* Ah! bonsoir, mon cher duc. Que vous vous êtes fait attendre! Se peut-il que vous sachiez à quel point votre présence m'est nécessaire, et que vous ayez la barbarie de m'en priver!

LE DUC. — Je ne croyais en vérité pas, ma chère Célie, que mon absence durerait si longtemps; surtout, étant parti sûr de l'agrément[67] de ma charge : mais j'avais à traiter avec le ministre de choses particulières; et puis une promotion qui est venue tout d'un coup sur le tapis, m'a arrêté encore. Je voulais finir mes affaires, savoir si, par hasard, je n'étais pas oublié dans la promotion; et tout cela m'a arrêté jusqu'à cette après-dînée. Enfin, j'ai tout terminé; et vous voyez à la fois, en ma personne, un des[68]... de Sa Majesté, et un lieutenant-général de ses armées. Ne vous parais-je pas bien vénérable?

Il salue la Marquise, et lui baise fort tendrement la main.

LA MARQUISE. — Nous vous faisons sur tant d'heur et de gloire nos très sincères compliments; mais, sans y mettre d'humeur, il me semble que vous auriez pu venir les recevoir plus tôt.

LE DUC. — Puisque je ne l'ai pas fait, cela ne doit point vous paraître vraisemblable. Premièrement il fallait que je remerciasse...

LA MARQUISE. — Ah! sans doute! Vous avez dit au roi, de fort belles choses. Pourriez-vous retrouver quelques traits de votre harangue? Je crois que cela était lumineux.

LE DUC. — Mais il n'en faut pas moins attendre l'instant de se montrer; j'avais, de plus, à prêter serment; et je n'ai pas, comme de raison, été maître d'en prescrire l'heure.

LA MARQUISE. — Je ne vous attendais qu'aujourd'hui : mais je m'étais flattée que vous viendriez dîner avec nous; et je suis très sérieusement piquée que vous ne l'ayez pas fait. Vous vous êtes donc bien amusé à Versailles?

LE DUC. — Beaucoup, assurément. Ce n'est pourtant pas la multiplicité des plaisirs que j'y goûtais, qui m'y a retenu : j'en étais même parti d'assez bonne heure pour être ici au moins deux heures plus tôt; mais le temps est si détestable, et le pavé si mauvais, que mes chevaux se sont abattus vingt fois; et que j'ai cru tout autant, que je serais forcé de coucher en route.

LA MARQUISE. — Ah oui! voilà de belles excuses!

CÉLIE. — Mais, Duc, ne voudriez-vous rien prendre?

LE DUC. — Je vous rends grâces, Madame. J'aurais dîné par pure complaisance, si je fusse arrivé chez vous à temps pour cela; et je m'en trouverai mieux de ne l'avoir pas fait. Seulement, *pour vous faire plaisir, j'approcherai du feu.*

CÉLIE. — En effet! il doit être gelé!

LE DUC. — Ah parbleu! toutes les pelisses du monde ne garantiraient pas du froid qu'il fait aujourd'hui : il est tel, que je ne crois point, la fameuse et terrible nuit de la retraite de Prague[69], en avoir essuyé un plus vif. Mais ne passons-nous pas ensemble le reste de la journée ?

LA MARQUISE. — C'était mon intention ce matin ; mais j'ai tant envie de vous punir...

LE DUC. — Eh ! quand je ne vous aurais vue que d'un quart d'heure plus tard, eussé-je même, en cette occasion, autant de tort que j'en ai peu, ne me trouveriez-vous pas suffisamment puni ?

LA MARQUISE *en lui tendant la main.* — Oui, Duc ; et trop même de la peur.

CÉLIE. — Ah ! Monsieur de Clerval, n'auriez-vous pas en chemin rencontré Monsieur d'Alinteuil ?

LE DUC. — D'Alinteuil ! Non, est-ce qu'il est ici ?

CÉLIE. — Oui, d'hier au soir seulement.

LE DUC. — Parbleu ! tant pis pour lui. Et il est allé à Versailles comme cela, tout légèrement ?

CÉLIE. — Assurément ! Et pourquoi donc pas ? Il ne m'a point dit qu'il lui fût défendu d'y paraître.

LE DUC. — Ah ! Ce n'est point cela : mais c'est que Madame de Valsy n'a point du tout l'air de l'y attendre.

CÉLIE. — Bon ! Vous verrez qu'il aura oublié de l'instruire de son retour ?

LE DUC. — Mon Dieu ! je ne doute point du tout qu'il ne l'en ait informée ; mais elle pourrait, malgré cela, ne l'en pas attendre davantage.

CÉLIE. — Vous me feriez mourir ! Expliquez-vous. Qu'est-ce que cela veut dire ?

LE DUC. — Eh bien ! Madame, puisqu'il faut parler sans détour ; c'est qu'il court le risque du monde le plus grand de ne la pas retrouver absolument telle qu'il l'a laissée.

CÉLIE. — Ah ! c'est une calomnie bien atroce, et bien du pays d'où vous venez[70].

LE DUC. — Ma foi, Madame, j'ignore si c'est, comme vous le dites, une calomnie du pays : en tout cas, j'y en ai quelquefois entendu dans lesquelles la vraisemblance n'était pas tout à fait si ménagée.

CÉLIE. — Cela m'outre de fureur ! Une femme qui l'adore ! qui, de notoriété publique, ne vit que pour lui !

LE DUC. — Mais, Madame, est-ce que depuis que vous existez, vous n'avez jamais vu la notoriété aller de côté et d'autre?

LA MARQUISE. — Qui lui donne-t-on?

LE DUC. — Rien autre chose que le petit Frécourt.

CÉLIE. — Un enfant! Cela peut-il s'imaginer! Que peut-elle attendre de cela?

LE DUC. — Comme c'est un calcul qu'elle n'a pas eu la bonté de faire avec moi, c'est ce que j'ignore; mais ce qui doit vous tranquilliser pour elle, c'est qu'elle a trop d'usage de ces sortes d'affaires, pour qu'elle eût pris Frécourt, si elle eût cru, en s'arrangeant avec lui, en faire une si mauvaise.

CÉLIE. — Je n'en reviens pas! Un enfant!

LE DUC. — C'est, peut-être, pour se délasser des hommes faits.

CÉLIE. — Si ce que vous me dites est vrai, je plains bien ce pauvre d'Alinteuil! Il sera encore plus désespéré que surpris.

LE DUC. — Oh! Pour vrai, rien ne l'est davantage, ni mieux constaté. Je les ai vus ensemble; et c'est à qui des deux s'affichera avec le moins de ménagement : mais est-ce que d'Alinteuil comptait sur elle à un certain point? Cela ne se peut pas!

LA MARQUISE. — Pardonnez-moi : le moyen qu'il pût faire autrement? C'était, de la part de Madame de Valsy, le coup de foudre le plus marqué qu'on eût jamais vu.

LE DUC. — Ah! C'est autre chose : je n'ignore pas qu'elle y est sujette; et quand ce serait un mal de famille, je n'en serais pas bien étonné : il y a des races si malheureuses!

LA MARQUISE. — Mais ce petit Frécourt avait quelqu'un, ce me semble?

LE DUC. — Oui, une certaine Madame de Sprée : cette grande, grande femme, qui n'a affaire nulle part, et que l'on trouve partout; et avec qui Frécourt avait tout à fait l'air d'une mouche qui se serait établie sur un colosse. Eh mais! Parbleu! d'Alinteuil n'a qu'à la prendre, lui; elle ne cherche qu'un vengeur; et j'ai vu même le moment qu'elle allait présenter un placet[71] pour qu'on lui en fournît un.

LA MARQUISE. — L'idée est, assurément! ingénieuse : mais si Monsieur d'Alinteuil est si désespéré de l'inconstance de Madame de Valsy, il n'a qu'à regarder son aventure, avec Frécourt, comme une distraction ; et l'attendre au réveil. Ou je me trompe fort, ou cela ne sera pas bien long.

LE DUC. — Il y a toute apparence ; de plus quand elle voudrait que cela durât, l'enfant ne le voudrait pas, lui ; car il est convaincu qu'on ne saurait avoir avec les femmes, de trop mauvais procédés ; et en conséquence d'une opinion si raisonnable, il en a déjà perdu deux. Ah! C'est une jolie créature! Sans principes, sans mœurs, méchant déjà comme un aspic, ne disant pas un mot de vrai. Son éducation n'a sûrement pas été perdue : aussi était-il en main de maître.

LA MARQUISE. — Ah! Laissons, pour ce qu'ils sont, tous ces gens-là. Dites-moi un peu, je vous prie, Monsieur de Clerval, avez-vous vu là-bas la petite duchesse ; sauriez-vous pourquoi je n'en saurais obtenir un mot de réponse ?

LE DUC. — Ah! Parbleu! Oui, Madame, vous écrire! Elle est vraiment bien en état de cela!

LA MARQUISE. — Ah! Mon Dieu! Vous me faites trembler! Que lui est-il donc arrivé? Serait-elle malade?

LE DUC. — Rassurez-vous, marquise, elle n'en mourra point : à ce qu'on croit, du moins : c'est que, tout uniment, Plessac l'a quittée, et qu'elle en est d'une désolation incroyable.

LA MARQUISE. — Plessac l'a quittée! Ne plaisantez-vous pas ?

LE DUC. — On ne peut pas moins.

LA MARQUISE. — Plessac l'a quittée! Voilà encore un plaisant animal, pour se donner les airs d'être inconstant! Cela lui va bien! Et qui a-t-il pris, lui? Car encore faut-il bien qu'il ait pris quelqu'un.

LE DUC. — La grosse comtesse, seulement ; et l'on peut dire qu'à tous égards, ce n'est pas prendre si peu de chose.

CÉLIE. — Mais, il faut donc que la tête lui ait tourné, d'aller quitter une femme charmante pour une... En vérité! Vous êtes aussi trop incompréhensibles.

LA MARQUISE. — La grosse comtesse est donc bien fière! Eh! a-t-elle aussi quitté quelqu'un pour prendre Plessac? Était-elle, par hasard, en état de faire un sacrifice?

LE DUC. — Oh! Oui; elle avait depuis douze ou quinze jours un M. des R..., la plus belle créature du Conseil, qui, dit-on, ne revient pas d'étonnement de la fragilité des honneurs et des plaisirs de la cour. On m'a dit encore, qu'il avait eu l'intention de proposer à la petite, d'unir leurs douleurs et leurs cœurs; mais que quelqu'un qui la connaît, et qu'il a consulté là-dessus, lui a conseillé de n'en rien faire. Le pauvre homme en est donc réduit à sécher dans les feux et dans les larmes! Et pour qui?

LA MARQUISE. — Tout ce qui se passe dans le monde est, en vérité, bien ridicule! Eh! Pourquoi ne revient-elle pas ici? Elle n'a, actuellement, rien à faire à la cour.

LE DUC. — Pardonnez-moi, Madame, elle y est couchée, poussant les hauts cris, et n'y voulant voir que fort peu de monde.

LA MARQUISE. — Quelque peu qu'elle y en puisse voir, elle n'y en voit encore que trop. Le beau spectacle qu'elle y donne! C'est un pays où l'on est bien compatissant, et surtout à des malheurs de l'espèce du sien, pour s'obstiner, comme elle fait, à y rester! Il faut qu'elle soit folle! Je lui écrirai demain, que je veux absolument qu'elle revienne ici. Est-ce là tout ce qui est arrivé en inconstances?

LE DUC. — Ce sont, du moins, les seules marquées, et dont on parle.

LA MARQUISE. — Mais, ce n'est pas trop en huit jours.

LE DUC. — En effet, j'ai vu des semaines qui rendaient davantage. Ma foi! on a bien raison de le dire; tout dépérit.

SCÈNE III

Les mêmes, LA TOUR

LA TOUR *à la Marquise*. — Madame, voilà une lettre
pour vous, de Madame la maréchale; celui de ses gens
qui l'a apportée, en attend la réponse.

LA MARQUISE. — De ma mère! Voyons. *(Après avoir
lu.)* C'est une de ses femmes qui m'écrit de sa part,
qu'elle se trouve plus mal, et qu'elle me demande. Cela
change furieusement ma marche. La Tour, je vous prie,
dites que je pars, et faites avertir mes porteurs.

La Tour sort.

LE DUC. — Cela arrive bien mal à propos! Il y a mille
ans que je ne vous ai vue.

LA MARQUISE. — Je ne sens pas moins vivement que
vous-même cette contradiction[72]; mais vous seriez,
avec justice, le premier à me blâmer, si je manquais à
un devoir aussi sacré que l'est le devoir qui m'appelle :
et quand je serais, par mon inclination, moins portée à
le remplir, je le ferais, ne fût-ce que pour me conserver
votre estime. Adieu, ma chère Célie; je vous le laisse;
c'est à regret que je vous quitte; mais vous voyez bien
vous-même que je ne puis faire autrement.

LE DUC. — Quand vous verrai-je donc?

LA MARQUISE. — Ce soir, peut-être. Ma mère,
comme vous savez, est accoutumée à se croire plus
malade qu'elle ne l'est. Il se peut donc que ce qui me
paraît lui causer les plus vives alarmes, soit assez peu de

chose. Si je suis assez heureuse pour ne m'y pas tromper, je pourrai rentrer chez moi de bonne heure ; mais je m'arrête ici trop longtemps. Adieu ; à tantôt ; je m'en flatte, du moins.

CÉLIE. — Adieu, Marquise. Je vous verrai demain, n'est-ce pas ?

LA MARQUISE. — Oui, si cela m'est possible.

LE DUC. — Avec la permission de Célie, Madame, je vais vous conduire à votre chaise.

CÉLIE. — Je ne doute pas qu'après avoir été si longtemps sans la voir, vous n'ayez plus d'une chose à lui dire : j'en ai de mon côté quelqu'une à faire, et vous m'obligerez, Duc, de ne pas vous gêner.

Ils passent dans une autre pièce.

SCÈNE IV

LA MARQUISE, LE DUC

LE DUC. — Parbleu! j'ai donné là dans un beau piège, moi!

LA MARQUISE. — Dans lequel, donc?

LE DUC. — Quoi! n'avez-vous pas entendu le maudit ordre qu'elle a donné pour sa porte? Et vous encore, qui me condamnez à passer ici la journée sans vous!

LA MARQUISE. — Ce n'est pas moi; mais les circonstances qui vous y condamnent. Au reste, le grand malheur que de passer quelques heures tête à tête avec une jolie femme, et d'être sûr qu'on ne sera pas interrompu!

LE DUC. — Et qu'on parlera toujours de la même chose. J'aimais ce malheureux Prévanes, assurément; et je crois l'avoir prouvé : mais pourtant, elle me fera mourir d'ennui, si c'est lui qui fait toujours le fond de l'entretien.

LA MARQUISE. — Prévanes! Qui est cet homme-là?

LE DUC. — Vous me confondez par cette question.

LA MARQUISE. — Hélas! Célie pourrait vous la faire; et avec bien plus de sincérité que moi.

LE DUC. — Cela serait-il possible?

LA MARQUISE. — Eh! Pourquoi pas?

LE DUC. — Ah! quelle horreur!

LA MARQUISE. — Celles de ce genre-là sont si communes!

LE DUC. — Quoi! Ce même homme qu'elle devrait

éternellement pleurer, ou, du moins, n'oublier jamais ;
à qui elle doit tant ! du souvenir de qui, il n'y a encore
que huit jours, elle paraissait si remplie ; et dont elle
voulait qu'on ne fût pas moins occupé qu'elle-même,
est pour jamais anéanti dans son cœur !

LA MARQUISE. — A parler sérieusement, j'ai tout
sujet de croire que ce que vous avez le plus à craindre,
n'est pas qu'on vous en entretienne trop longtemps ; à
moins, cependant, que vous ne fassiez l'étourderie de
lui en parler le premier : car en ce cas, il est certain que,
quelque épuisé que soit pour elle ce sujet, elle le traitera
avec une étendue à vous désespérer.

LE DUC. — Qui ! Moi ! Ah parbleu ! je vous réponds
de ne lui en pas plus parler, que si je ne l'eusse jamais
connu : mais vous verrez que, malgré cela, je serai assez
malheureux pour qu'elle m'en assassine.

LA MARQUISE. — Eh non ! vous dis-je ; nous avons
dîné tête à tête : malgré son prétendu dégoût pour la
nourriture ; et cet estomac rebelle qui, selon elle, ne
veut plus rien digérer, elle a mangé beaucoup mieux
que moi, qui faisais diète depuis vingt-quatre heures.
Après, nous avons eu ensemble une fort longue conversation, laquelle, par parenthèse, aurait pu faire présumer à quelqu'un qui l'aurait entendue, que l'une de
nous deux ne méritait pas d'avoir un amant ; mais non
qu'elle en eût un à regretter : et le pauvre Prévanes, en
effet, n'y a, je crois, été nommé qu'une seule fois :
encore a-ce été par hasard.

LE DUC. — De bonne foi ! vous croyez qu'elle ne le
pleure plus ?

LA MARQUISE. — Ce serait peut-être un peu trop
dire ; mais, du moins, je doute qu'elle le pleure encore
longtemps, et que même, aujourd'hui, elle ne pût se
passer de donner des larmes à sa mémoire. Ce n'est pas,
cependant, que, si ma conjecture est juste, ce ne soit
bien malgré elle, que cela lui arrive. Elle aimait Prévanes ; mais c'était à sa manière ; et elle a, par malheur
pour elle, une de ces âmes qui, quelque désir qu'elles
eussent que le sentiment prît sur elles plus d'empire, ne
peuvent jamais s'affecter qu'à un certain point, et pour

qui, surtout, la douleur est un fardeau insupportable. Aussi, ne voudrais-je pas répondre que, forcée de paraître devant nous, amis intimes de son malheureux amant, et confidents de leur tendresse, aussi affligée qu'elle sent qu'elle devrait l'être, notre présence ne lui fût à présent, plus à charge qu'agréable, ou nécessaire.

LE DUC. — En ce cas, pourquoi vouloir que nous soyons sans cesse auprès d'elle ? A quoi peut lui servir cette fausseté ?

LA MARQUISE. — A tâcher de nous imposer sur l'état de son cœur, et sur la honteuse facilité avec laquelle elle s'est consolée de Prévanes ; car, dans le fond, il ne se peut pas qu'elle ne s'en trouve intérieurement fort dégradée. Plus certaines douleurs sont décidées honorables, plus aussi l'on doit cacher que l'on est incapable de les soutenir longtemps : elle tâche donc de masquer l'âme qu'elle a, de celle qu'il serait beau d'avoir ; et c'est précisément ce qui fait qu'elle ne veut montrer à personne, et moins encore à nous, qu'à qui que ce puisse être, la sienne telle qu'elle est.

LE DUC. — Mais croyez-vous qu'elle se console de Prévanes, au point d'en prendre un autre ?

LA MARQUISE. — Je n'en sais rien ; mais quand cela arriverait, je n'en serais pas bien surprise : elle n'est pas morte.

LE DUC. — Ah ! cela serait affreux, après ce qu'il a fait pour elle !

LA MARQUISE. — Affreux, j'en conviens ; fort ordinaire, pourtant. Ce n'est pas sa faute, à elle, s'il a gagné une fluxion de poitrine en la veillant dans la maladie dont elle a pensé mourir, et s'il en est mort ; elle l'a pleuré : si ce n'était pas tout ce qu'elle lui devait, c'était, du moins, tout ce qu'elle pouvait faire pour lui. Eh ! qui sait, en cas qu'il en fût revenu, s'il ne l'aurait pas trouvée encore plus ingrate ? Nous ne récompensons jamais les sacrifices que l'on nous fait, que quand nous sommes dignes qu'on nous en fasse. Célie, charmante par la figure, avec de l'esprit, ne pensant, peut-être, point dans le fond absolument mal, n'en est cependant pas plus faite, par son excessive légèreté, pour s'attacher un honnête homme; et ce n'est pas d'aujourd'hui que je vous le dis.

LE DUC. — Ah! ce n'est pas, non plus, d'aujourd'hui que je la connais.

LA MARQUISE. — Ah! ah! Est-ce qu'elle aurait eu des vues sur vous?

LE DUC. — Je l'ignore: et cela vous prouve que je n'ai pas eu lieu de le croire.

LA MARQUISE. — Cela m'étonne, pour le moins, autant de votre part que de la sienne.

LE DUC. — Vous avez raison: il est, au premier coup d'œil, assez singulier que nous n'ayons pas de fantaisie l'un pour l'autre. Je crois que ce qui en est cause, c'est que depuis que nous sommes tous deux dans le monde, nous ne nous sommes jamais vus que respectivement occupés.

LA MARQUISE. — Bon! vous êtes bien gens, tous deux, à tenir à ce que vous faites, au point qu'il ne vous naisse pas de caprices.

LE DUC. — Et puis, je ne sais pas, elle ne m'a jamais plu.

LA MARQUISE. — Cela est encore fort extraordinaire, par exemple: car j'ai vu des femmes qui n'étaient assurément faites d'aucune façon pour entrer en comparaison avec elle, non seulement trouver grâce devant vos yeux, mais même vous déranger un peu la tête.

LE DUC. — Aussi, puis-je plus aisément vous dire qu'elle ne m'a jamais plu, que fonder en raison mon indifférence pour elle. D'ailleurs, quand j'aurais pensé différemment sur son compte, depuis l'instant heureux qui m'a pour jamais uni à vous, je crois que mes prétentions sur elle auraient été fort inutiles. Elle est trop votre amie pour pouvoir penser à un homme qui jouit du bonheur de vous plaire.

LA MARQUISE. — Mon amie! Pouvez-vous penser que l'amitié puisse jamais unir deux caractères aussi différents que le sont les nôtres? La parenté a commencé notre liaison; Célie l'a continuée plus par nécessité que par goût; moi, je ne l'ai point rompue, pour ne pas achever de la perdre dans l'esprit de sa mère qui, l'estimant déjà bien peu, aurait pris cette rupture pour une confirmation des bruits qui ont été jusques à elle ; et eût indubitablement fait un éclat. Nos liens n'ont donc, comme vous voyez, rien qui dût la gêner à un certain point, si sa fantaisie se tournait de votre côté : mais elle m'aimerait, et le plus tendrement du monde, que, si elle vous trouvait à son gré, ce ne serait point du tout pour elle, une raison de ne se pas satisfaire. Elle a donné des preuves qu'elle ne se contraint qu'à un certain point sur ces sortes de choses ; et, dans le fond, elle pense sur cela comme tant d'autres...

LE DUC. — Savez-vous qui je crois qu'elle prendrait, si cela pouvait s'arranger[73] avec vous ?

LA MARQUISE. — Qui ? Monsieur d'Alinteuil ? Vous vous trompez ; elle l'a déjà eu.

LE DUC. — Je ne l'ignore, ni ne puis l'ignorer ; car c'est lui qui me l'a dit : et, de plus, il m'a prouvé, par les lettres mêmes de Célie, qu'il me disait exactement vrai.

LA MARQUISE. — Par lequel des deux, leur affaire a-t-elle fini ? Je n'ai pas trop suivi cela : est-ce par lui ?

LE DUC. — Mon Dieu ! Non, c'est elle qui l'a quitté pour Manselles ; et je l'en ai vu même furieusement piqué.

LA MARQUISE. — Il avait tort : c'était là un de ces cas où rien ne doit consoler du malheur que l'on éprouve, comme le successeur qu'on a.

LE DUC. — Vous avez raison : c'est dommage que dans ces circonstances-là, on commence par crier ; et que la réflexion n'arrive jamais qu'après la sottise. Au reste, d'Alinteuil est devenu son ami ; et c'est ce qui me ferait penser que, désœuvrés comme ils le sont tous deux, ils pourraient être tentés de se reprendre.

LA MARQUISE. — Se peut-il qu'avec l'usage que vous avez des femmes de ce caractère, vous ignoriez qu'il est communément aussi difficile de s'en faire reprendre qu'il a été aisé de les avoir ?

LE DUC. — Ce n'est pourtant pas que dans un engagement elles aient épuisé leur cœur ?

LA MARQUISE. — Non, sans doute; mais si c'est la curiosité qui le leur a fait former, au bout d'un certain temps, elle est usée, et usée à ne jamais renaître : si c'est le caprice, il est passé; est-ce la vanité? elle est satisfaite. Par où voulez-vous donc qu'on les rengage?

LE DUC. — Voilà des raisons auxquelles il me semble qu'on ne saurait rien opposer.

LA MARQUISE. — A l'égard de Célie, si elle prend, ou (pour parler plus juste) quand elle prendra quelqu'un, voulez-vous parier, en supposant qu'il n'y mette point d'obstacle, que ce sera Monsieur de Bourville?

LE DUC. — Ah! Parbleu! j'en serais comblé de joie : il est fort aimable, et mon ami. Mais sur quoi jugez-vous que ce sera lui?

LA MARQUISE. — Sur ce qu'à un souper qu'il fit avec elle, peu de jours avant qu'elle tombât malade, elle en fut si frappée, que, sans tout ce qui est arrivé depuis, nous lui aurions peut-être vu quitter Prévanes aussi légèrement qu'elle en a déjà quitté quelques autres : j'ai, du moins, eu de quoi le craindre.

LE DUC. — Elle n'aurait pas tardé à en être punie : car si, par les agréments, elle a de quoi tenter Bourville, elle n'a sûrement pas, dans le caractère, de quoi le fixer. Je sais, de plus, qu'il est actuellement fort amoureux d'une autre.

LA MARQUISE. — Mais vous savez aussi, je crois, que cela n'empêche rien; et que le sentiment le plus tendre vous laisse toujours de quoi avoir une fantaisie.

LE DUC. — Aussi ne douté-je point que quand il aurait vu Célie, avec plus d'indifférence...

LA MARQUISE. — Est-ce que l'impression a été respective?

LE DUC. — Mais, oui : c'est-à-dire, qu'il s'est fort bien aperçu des vues qu'elle avait sur lui; et qu'il ne s'éloignait pas d'y répondre; et je le crois encore dans les mêmes dispositions : pour la garder, ce pourrait bien être une autre affaire.

LA MARQUISE. — C'est ce qui me ferait désirer que celle-là ne s'engageât pas : elle a déjà fait, en ce genre, tant de choses ridicules!... Mais, adieu, laissez-moi partir : passez chez moi tantôt, j'y serai, selon toute apparence, rentrée longtemps avant que vous puissiez y arriver, mais je vous y attendrai sans humeur, parce que je sens bien que, de la façon dont les choses se sont arrangées, vous ne sauriez, aussitôt que vous le voudriez, quitter Célie.

LE DUC. — Ah! de grâce, Marquise, encore un moment.

LA MARQUISE. — Oh! Pas seulement une minute : l'état de ma mère m'inquiète; et d'ailleurs il serait ridicule que vous laissassiez Célie seule plus longtemps.

LE DUC. — Adieu donc, Marquise, puisqu'il le faut : mais, en vérité! pour les gens qui s'aiment, les bienséances et les devoirs sont de bien terribles choses!

Il la conduit à sa chaise, et rentre dans le cabinet de Célie.

Comme il y a des lecteurs qui prennent garde à tout, il pourrait s'en trouver qui seraient surpris, le temps étant annoncé si froid, de ne voir jamais mettre de bois au feu; et qui se plaindraient, avec raison, de ce manque de vraisemblance dans un point si important. Pour prévenir donc une critique si bien fondée, on est obligé de dire, que pendant l'entretien de la Marquise et du Duc, Célie a sonné, et que c'était pour qu'on raccommodât son feu. L'éditeur de ce dialogue s'étant, à cet égard, mis hors de toute querelle, se flatte qu'on voudra bien le dispenser de revenir sur cette intéressante observation.

SCÈNE V

CÉLIE, LE DUC

LE DUC. — Je vous demande pardon, Madame, de vous avoir fait attendre si longtemps. J'ai, peut-être, abusé de la permission que vous aviez bien voulu m'accorder : mais, ainsi que vous l'avez remarqué vous-même, j'ai plus d'une chose à lui dire ; et il y avait huit mortels jours que je ne l'avais vue.

CÉLIE. — Aussi suis-je plus fâchée que je ne pourrais vous l'exprimer, de l'accident qui l'empêche de rester avec nous ; mais ce n'est pas là le premier tour que Madame sa mère me joue.

LE DUC. — Ni à moi non plus, je vous jure : encore ne m'est-il pas permis de m'en plaindre.

CÉLIE. — Quelle femme ! Et que je vous trouve heureux de lui plaire !

LE DUC. — Ah ! que je sens bien aussi tout mon bonheur !

CÉLIE. — De combien de vertus elle est douée ! Et qu'elle y réunit de charmes ! Que de douceur et de sûreté dans le commerce ! Que de tendresse et de vérité dans le cœur ! On peut bien dire qu'elle est née pour l'honneur de son sexe.

LE DUC. — Je ne dirais pas, puisque vous existez, qu'elle est la seule au monde, qui pense comme elle fait ; mais, dussé-je en fâcher beaucoup, je ne craindrai pas d'assurer qu'il y en a bien peu qui lui ressemblent.

CÉLIE. — Cela veut dire simplement que vous en

connaissez peu ; car sans prétendre attaquer le mérite de la Marquise ; et même lui rendant justice plus que personne, je crois pouvoir assurer qu'il y a plus de femmes estimables que vous n'avez l'air de le penser ; mais il fallait que vous vécussiez avec celle-là, pour vouloir bien en paraître persuadé.

LE DUC. — Oserais-je bien, Madame, vous demander ce que je gagnerais à avoir cette mauvaise foi ?

CÉLIE. — Mais, sans compter le reste, ce serait toujours une excuse de plus aux mauvais procédés.

LE DUC. — Ceux d'entre nous qui s'en permettent, s'embarrassent ordinairement assez peu s'ils peuvent, ou non, les justifier ; et c'est une sorte de perfidie dont les autres n'ont pas besoin.

CÉLIE. — Vous croyiez donc, vous, avant que de vous lier avec la Marquise, qu'il y a des femmes que l'on peut estimer ?

LE DUC. — Oui, je le pensais : c'était, je l'avoue, un peu gratuitement, parce que mon malheur ne m'avait pas jusque-là permis d'en rencontrer ; mais je ne m'en croyais pas pour cela, plus en droit de présumer que toutes les femmes ressemblassent à celles avec qui j'avais vécu.

CÉLIE. — Quoi ! Pas même une exception en faveur de Madame d'Olbray ?

LE DUC. — Madame d'Olbray ? Je n'ai jamais connu cette femme-là, moi.

CÉLIE. — J'aurais juré que si : mais, pour vous être aussi inconnu que vous le dites, ce nom-là vous étonne singulièrement.

LE DUC. — Il est vrai que je ne m'attendais pas à vous l'entendre prononcer, et surtout à propos de moi. Me serait-il, au reste, permis de vous demander qui est la charitable personne qui vous a dit que j'ai été bien avec elle ?

CÉLIE. — Qu'importe qui me l'ait dit ? Cela est-il vrai ?

LE DUC. — Hélas ! Mon Dieu, oui ; mais entre nous, s'entend : car j'en suis si honteux, que je ne saurais me résoudre à en convenir avec tout le monde.

CÉLIE. — Votre répugnance sur cela me paraît assez bien fondée. Cette femme est affreuse! Mais se peut-il qu'elle ait jamais été bien?

LE DUC. — Ma foi! j'ai ouï dire que non à ma grand'mère : ç'a toujours été, selon elle, un masque de doguin[74], bien ignoble.

CÉLIE. — Mais, autant qu'on peut en juger aujourd'hui, elle doit n'avoir pas été absolument mal coupée[75].

LE DUC. — A l'égard de la coupe, je ne savais pas dans ce temps-là ce que c'était : elle me disait qu'elle était charmante; et je le croyais; car que faire? Quand alors j'aurais eu beaucoup d'objets de comparaison, à l'âge que j'avais, on jouit toujours plus qu'on ne discute.

CÉLIE. — Fûtes-vous bien longtemps à vous arranger avec elle?

LE DUC. — Non; parce qu'elle eut le bon esprit de ne pas laisser cela dépendre de moi; elle devina mon amour, que je n'en étais pas bien sûr encore; et elle fit fort bien : je serais mort de ma flamme, plutôt que d'oser l'en instruire.

CÉLIE. — Il y avait bien du respect dans ce procédé-là : mais quelque précieux que lui dût être l'aveu de votre tendresse, il y a apparence que ce n'était pas tout ce qu'elle exigeait de vous; et, avec un homme assez timide pour ne pas oser dire qu'il aime, une femme doit être bien embarrassée pour amener quelque chose de plus intéressant.

LE DUC. — Ah! Madame, l'indécence d'un côté, et de l'autre la nature, arrangent si bien et si promptement les choses, que l'on se trouve tous deux du même avis, sans pouvoir, le plus souvent, dire ni l'un ni l'autre comment cela s'est fait.

CÉLIE. — Cela fait horreur! Et vous aimiez cette vilaine femme-là?

LE DUC. — A la fureur! Je le croyais, du moins. Eh! pourquoi donc pas?

CÉLIE. — Quoi! Une femme qui se livrait d'une façon si affreuse!

LE DUC. — Qu'est-ce que cela me faisait, à moi ? Il était tout simple que ma reconnaissance fût en parité du besoin que j'avais qu'elle se rendît : comme, d'ailleurs, je croyais qu'elle n'avait jamais aimé que moi ; et que j'imaginais que d'un premier sentiment, il doit résulter de fort grandes choses, il ne me paraissait point du tout surprenant qu'elle m'eût fait grâce des préliminaires.

CÉLIE. — Quoi ! vous croyiez véritablement que vous étiez le premier objet de Madame d'Olbray ?

LE DUC. — Oui : il me semblait, à la vérité, qu'elle m'avait passablement attendu ; mais elle ne m'en était que plus chère.

CÉLIE. — Je n'aurais jamais imaginé qu'en aucun temps de votre vie, vous eussiez été si dupe : cela me paraît incroyable !

LE DUC. — Et pourtant on ne peut pas plus vrai : j'étais né avec une simplicité singulière.

CÉLIE. — Si cela est vrai, Monsieur le Duc, vous me permettrez de vous dire que vous en avez furieusement rabattu.

LE DUC. — Cela n'est point douteux, et ne saurait l'être : mais vous, Madame, qui avez tant de peine à concevoir que j'aie pu me croire la première passion de Madame d'Olbray, avez-vous apporté dans le monde, une crédulité moins grande, que celle dont vous me plaisantez ici ; et n'y avez-vous pas été exposée aux mêmes méprises ?

CÉLIE *en soupirant*. — Grand Dieu ! Si je l'ai été !

LE DUC. — Ce soupir paraît être, en vous, l'effet d'un désagréable souvenir : est-ce que véritablement vous y avez été attrapée ?

CÉLIE. — Quelle question ? Et comment pouvez-vous me la faire, vous qui vivez avec moi depuis si longtemps ?

LE DUC. — Cela est vrai ; je suis dans mon tort : mais comme je ne savais pas si vous consentiez à paraître vous souvenir de ces premiers événements de votre vie, j'ai cru que rien ne pouvait me dispenser de l'égard de paraître moi-même les ignorer. Puisque vous permettez qu'on vous en parle, je crois que loin d'être surprise aujourd'hui d'avoir été trompée dans votre premier choix, vous ne le seriez que de n'avoir pas eu à vous en plaindre ; et, entre nous, l'objet qu'il avait, ne vous en promettait pas plus de bonheur, qu'en effet, vous n'y en avez rencontré.

CÉLIE. — J'en conviens ; mais je ne le savais pas.

LE DUC. — Quoi ! Vous supposiez que M. de Norsan pouvait être fidèle, ou fixé ?

CÉLIE. — Si, avant même que je l'aimasse, je ne croyais pas tout ce qu'on me disait de sa perfidie, jugez, quand il eut su me plaire, combien j'en rabattis encore.

LE DUC. — On vous avait donc déjà parlé de lui ?

CÉLIE. — Trop : et je puis, sans me tromper, je crois, compter pour une des causes qui me perdirent, l'affectation que l'on eut de ne chercher à m'effrayer que de cet homme-là. En paraissant le regarder comme le seul qui pût être dangereux pour mon cœur, on me força à n'occuper que de lui mon imagination qui, d'elle-même, peut-être, se serait fait un autre objet, ou ne s'en serait point fait du tout. On ne pouvait point me parler de l'excès de son inconstance, et du nombre infini de femmes qu'il en avait rendues victimes, sans, en même temps, m'apprendre qu'il avait su leur plaire ; et quoiqu'on cherchât à lui donner à mes yeux tous les vices, tous les défauts et tous les ridicules possibles, on ne put m'empêcher de croire que, pour toucher si universellement, il fallait qu'il eût de grands charmes. Cette idée que je cachais avec soin, mais qui ne m'en obsédait que plus, me donna de le voir le désir le plus ardent ; désir dont, malheureusement, le mari qu'on me choisit, n'avait pas de quoi me distraire ; et qui, s'il n'était pas de l'amour, pouvait, du moins, facilement m'y conduire.

LE DUC. — Et vous avez raison : l'on n'occupe pas longtemps l'imagination d'une femme, sans aller jusqu'à son cœur, ou du moins sans que par les effets, cela ne revienne au même.

CÉLIE. — J'ai bien sensiblement éprouvé la vérité de ce que vous dites là ! A peine me vis-je ma maîtresse, que mon premier soin fut de chercher ce même homme

qu'on m'avait tant recommandé d'éviter, et cette
recherche qui n'avait alors d'autre principe qu'une folle
curiosité fut, de ma part, poussée si loin, et avec si peu
de ménagement! je parlais de lui si souvent! et avec tant
de chaleur et d'imprudences! que mes désirs et mes
discours, lui revenant de tous côtés, il me chercha à son
tour, beaucoup moins, comme depuis je n'en ai pu
douter, dans le dessein de m'inspirer pour lui des
dispositions favorables que pour profiter de celles dans
lesquelles il avait lieu de me croire déjà. Nous nous
rencontrâmes donc bientôt : et, quoique sa figure me
parût aimable, je trouvai ce superbe vainqueur si différent du portrait que je m'en étais offert, que l'impression que j'en reçus, en fut beaucoup moins vive : car
enfin, ce n'était pas là le fantôme à qui je m'étais déjà
rendue. D'ailleurs, la sorte de légèreté que lui don-
nèrent auprès de moi les espérances qu'il avait conçues ;
et qu'il ne sût, ou ne voulût pas me dissimuler, me
blessa. Je sentis dans l'instant, à quel point, pour qu'il
osât l'avoir avec moi, il fallait que je me fusse soumise ;
et, sans doute parce que ce sentiment retardait le
progrès du mien, je lui sus en même temps mauvais gré
de me le faire sentir. Je ne sais s'il s'en aperçut ; mais je
le vis chercher à me ramener à lui peu à peu par des
façons moins légères. Cette différence ne m'échappa
pas ; comme je ne doute point aujourd'hui, qu'il ne lût
beaucoup mieux que moi dans mon cœur, il remarqua,
et peut-être même avant que je m'en crusse frappée,
toute l'impression qu'elle produisait sur moi. Sans me
louer, il parut enchanté de ma figure ; affecta des
distractions ; montra de l'inquiétude ; et n'oublia rien,
enfin, de tout ce qui pouvait me forcer à me dire, que si
la crainte de me commettre[76] ne l'eût pas retenu, il ne
m'aurait prouvé que par les plus tendres transports, à
quel point il me trouvait aimable.

LE DUC. — Tous ces stratagèmes, à vous parler
naturellement, étaient un peu usés ; et je doute, par
conséquent, qu'ils produisissent aujourd'hui sur vous,
l'effet qu'ils y firent alors ; car, sans doute, vous ne
manquâtes pas de croire qu'il vous adorait ?

CÉLIE. — Mais non, à ce qu'il me semble; ce ne fut pas cela que je pensai; loin même de croire, comme il paraissait le désirer, que je l'eusse si vivement frappé, tout ce qu'on m'en avait dit me revint; et me donna pour lui une sorte de repoussement qui, loin de me permettre de souhaiter de lui plaire, me le faisait, au contraire, regarder comme le malheur le plus grand qui pût m'arriver jamais.

LE DUC. — J'entends bien; mais il se pouvait que, tout à la fois, vous craignissiez d'en être aimée; et que vous crussiez, pourtant, qu'il vous aimait.

CÉLIE. — A ne vous rien cacher, j'aurais peine à vous dire tout ce que j'éprouvais en ce moment, tant mes mouvements étaient rapides et confus; mais, autant que je puis aujourd'hui me rappeler des faits qu'il est difficile de retrouver dans sa mémoire, lorsque le sentiment qui leur donnait une sorte d'existence, est effacé de notre cœur, il me semble que j'aurais plus désiré qu'il m'aimât, que je ne l'aurais craint, si j'eusse pu lui supposer de la bonne foi : mais, voyez, je vous prie, à quoi, en me le peignant si redoutable, on m'avait exposée! Car, pensez-vous que si l'on ne m'eût pas plus parlé de lui, que de tout autre, il m'eût, dès la première vue, intéressée au point de tant examiner ce qui se passait dans son âme?

LE DUC. — Il serait, à mon sens, assez difficile de déterminer bien précisément la force, ou la faiblesse de l'impression qu'il aurait faite sur vous, s'il vous eût été nouveau à tous égards : peut-être rien ne la balançant, eût-elle été plus forte encore que vous ne l'éprouvâtes : peut-être aussi que, si vous eussiez ignoré ses succès auprès des femmes, il vous en aurait moins frappée. Je croirais même le dernier, d'autant plus aisément, qu'on a remarqué qu'en général, vous vous défendez avec moins d'avantage contre un homme en réputation, quel qu'il soit d'ailleurs, que contre l'amant le plus aimable; mais qui n'offre point à votre amour-propre, l'appât de la célébrité. Eh bien! Madame, comment se passa cette première soirée?

CÉLIE. — Ce qu'il y a d'affreux, c'est que tout

conspirait contre moi : la maîtresse de la maison, quoiqu'une de ses premières victimes, était sa complice : ce que je croyais une pure rencontre, était une affaire arrangée; et de tous ceux qui se trouvaient là, j'étais la seule qui l'ignorât. Tout le monde donc, se faisant une loi de contribuer à ma perte; les femmes, pour avoir une compagne d'infortune de plus; les hommes, pour s'amuser, on nous fit faire ensemble une partie de berland[77]; et il ne sut que trop m'y forcer à donner à tous ses mouvements, cette attention inquiète et intéressée, que je n'ai jamais vu être sans danger pour nous; et qui, peut-être, est elle-même le premier symptôme de l'amour. Enfin, on servit; et vous jugez aisément que ce fut près de moi qu'on le plaça. La conversation commença par être générale; et comme il y a peu d'hommes qui aient une superficie aussi étendue, et aussi variée que la sienne, je ne fus pas moins étonnée de la multiplicité de ses connaissances, que de l'agrément qu'il savait répandre sur les matières qui en sont le moins susceptibles; de la sorte de consistance que les objets les plus frivoles semblaient prendre entre ses mains; de la facilité singulière avec laquelle son esprit se pliait à tous les tons; et comment, le donnant à tout le monde, il paraissait cependant le recevoir de chacun. La fête n'étant que pour lui, quand on crut lui avoir laissé le temps, d'établir dans mon esprit une haute idée du sien, l'entretien se partagea : le premier usage qu'il fit de la liberté, qu'on nous laissait d'être un peu plus à nous-mêmes, fut de me parler de son amour; et, je l'avoue, il m'en parla moins bien, à tous égards, que je ne l'aurais désiré, et que je ne m'y étais attendue.

LE DUC. — Légèrement, sans doute; pour froidement, cela ne lui ressemblerait pas.

CÉLIE. — Peut-être aurais-je été moins blessée de la froideur, ou même du silence, que je ne le fus de l'emportement avec lequel il m'exprima ses désirs; et qui, tout brûlant qu'il était, remplissait mal les idées que je m'étais faites de l'amour, et du ton dont on doit nous en offrir. On eût dit qu'il cherchait plus à me corrompre, qu'à me toucher; et que, sûr d'avoir meilleur marché de mes sens que de mon cœur, ce ne fût qu'à eux seuls qu'il dût s'adresser. En un mot, il ne ménagea, dans les tableaux qu'il me présenta, et dans les expressions dont il se servit, ni ce qu'il devait à mon âge et à la décence de mon sexe ; ni la pudeur que, quand il aurait pensé de moi le plus mal du monde, il devait, du moins, paraître me supposer : et je ne pourrais que difficilement vous exprimer à quel point cette façon me révolta ; et avec quelle vivacité je sentis tout le mépris qui y était renfermé.

LE DUC. — Eh bien ! vous vous trompiez : ce n'était pas qu'il pensât de vous plus mal que d'une autre ; c'est seulement qu'il n'en pensait pas mieux. D'ailleurs, en paraissant avoir tant d'égards pour la vertu d'une femme, et en ne l'attaquant qu'avec la crainte apparente qu'elle ne se rende jamais, on l'encourage à en montrer plus qu'elle n'aurait, peut-être, envie d'en avoir ; et cela produit des résistances assez longues, où, en s'y prenant comme M. de Norsan faisait avec vous, la victoire est presque tout près du désir de la remporter. Il est, au reste, tout simple que, quand il est question d'exhorter une femme à se manquer, on aime mieux présenter à son imagination, l'idée des plaisirs qui suivent la faute qu'on veut lui faire faire, que les avantages attachés à la vertu que l'on désire qu'elle n'ait plus.

CÉLIE. — Assurément ! Cela est tout simple ; mais il me le paraît autant qu'on ne lui présente l'idée de ces mêmes plaisirs, que sous le voile de l'amour et de la délicatesse ; et point avec cette audacieuse licence, beaucoup plus faite, selon moi, pour révolter contre, que pour en inspirer le désir. *L'Amour*, comme dit La Fontaine, *est nu, mais il n'est pas crotté*[78]. Et lorsqu'il se présente aux yeux sous une forme qui l'avilit, on est en droit de le méconnaître.

LE DUC. — Je suis, Madame, tout à fait de votre avis là-dessus : on a assez échauffé l'imagination, quand on est parvenu à toucher le cœur ; et je tiens que, dans une affaire même de pure galanterie, c'est bien mal entendre ses intérêts, que de ne pas chercher à se faire croire respectivement, que les sens et le caprice ne l'ont pas seuls formée; et au défaut du sentiment, de n'en pas mettre le ton et l'apparence. Les plaisirs gagnent toujours à être ennoblis... Et Monsieur de Norsan s'en tint-il avec vous, aux simples propos?

CÉLIE. — Comment donc! S'il s'y tint?

LE DUC. — Eh mais! C'est qu'il aurait été moins extraordinaire que vous ne pensez, surtout, débutant d'une façon si légère, qu'il ne s'y fût pas borné; et je m'étonne que, l'ayant depuis plus particulièrement connu, vous n'ayez pas senti combien, dans cette première rencontre, il vous avait ménagée. Il fallait, pour qu'il fût si retenu, que vous lui imposassiez terriblement. Enfin, quel fut le fruit d'une si grande retenue?

CÉLIE. — Que, tout indignée que j'étais d'être attaquée d'une manière, non seulement si peu respectueuse, mais encore si peu tendre; et malgré la crainte qu'il m'inspirait, il sut, enfin, faire passer dans mon cœur le poison dont il en avait infecté tant d'autres.

LE DUC. — Quoi! Vous lui dites que vous l'aimiez?

CÉLIE. — Non, pas absolument; mais cela n'empêcha pas que, de ce même soir, il n'eût de quoi croire que je l'aimais.

LE DUC. — Si ce fut sur le simple aveu que je vois que vous lui en fîtes, qu'il voulut bien se croire aimé, vous lui inspiriez de la confiance, à beaucoup meilleur compte que toutes celles qui vous avaient précédée.

CÉLIE. — D'aveu! Je ne lui en fis point.

LE DUC. — Vous lui donnâtes donc des équivalents qui le satisfirent, qui lui formèrent une sorte de certitude? Car enfin, il avait besoin de quelque chose qui le tranquillisât.

CÉLIE. — Quant à la parfaite certitude, il ne l'eut que quelques jours après.

LE DUC. — Quelques jours après, seulement! Ce ne fut donc pas lui qui vous remena?

CÉLIE. — Assurément, non, ce ne fut pas lui: perdez-vous le sens de croire que, dans la position où j'étais alors, cela fût possible? Nous ne sortîmes même pas ensemble; mais je ne sais: il fallait que, d'avance, et dans la supposition du succès, il eût corrompu mes gens. Mes flambeaux, par une nuit la plus calme du monde, quoique fort obscure, s'éteignirent tout d'un coup : mon cocher, que cet accident semblait autoriser à se tromper sur sa route, me mena par des rues aussi désertes que détournées : au bout d'une de ces rues, mon carrosse arrêta. Monsieur de Norsan qui, sans que j'en susse rien, m'attendait, se lança dedans impétueusement, s'y plaça malgré moi ; et supposant obtenu, l'aveu qui seul aurait pu justifier son audace, il n'y aurait rien eu que je n'eusse eu à en craindre, si, voyant que ma résistance, toute sérieuse qu'elle était, ne lui imposait pas plus que la menace que je lui faisais de crier, je n'eusse, en effet, poussé des cris qui, quoique fort étouffés par tout ce qu'il faisait pour les empêcher de percer, l'obligèrent enfin de discontinuer ses entreprises. Je ne vous dirai point quelles furent les excuses qu'il m'en fit ; je ne voulus ni en admettre, ni en écouter aucune ; et le forçai, enfin, de me quitter, très déterminée, quoi qu'il pût faire, à ne le revoir de ma vie.

LE DUC. — Vous en direz ce que vous voudrez, Madame ; mais, avec votre permission, il fallait que (et vraisemblablement sans vous en douter) vous vous fussiez cruellement commise, pour que, malgré sa témérité naturelle, il osât tant ?

CÉLIE. — Que voulez-vous ?... Un homme audacieux au dernier point... Une femme timide, et qui ne sait encore la valeur de rien... La crainte, en voulant les réprimer, de faire éclater certaines entreprises... L'étonnement qu'on ose, dès la première vue, en tenter de pareilles... Le goût qui combat l'indignation...

LE DUC. — Eh, mon Dieu ! Tout cela se comprend de reste ; et vous voyez même, que je l'avais deviné : au surplus, vous ne m'en croirez peut-être pas ; mais voilà, j'en suis sûr, la première insolence qui ne lui ait pas réussi de prime abord.

CÉLIE. — Pour moi, je ne conçois pas comment, une seule fois en sa vie, cela a pu lui réussir : mais est-ce que c'est une façon dont vous admettiez l'usage, vous ?

LE DUC. — Comme cela : oui et non : selon les

occasions; encore plus suivant les caractères. On croit
assez généralement, quoiqu'à tort, peut-être, que rien
ne nuit à la vertu comme la surprise; et il est assez
naturel que ceux qui l'imaginent cherchent plus à la
surprendre qu'à l'avertir. S'il y a des femmes en qui
l'étonnement est suivi, ou accompagné de la colère, il y
en a aussi en qui il suspend toute faculté; et l'on ne
saurait, je crois, nier que pour celles-là, une témérité
imprévue, quoique non désirée, ne soit très dange-
reuse. Si l'on savait quelle est, sur cela, la façon de
penser d'une femme, on ne l'attaquerait jamais que
comme elle a besoin de l'être pour être vaincue; et les
deux sexes y gagneraient également : mais, réduit
comme on l'est presque toujours, sur une chose si
essentielle, à marcher au hasard, et à en attendre tout, le
moyen d'appliquer toujours convenablement la témérité ou la retenue? On est si exposé à être la dupe des
physionomies, et même des réputations, que, quelquefois, c'est à la femme qui en fait le moins de cas, que
l'on présente un hommage respectueux; et que c'est
avec celle qu'elle révoltera le plus, que l'on mettra en
œuvre l'insolence : pour moi, comme il arrive assez
communément qu'on manque une femme par la même
voie qui vous en a fait avoir une autre, mon avis est,
qu'il nous est de la dernière importance de n'avoir pas
toujours auprès d'elles la même marche.

CÉLIE. — Mais celle dont nous parlons est affreuse!
Et elle est en même temps la preuve d'un si cruel
mépris, qu'il me paraît impossible qu'elle détermine
quelque femme que ce soit.

LE DUC. — Plaisanterie à part, je suis sur cela
totalement de votre avis : il y a cependant une chose qui
me tient, à cet égard, un peu en suspens : c'est que s'il
n'y a pas une femme qui ne parle de l'impertinence
comme vous, il n'y a, en même temps, pas d'homme
(j'entends de ceux qui sont, ou se disent dans l'usage de
l'employer) qui ne soutiennent qu'ils s'en sont toujours
très bien trouvés. De cette différence d'opinion sur la
même chose, j'inférerais donc, ou que les uns ne disent
pas combien de fois cette façon de notifier à une femme

l'impression qu'elle fait sur nous, s'ils s'en sont indistinctement servis avec toutes, leur a manqué ; ou que, quoique toutes paraissent également la réprouver ; il faut pourtant qu'il s'en trouve à qui elle impose, non seulement plus qu'elles ne disent, mais encore plus qu'elles ne voudraient.

CÉLIE. — Plus qu'elles ne voudraient ! Quel conte !

LE DUC. — Mais sans doute : s'il y a au monde, quelque chose de bien prouvé, c'est qu'il y a des instants où, quelque peu disposée que, par la nature ou par ses principes, une femme soit à se laisser subjuguer par la témérité, elle peut prendre beaucoup sur elle : et si cela est, comme quelques exemples nous le prouvent, vous conviendrez que c'est le plus involontairement du monde, qu'elle admet une chose qui n'est pas moins contre sa constitution, que contraire à ses maximes. Il est tout aussi certain qu'il y a d'autres moments où la femme qui, par toutes sortes de raisons, doit regarder l'insolence, moins comme une insulte faite à sa façon de penser, que comme un hommage rendu à ses charmes, aura, contre son usage, plus de disposition à la punir qu'à la récompenser. Avec la première, on a saisi le moment ; avec la seconde, on l'a manqué : et en bonne physique, on n'aurait dû ni craindre l'un, ni se flatter de l'autre.

CÉLIE. — Qu'est-ce que le moment ; et comment le définissez-vous ? Car j'avoue de bonne foi que je ne vous entends pas.

LE DUC. — Une certaine disposition des sens aussi imprévue qu'elle est involontaire, qu'une femme peut voiler ; mais qui, si elle est aperçue, ou sentie par quelqu'un qui ait intérêt d'en profiter, la met dans le danger du monde le plus grand d'être un peu plus complaisante qu'elle ne croyait ni devoir, ni pouvoir l'être.

CÉLIE. — Vous en direz ce que vous voudrez ; jamais vous ne me ferez croire au succès des insolents.

LE DUC. — Cela est fâcheux à dire pour les mœurs : mais il est cependant vrai qu'ils remportent des victoires.

CÉLIE. — En tout cas, elles sont bien peu flatteuses.

LE DUC. — J'en conviens ; mais aussi ne mettons-nous pas tout en amour-propre ; il y aurait, quelquefois, trop à perdre pour nous.

CÉLIE. — Ah oui ! Pour vous en savoir tant de gré, cette façon de penser vous procure de belles conquêtes !

LE DUC. — Comme le plaisir n'est pas toujours à la suite de la gloire, il est tout simple que la gloire ne marche pas toujours à la suite du plaisir. Hélas ! nous serions trop heureux de pouvoir les accorder sans cesse !

CÉLIE. — Et c'est, cependant, ce que vous cherchez le moins, en général, s'entend : cet accord si doux du plaisir et de la gloire, est, par exemple, ce qui paraît tenter le moins Monsieur de Norsan.

LE DUC. — Quelquefois, par hasard ; mais je lui ai vu des conquêtes qui, certainement, réunissaient tout ce qui peut flatter ; et vous en êtes une preuve.

CÉLIE. — Cela se peut ; mais vous l'avez aussi vu courir après des *espèces*[79] qui n'auraient pas seulement mérité les attentions du moins délicat de ses valets de chambre.

LE DUC. — Vous le jugiez ainsi.

CÉLIE. — Je le jugeais comme tout le public, qui n'était ni moins surpris, ni moins scandalisé que moi-même, des choix que, quelquefois, on lui voyait faire.

LE DUC. — On est souvent étonné, à la guerre, de voir un grand général, s'amuser à prendre des bicoques, parce qu'on ignore ses projets, et par conséquent, le prix qu'il attache à des conquêtes qui paraissent si peu faites pour le tenter. Il en est de même de Monsieur de Norsan : on ne voit que ce qu'il fait ; mais on n'en pénètre pas le motif. On le juge pourtant. Mais puisque nous voilà retombés sur lui, dites-moi, s'il vous plaît, comment de l'excès d'indignation, très méritée assurément, où il vous avait laissée, il put vous ramener aux sentiments qu'il vous avait inspirés ? Ce n'est peut-être pas ce qu'il y a de moins curieux dans votre histoire.

CÉLIE. — Je l'aimais ; et vous le connaissez. Je fus d'abord assiégée de lettres de sa part ; et ne pouvais porter la main sur quoi que ce fût, qui n'en renfermât, ou n'en couvrît une : il m'en descendait jusque par la cheminée ! Tous mes gens (je n'en excepte même pas un vieux Suisse que l'on m'avait donné comme le Suisse du monde le plus incorruptible) étaient à lui. Persuadée, à ce que je lui voyais faire, que si je sortais, il ne manquerait pas de s'attacher indécemment à tous mes pas, sur le spécieux prétexte d'une indisposition, je me renfermai chez moi ; mais je n'y fus pas plus en sûreté contre sa personne, que je ne l'avais été contre ses lettres. Malgré l'opiniâtre silence dont je les avais payées, et qui devait naturellement lui laisser si peu d'espoir ; une nuit que je venais de me coucher, je le vis paraître inopinément devant moi sous un habit de grison[80] ; et, ce qu'après ce qui s'était passé entre nous deux, vous allez trouver bien plus singulier encore, c'est que ce ne fut qu'à une violence nouvelle, et fort supérieure à la première, que je le reconnus parfaitement.

LE DUC. — C'est que vous verrez qu'il est persuadé qu'il en est de l'insolence comme de la piqûre du scorpion : eut-il tort de l'avoir cru ?

CÉLIE. — Il l'eût eu, sans doute, si c'eût été dans une autre position qu'il m'eût surprise ; mais seule avec lui (car enfin c'était l'être, que de n'avoir autour de moi, que des valets qui lui étaient vendus), l'état où j'étais... la surprise... l'effroi...

LE DUC. — L'amour...

CÉLIE. — L'amour ? Non ; ou s'il entra pour quelque chose dans sa victoire, ce fut ce, qu'au milieu de tant de mouvements divers, je crus distinguer le moins.

LE DUC. — Et ce qui, cependant, combattait pour lui, beaucoup plus que vous ne croyiez. Ma foi ! Si l'on voulait considérer, de sang-froid, combien de choses s'arment contre la vertu d'une femme, on serait plus étonné de ce qu'elle peut se défendre quelque temps, qu'on n'est ordinairement scandalisé de la promptitude avec laquelle, quelquefois, elle paraît céder la victoire.

CÉLIE. — Ce que vous dites là est bien vrai ! Mais ce n'en est pas moins une réflexion, que les hommes, et Monsieur de Norsan tout le premier, ne se présentent guère.

LE DUC. — Bon! Lui! Est-ce qu'il croit à la vertu? Il a, sur cela, les idées d'un vrai réprouvé.

CÉLIE. — Ce qu'il y a de certain, c'est que ce qu'il m'en croyait, ne l'effrayait guère.

LE DUC. — Oh çà! Madame, convenez pourtant qu'il fit bien de ne vous pas attaquer par les formes ordinaires.

CÉLIE. — Je ne vois pas, à vous dire le vrai, pourquoi vous trouvez qu'il faisait si bien d'en agir avec moi si légèrement, ou, pour parler plus juste, avec une insolence qui n'a jamais eu d'exemple.

LE DUC. — Oh! pour des exemples, elle en a tant que vous en seriez confondue; et croyez que ce n'est pas sans raison que les anciens ont dit qu'il vaut toujours mieux mettre une femme dans le cas d'avoir à se plaindre hautement de trop de témérité, que d'avoir, en secret, à vous reprocher de l'avoir trop respectée[81].

CÉLIE. — Voilà, pour les anciens, de bien étranges maximes!

LE DUC. — Ce qui me ferait pourtant croire qu'elles sont plus fondées en raison que vous ne pensez, c'est que moi, personnellement, je n'ai jamais employé le respect, que je n'aie eu à m'en repentir. Ce n'est point qu'en ce cas-là, on ne m'ait toujours dit que j'étais charmant; et qu'on ne m'ait même promis des récompenses fort au-dessus de ce que je sacrifiais: mais, soit que, dans ces circonstances-là, une femme soit toujours blessée intérieurement des égards qu'on a pour sa vertu, soit par d'autres raisons que j'ignore, on ne m'en a pas, dans le fond, su plus de gré; et plus par mon imbécile retenue, j'ai perdu d'occasions, que, depuis, je n'ai pu retrouver, plus je suis convaincu que si Monsieur de Norsan vous eût respectée autant que vous croyiez avoir envie de l'être, il n'aurait jamais triomphé de vos préjugés contre lui; ou que, du moins, vous lui auriez fait acheter bien cher sa victoire.

CÉLIE. — Tout cela est possible; mais, du moins, il n'aurait pas eu à se reprocher de l'avoir remportée par de mauvaises voies.

LE DUC. — Je ne suis pas, comme vous savez, ni plus

impertinent, ni moins délicat qu'un autre : mais j'avoue que je préférerai toujours le remords d'avoir acquis une femme, comme vous dites, par de mauvaises voies, au regret de l'avoir manquée par plus de ménagements qu'à la rigueur elle ne désirait qu'on en eût pour elle. Ce qui me confirme encore dans cette façon de penser, c'est qu'il n'y en a pas une qui ne pardonne plus aisément une témérité, qui, en la décidant, ne lui en laisse pas moins l'honneur de n'avoir pas formellement consenti, qu'une timidité qui, en la conduisant avec tout le respect possible, mais sans aucune pitié, de concessions en concessions, lui fait essuyer trente fois par jour, et pour de franches misères, auxquelles, d'elle-même, elle ne prendrait pas garde, la honte de sentir qu'elle se manque, et de se le dire inutilement. Oh! je crois que si vous voulez juger cela sans partialité, vous conviendrez que non seulement le téméraire doit être plus sûr de son succès que le timide; mais encore, qu'en épargnant à une femme le double désagrément de voir sa vertu l'abandonner, pour ainsi dire, pièce à pièce, et de courir après toutes, il a pour elle, dans le fond, plus d'égards que l'autre n'a l'air d'en avoir.

CÉLIE. — Ah! vous voulez ressusciter le *persiflage*[82]! C'est un projet!

LE DUC. — Sans m'amuser à défendre mon raisonnement, permettez-moi une question : Pardonnâtes-vous, ou non, à Monsieur de Norsan, la violence qui vous mit dans ses bras?

CÉLIE. — Assurément! je la lui pardonnai. M'avait-il laissé d'autre parti à prendre?

LE DUC. — Et lui auriez-vous pardonné de même (au moins c'est ici le for intérieur que j'interroge) de n'avoir adouci le plus farouche de tous les Suisses; de n'avoir transformé des ramoneurs en grisons, ou des grisons en ramoneurs; de ne s'être enfin donné des peines incroyables, que pour y trouver le bénéfice de venir se mettre à genoux au pied de votre lit; et là, d'une voix lamentable, entrecoupée par les soupirs, étouffée par les sanglots, vous demander humblement pardon de l'attentat qu'il avait commis sur votre personne, et de l'intention qu'il avait eue de le porter beaucoup plus loin, si vous lui en eussiez laissé la commodité ?

CÉLIE. — Pensez-vous que cela eût été si déplacé ?

LE DUC. — Mais cela ne vous aurait-il point paru bien ridicule ? Premièrement...

CÉLIE. — Oh ! ne rebattons pas, je vous prie, ce point-là plus longtemps : vous êtes si déraisonnable sur ce chapitre, et vous et moi voyons les choses si différemment que ce serait, entre nous deux, matière à une discussion éternelle. Tout ce que je puis vous dire à cet égard, c'est que vous vous trompez beaucoup, si vous croyez que l'emportement ait sur moi plus de droit que la tendresse.

LE DUC. — Je ne crois pas avoir à me défendre d'une pareille imputation.

CÉLIE. — De grâce, encore une fois, laissons cela : abstraction faite de toute autre chose, vous avez trop d'esprit pour ne pas sentir que je ne puis trouver du plaisir à me rappeler l'idée du plus perfide de tous les hommes, ni à être ramenée au souvenir de ce que j'ai eu le malheur de lui sacrifier.

LE DUC. — Eh bien ! je puis vous dire une chose, parce que, de vous à moi, je la crois exempte du soupçon de flatterie : c'est qu'à quelque point que je connusse la façon de penser de Monsieur de Norsan, je ne doutai pas, quand je le vis s'attacher à vous, que vous ne fissiez ce que mille avant vous n'avaient pu faire ; qu'en un mot, vous ne le fixassiez. Aussi ne pourrais-je vous exprimer combien je fus étonné quand je vis qu'il vous avait quittée, et le peu de temps qu'il vous resta.

CÉLIE. — Oh ! pour cela, il est vrai que, si vous en exceptez cette première fougue, qui ne prouve pas plus pour nos charmes, que pour vos sentiments, il n'a pas tenu à lui que je restasse très convaincue que je n'avais en moi, d'aucune façon, rien qui pût m'attacher un honnête homme.

LE DUC. — Je vais, peut-être, vous parler avec trop de franchise ; mais il est sûr que si l'idée, aussi injuste que cruelle, que sa prompte désertion vous avait laissée de vous-même, a pu contribuer pour quelque chose à vous faire prendre Monsieur de Clêmes après lui, son inconstance a eu pour vous de bien désagréables suites.

CÉLIE *en rougissant*. — Monsieur de Clêmes !

LE DUC. — Au moins, je vous prie de croire que je ne vous le donne que d'après son autorité : il m'a dit qu'il avait eu le bonheur de vous plaire ; mais comme c'est un de ces faits qui, quand ils ne sont pas véritables, sont fort agréables à supposer, je ne serais pas surpris que, vrai ou non, il eût cherché à s'en faire honneur ; et si vous vous rendiez justice, vous le trouveriez aussi simple que moi-même.

CÉLIE. — Si je puis lui reprocher de l'avoir dit, je ne puis, malheureusement pour moi, l'accuser de s'en être vanté sans raison.

LE DUC. — Quoi ! Madame, il est réel qu'il vous a plu ! Je vous avoue que, pour me le faire croire, il ne me fallait pas moins que votre aveu même. Eh ! comment est-il possible que vous ayez donné à Monsieur de Norsan un pareil successeur ! Car, du côté de la figure, nous n'avons rien de plus médiocre ; et quoiqu'on ne puisse équitablement lui refuser de l'esprit, il n'en est pas moins vrai que ce qu'il en a, est bien éloigné d'être aimable. C'est une prétention ! Un bavardage ! Un travers dans les idées, qui ne ressemble à rien, et dont je suis confondu que vous n'ayez pas été affectée aussi désagréablement que j'ai vu tout le monde l'être.

CÉLIE. — Mais il n'est pas absolument dénué de grâces ; et dans le tête-à-tête (où vous savez qu'on a toujours moins de prétentions) son esprit n'a point, en vérité, tous les ridicules que vous lui donnez, et que je conviens qu'il a, quand il veut briller.

LE DUC. — Par malheur pour lui, si mon suffrage, à cet égard, lui pouvait être de quelque chose, je ne l'ai jamais vu que voulant se faire écouter ; et ayant même l'air d'être convaincu qu'il n'y a personne qu'on doive entendre avec tant de plaisir : pour les grâces, j'ai peine à comprendre que, venant de vivre dans la dernière intimité avec l'homme de son siècle qui en a le plus, et de plus à lui ; les grâces gauches, maussades et forcées de Monsieur de Clêmes, aient pu faire sur vous quelque impression.

CÉLIE. — Je n'ai pas, aujourd'hui, moins de peine que vous à le comprendre. Le dépit, apparemment, ce vide affreux qui succède à une passion, et si pénible pour quelqu'un qui vient d'en goûter les charmes : son assiduité; sa patience; l'ennui du désœuvrement; un désir mal raisonné de vengeance... En vérité! moi-même je n'y conçois rien.

LE DUC. — S'il n'est point fort ordinaire de ne pouvoir, dans ce cas-là, se rendre compte de ses motifs, cela n'est pas non plus sans exemple; et je connais même personnellement plus d'une femme à qui il est arrivé, comme à vous, de prendre un engagement sans avoir jamais pu depuis, avec quelque soin qu'elles s'examinassent là-dessus, se dire ce qui les y avait déterminées.

CÉLIE. — Sans raisonner sur cela davantage, ce qu'il y a de certain, c'est qu'il n'était pas vraisemblable que je prisse jamais cet homme-là.

LE DUC. — Pour savoir ce qu'en ce genre-là, fait, ou peut faire une femme, ce n'est pas toujours dans le vraisemblable qu'il faut le chercher.

CÉLIE. — Croiriez-vous bien une chose? C'est que née sensible et adorée de Monsieur de Clêmes; moi, ne croyant pas, à la vérité, que je l'aimasse; mais en ayant beaucoup d'envie (vous concevez, par conséquent, tout ce que ce désir, et les sens mêmes devaient produire), jamais, malgré ses efforts et les miens, il n'a pu parvenir à me rendre seulement l'idée de ce que j'avais éprouvé avec son prédécesseur.

LE DUC. — Quoi! Pas même ce dédommagement?

CÉLIE. — Pas même : cela est-il imaginable?

LE DUC. — A la rigueur, oui : l'amour qu'on veut avoir, ne vaut jamais l'amour qu'on a; et puis, à dire la vérité, Monsieur de Clêmes, tout de suite après Monsieur de Norsan; sans intermédiaire qui eût un peu affaibli les idées que ce dernier vous avait laissées! Monsieur de Clêmes est si gourmé! Il devait être si empêtré dans son bonheur! si gauche dans ses caresses!

mettre tant de pédanterie dans ses transports mêmes!...
Ma foi! Madame, à tous égards, vous aviez fait là un
terrible choix! Heureusement pour vous, les circonstances l'excusaient; et plus heureusement encore,
cela n'a duré que le temps que doit durer une affaire de
dépit. Un mois de plus, vous vous donniez un ridicule
que rien n'aurait pu effacer.

CÉLIE. — Ce ne fut, cependant, pas cette considération, toute importante qu'elle est, qui me le fit quitter;
mais ce même homme qui m'avait d'abord paru encore
plus étonné de son bonheur, que ceux qui l'avaient
compris le moins, trouva bientôt que je n'avais fait, tout
au plus, que lui rendre justice; et cette présomption si
déplacée, m'éclairant sur ses ridicules, me força bientôt
aussi à me faire honte de mon choix. D'ailleurs, il est,
comme vous l'avez remarqué très bien, sec, pédant et
gourmé; et il a de tout cela plus encore dans l'esprit que
dans la figure : il possède, de plus, le très incommode
ridicule d'aimer à régner et à dicter des lois; moi,
j'abhorre la domination, surtout quand elle est passive.
Tout cela joint à la certitude que chaque jour me
donnait que, non seulement je ne l'aimais pas; mais
encore que, quelque chose que lui et moi puissions
faire, je ne l'aimerais jamais davantage, fit qu'enfin, je
me déterminai à rompre avec lui; et en effet, je remar-
quai, contre mon attente, que cela avait très bien pris
dans le monde.

LE DUC. — Au mieux! Madame : je puis vous le
certifier, moi; cela y prit même si bien que, pour peu
que cela eût été d'usage, on se serait fait écrire à votre
porte[83]; et que le premier nom que vous auriez trouvé
sur votre liste, aurait, certainement, été le mien.

CÉLIE. — Un empressement si vif de votre part
m'aurait d'autant plus étonnée, que j'en aurais dû
moins attendre la sorte d'intérêt qu'il aurait paru
m'annoncer.

LE DUC. — Je ne vois pas bien comment une chose si
simple, aurait pu vous paraître extraordinaire.

CÉLIE. — Mais, pardonnez-moi : vous m'aviez vu
prendre Monsieur de Clêmes avec tant d'indifférence,

que je devais nécessairement en conclure qu'il vous
était, on ne peut pas plus égal que je le gardasse, ou
non ; et que, par conséquent, une démarche de votre
part, qui aurait tendu à me faire penser le contraire,
m'aurait, avec raison, surprise.

LE DUC. — Pourquoi ? Sans qu'il soit question de ce
qu'on appelle l'intérêt du cœur, pour peu qu'on soit
ami des gens, on est bien aise de les voir revenir d'une
erreur qui leur nuit dans l'opinion publique.

CÉLIE. — Un aussi faible sentiment que celui dont
vous parlez doit, sur tout ce qui arrive aux personnes
qui ne nous en inspirent pas davantage, laisser une bien
grande indifférence ; et vous me forcez de croire que je
prenais sur vous beaucoup plus que cela, ou qu'il vous
était plus égal que vous ne dites, que je restasse, ou non,
attachée à Monsieur de Clêmes.

LE DUC. — Sans prendre à l'usage qu'une femme
aimable peut faire de son cœur, le plus vif des intérêts,
il ne se peut, pourtant pas, que l'on reste indifférent sur
cela à un certain point, lorsque l'on a l'honneur d'être
de ses amis.

CÉLIE. — Oh ! ce n'est que cela ! J'aurais presque
imaginé tout autre chose.

LE DUC. — Quoi ? de l'amour ?

CÉLIE. — Non, pas précisément ; mais quelque chose
de moins général, et d'un peu plus marqué que ce que
vous m'accordiez : cela a ses nuances, comme vous
savez.

LE DUC. — Oh ! cela n'était pas, non plus, tout à fait
si général !

CÉLIE. — A la rigueur, cela était possible ; mais vous
ne vous conduisiez point avec moi, s'il vous en souvient, de façon à me le faire croire : car, entre nous, et
sans vous en faire de reproches, au moins ! vous êtes, de
tous les hommes qui me virent alors, celui sur qui je
parus faire le moins d'impression.

LE DUC. — A vous parler naturellement aussi, je crois
que dans le tourbillon où vous étiez, et obsédée d'adora-
teurs, vous eûtes bien peu le temps de distinguer si je
manquais, ou non, dans leur foule.

CÉLIE. — Il faut bien que cela ne soit point, puisque je m'aperçus que vous ne la grossissiez pas.

LE DUC. — Ce fut, peut-être, à cause de cela seul que vous vous en aperçûtes?

CÉLIE. — Vous me croyez donc bien vaine?

LE DUC. — Je n'ai pas moi-même assez de vanité pour croire que vous dussiez attacher à mon hommage, un bien grand prix; mais c'est que, quelquefois, vous voyez plus en ce genre, ce qu'on vous refuse, que ce qu'on vous rend. Quand je dis *vous*, je n'ai pas besoin de vous dire combien c'est en général que je parle. Vous n'ignorez pas, non plus, qu'il y a des positions où, quelque aimable qu'une femme puisse nous paraître, il ne serait pas convenable de le lui dire sérieusement, parce que l'on courrait le risque de la tromper, ou d'être infidèle; et qu'un honnête homme ne doit s'exposer ni à l'une ni à l'autre de ces deux choses-là : de le lui aller dire à titre de simple fleurette, et sans aucun autre objet, en est une qui m'a toujours paru souverainement ridicule; et c'est aussi ce que j'ai toujours fait le moins volontiers.

CÉLIE. — Cela est plaisant! Je vous aurais cru moins de scrupules sur la première de ces deux choses-là, et plus de goût pour la seconde; et si vous vouliez être de bonne foi, vous conviendriez que je n'ai pas tort de croire l'un et l'autre : mais revenons, s'il vous plaît, au point d'où nous sommes partis. A la façon dont vous m'avez parlé au sujet de ma rupture avec Monsieur de Clêmes, il semblerait que, dans ce temps-là, du moins, vous ne me voyiez pas avec toute l'indifférence que, par votre conduite avec moi, je serais en droit de vous supposer : car, n'est-ce pas ce que, si je voulais, je pourrais inférer de l'empressement avec lequel vous vous seriez, dites-vous, fait écrire chez moi, pour peu que cela eût été d'usage?

LE DUC. — Si ce n'est pas dans la dernière précision, ce que j'ai voulu dire, du moins peut-on, sans leur faire une grande violence, donner à mes paroles ce sens-là.

CÉLIE. — Pour moi, qui ne cherche assurément pas à leur donner la torture, elles ne m'en présentent point d'autre ; et je crois que je ne serais pas la seule qui les interprétât comme je fais.

LE DUC. — C'est selon le plus ou moins de besoin qu'on aurait qu'elles le signifiassent ; mais comme vous ne pouvez, vous, avoir aucun intérêt à les expliquer comme vous faites, il faut que je me sois trompé quand je les ai crues sans conséquence.

CÉLIE. — Oh ! n'ayez pas peur : mon intention n'est point de leur donner une autre valeur que celle que vous y attachez vous-même.

LE DUC. — Une crainte de cette espèce me donnerait un si grand ridicule, que je me flatte que vous voudrez bien ne me la pas supposer.

CÉLIE. — Vous devez être d'autant plus tranquille à cet égard, que je ne pourrais vous la croire, sans m'en donner, toute la première, un très grand.

LE DUC. — Je ne sais si c'est parce que je n'ai pas l'honneur d'être femme ; mais leurs prétentions me paraissent toujours moins déplacées que les nôtres.

CÉLIE. — C'est selon ce que nous sommes : car, à mon gré, ce n'est pas notre sexe, mais nos grâces, qui les excusent ; et toutes n'en ont pas, comme vous savez.

(Ici la conversation tombe une minute, à peu près ; et Célie paraît rêver assez profondément. Le duc, enfin, lui demande ce qui l'occupe si fort.)

CÉLIE. — Je cherchais à me rappeler quelle femme vous occupait vous-même, lorsque Monsieur de Norsan me quitta.

LE DUC. — Tout ce dont je me souviens, c'est que je faisais quelque chose ; mais j'aurais, je l'avoue, peine à vous dire tout d'un coup, ce que c'était.

CÉLIE. — Il fallait que cela ne vous intéressât pas beaucoup, puisque vous en avez si peu conservé la mémoire.

LE DUC. — Assurément : selon toute apparence, c'était quelque fille.

CÉLIE. — Et quand je quittai Monsieur de Clêmes ?

LE DUC. — C'était quelque chose qui ne valait pas beaucoup mieux.

CÉLIE. — Oserais-je bien, à présent, vous demander pourquoi, lorsque Monsieur de Norsan me quitta, vous sentant, de votre aveu même, une sorte de goût pour moi, et ne faisant rien qui vous imposât la loi de le contraindre, vous ne me parlâtes point; ou pourquoi, quand je quittai Monsieur de Clêmes, étant, à fort peu de chose près, dans la même position, vous gardâtes le même silence?

LE DUC *avec embarras*. — S'il est vrai que dans le temps que Monsieur de Norsan vous rendit votre liberté, la mienne n'était pas engagée, je n'étais pas non plus absolument libre. Après cette fille dont je vous ai parlé, j'avais, ainsi que cela nous arrive souvent, pris, sans l'aimer, une femme qui ne m'aimait guère davantage. Ses bontés n'avaient point changé mon cœur; mais ses dispositions n'étaient pas restées les mêmes : elle voulait, à toute force, que je l'aimasse : c'était une fantaisie qui lui était venue; en conséquence, elle ne se prêtait plus avec la même résignation, à mon indifférence pour elle. Vous n'ignorez pas que, quoique par elles-mêmes des chaînes de ce genre ne soient pas faites pour être respectées à un certain point, on ne les rompt pas comme on voudrait, parce qu'on craint, en s'y dérobant sans aucune sorte d'égards, d'avoir de trop mauvais procédés. Cette femme qui connaissait ma façon de penser là-dessus, en abusait indécemment. De sorte que quand, enfin, je me fus déterminé à rompre avec elle, je trouvai, non seulement que vous n'étiez plus libre, mais même que vous aviez pris l'homme du monde, dont je me serais défié le moins.

CÉLIE. — Soit : mais quand cela ne fut plus, vous ne pouvez pas dire assurément que je fisse rien qui pût vous empêcher de me parler, si vous en eussiez eu envie; car je fus plus de six mois sans vouloir entendre parler de quoi que ce fût.

LE DUC. — Tant que cela!

CÉLIE. — Oui, tout autant : c'était, à ce qu'il me semble, vous laisser le temps de vous expliquer.

LE DUC. — Eh mais! Madame, avec votre permission, vous ne mîtes pas entre de Clêmes, et d'Alinteuil, un si long intervalle?

CÉLIE *en affectant de rire.* — Monsieur d'Alinteuil!
Voilà une bonne folie! Est-ce qu'on me l'a donné dans
le monde?

LE DUC. — On a pris cette liberté : est-ce que vous
n'en saviez rien?

CÉLIE. — En voilà, je vous jure, la première nouvelle : et vous crûtes donc, vous, que je l'avais?

LE DUC. — Ma foi! oui : sur des choses de ce genre,
je crois assez volontiers ce que j'entends dire à tout le
monde, surtout quand elles paraissent aussi vraisem-
blables que le paraissait celle-là.

CÉLIE. — Me serait-il permis de vous demander ce
qui lui donnait ce caractère de vraisemblance si frap-
pant?

LE DUC. — La façon dont vous viviez avec lui.

CÉLIE. — Elle était amicale; j'en conviens.

LE DUC. — Oh! oui, fort amicale!

CÉLIE. — C'est qu'au fait, elle n'était que cela; et que
si c'est sur cela seul qu'on me l'a donné, je ne sais pas
comment, pour éviter de pareilles imputations, il faut
que nous vivions avec vous. J'ai toujours fait, comme
ami, beaucoup de cas de Monsieur d'Alinteuil; mais ce
serait un des hommes du monde, que je voudrais le
moins pour amant; et je n'ai jamais varié là-dessus une
minute.

LE DUC. — Je ne vois pas bien pourquoi; car il est
aisé de faire pis : d'Alinteuil, avec une figure fort
agréable et beaucoup d'esprit, n'est pas un amant, ni
qu'il doive être si difficile de prendre, ni dont on puisse
avoir à rougir.

CÉLIE. — Il n'est pas ici question de son plus ou
moins de mérite : je conviens, d'ailleurs, avec vous,
qu'on ne saurait, de toute façon, être plus aimable;
mais, comme vous savez, je crois, on n'aime pas tout ce
qui paraît digne d'être aimé; et moins je pensais à faire
de lui, mon amant, moins je crois aussi m'être conduite
avec lui, de façon à faire penser qu'il le fût; à moins,
pourtant, que les plus simples témoignages d'amitié ne
passent, dans l'esprit de certaines gens, pour des actes
de tête tournée[84]; et de ces derniers, je ne crois pas,
quoi que vous disiez, en avoir fait pour lui.

LE DUC. — Moi, Madame! Est-ce que je dis rien qui doive seulement vous faire soupçonner que je cherche à vous en accuser?

CÉLIE. — Assurément, oui! Si, comme je le pense, dire à quelqu'un que l'on croit qu'il a fait une chose, est l'accuser de l'avoir faite.

LE DUC. — En tout cas, je n'ai pas été le seul qui l'ait cru; et l'on en fut même, dans le monde, si persuadé, que tous ceux qui avaient des prétentions sur vous (et le nombre n'en était pas médiocre) les retirèrent, comme convaincus qu'elles leur seraient inutiles; et assez ordinairement, nous ne prenons point une pareille conviction à si bon marché, quand elle a de quoi blesser nos sentiments, ou mortifier notre amour-propre.

CÉLIE. — Eh! vous fûtes apparemment du nombre de ceux qui l'eurent et qu'elle effraya?

LE DUC. — Je ne vois pas bien pourquoi j'en aurais été moins épouvanté qu'un autre.

CÉLIE. — Si vous y prenez garde, vous éludez ma question plus que vous n'y répondez.

LE DUC. — Eh! oui, Madame, je fus de ce nombre : quelle raison, encore une fois, aurais-je eue pour n'en être pas?

CÉLIE. — Votre embarras me fait rire! Mais aussi, de quoi vous avisez-vous de vouloir me faire croire qu'en aucun temps de votre vie, vous ayez pensé à moi d'une certaine façon, lorsque j'ai, du contraire, toutes les preuves imaginables?

LE DUC. — Toutes ces preuves qui déposent, à ce que vous croyez, si fortement en faveur de votre opinion, se réduisent à mon silence; et ce même silence ne me paraît rien prouver du tout, dans les circonstances où vous, et moi étions alors.

CÉLIE. — Je ne sais pas; mais, d'ordinaire, un homme amoureux, ou qui prévoit seulement qu'il n'est pas impossible qu'il le devienne, ou parle de son sentiment actuel, ou prépare les voies à son sentiment à venir : il me semble du moins, qu'en général, c'est assez votre usage.

LE DUC. — Je l'avoue, Madame; mais vous ne devez

pas non plus ignorer que, quelque général que soit un usage, il n'est pas suivi par tout le monde; ou qu'en l'adoptant, chacun, d'après son caractère, le restreint ou le modifie.

CÉLIE. — Si vous avez toujours été de la même circonspection, vous avez dû perdre bien des occasions d'être heureux; ou vous avez forcé à de bien désagréables avances, les femmes qui vous distinguaient : car il serait injuste de croire qu'il soit également commode pour toutes, de parler les premières; et indépendamment même de la violence qu'on a à se faire pour en venir là, c'est une démarche dont, quelque aimable qu'on puisse être, le succès est si peu certain; et qui, d'ailleurs, expose à donner de soi des idées si singulières, qu'il faut nécessairement, pour se la permettre, l'amour le plus tendre...

LE DUC. — Ou une bien grande douceur de mœurs.

CÉLIE. — Mais vous, Duc, que penseriez-vous d'une femme qui, nourrissant depuis longtemps dans son cœur, je ne dis pas un sentiment déterminé, mais un penchant tendre, auquel différentes choses des deux parts l'auraient empêchée de se livrer; et qui, aussi lasse de le contraindre que de ne le pas voir pénétrer, l'avouerait, enfin, à celui qui l'aurait fait naître?

LE DUC. — Vous supposez, sans doute, qu'elle n'aurait exactement rien fait au profit du sentiment qu'elle aurait, et qui eût pu le faire deviner?

CÉLIE. — Je ne le supposais pas; mais quand cela serait?

LE DUC. — Dans la question que vous me présentez, vous imaginez, apparemment, un homme qui a de l'usage du monde?

CÉLIE. — Oui, si vous voulez : mais quand il n'en aurait pas?

LE DUC. — C'est que, dans l'un ou l'autre de ces deux cas, l'état de la question ne sera plus du tout le même.

CÉLIE. — Je ne vois point pourquoi, quelque supposition, de ces deux-là, que l'on veuille admettre, l'état de la question en sera si fort changé.

LE DUC. — Mais pardonnez-moi, Madame; la différence de l'homme qui n'est pas instruit, à l'homme qui l'est, n'est point, à ce dont il s'agit, aussi étrangère que vous le pensez. Dans une très grande jeunesse, notre inexpérience ne nous permet pas de lire dans le cœur de la femme même qui nous intéresse le plus, ce qui s'y passe pour nous; et elle peut, sans risque nous l'apprendre, parce que si ce n'était pas l'amour qui reçût sa déclaration, ce serait le désir; et que, quand une femme ne nous inspirerait rien, pas même la plus légère curiosité, il suffirait, pour qu'elle nous en fît naître, ou même pour que nous nous en crussions fort amoureux, qu'elle nous apprît que nous avons su lui plaire : mais si c'est un homme que l'usage du monde ait éclairé, qu'elle a pour objet; et qu'elle ait tâché de le lui faire entendre, je crois qu'elle ne peut, sans hasarder beaucoup, aller plus loin; parce qu'il est à présumer qu'il veut plus paraître ignorer ce qu'elle sent pour lui, qu'il ne l'ignore en effet; et qu'un aveu de cette espèce, ne saurait être fait avec succès à quelqu'un qui, en ne voulant pas l'entendre, lui en fait, de son indifférence pour elle, un tort tacite, il est vrai; mais, pourtant, on ne peut pas plus marqué.

CÉLIE. — Rien, sans doute, n'est mieux vu que ce que vous me dites; et c'est dommage qu'il réponde si peu à ce que je vous demandais. Ce que je voulais savoir simplement, c'est ce que vous penseriez, vous, d'une femme qui se mettrait dans ce cas-là.

LE DUC. — Pour pouvoir répondre de ce que l'on ferait dans telles ou telles circonstances, il faudrait avoir éprouvé une situation, sinon toute semblable, du moins, à peu près, pareille; et comme il ne m'est point arrivé de recevoir de pareilles déclarations, il me serait difficile de vous dire affirmativement, de quelle façon je pourrais en être affecté.

CÉLIE. — Premièrement, je ne crois point, avec votre permission, qu'il soit bien vrai qu'à cet égard on ne vous ait jamais prévenu[85] de politesse; mais quand cela serait, je n'en serais pas moins persuadée qu'il y a des choses que, pour décider la sorte de sensation qu'elles pourraient faire sur nous, il n'est pas nécessaire d'avoir éprouvées ; et, si je ne me trompe, ce que je vous propose est de ce nombre.

LE DUC. *embarrassé.* — Mais... pardonnez-moi... D'abord, les circonstances où l'on peut se trouver doivent nécessairement influer beaucoup sur le fond de la chose... Tel aveu que, dans un certain temps, je recevrais avec transport, peut, dans un autre, ne me pas intéresser. Il peut me plaire dans la bouche d'une femme ; et me blesser dans la bouche d'une autre ; ou, sans faire sur moi une si désagréable impression, me laisser, du moins, sur ses sentiments, dans la plus profonde indifférence. En général, il me semble que, pour cela, nous dépendons beaucoup de notre façon de penser, du plus ou du moins qu'en cet instant une femme nous paraît sacrifier ; et de nos préjugés sur ces choses-là, qui sont, assez ordinairement, la règle et la mesure de notre reconnaissance ; et, comme, en quelque situation que nous puissions nous trouver, nous ne perdons jamais de vue, à un certain point, les intérêts de notre vanité, cela dépend encore de la portion d'estime qu'elle s'est acquise, parce qu'il ne saurait nous être indifférent que le triomphe que nous remportons, ait de quoi flatter ou humilier notre gloire ; et que, peut-être, nous tenons encore plus à cela qu'au plaisir même. Ce n'est pas, cependant, que si elle est extrêmement jolie, ou seulement qu'elle passe pour telle, qu'en faveur de ses agréments, ou du bruit qu'elle fait, nous ne lui pardonnions de manquer de décence ; et qu'à fort peu de chose près, nous n'attachions d'abord à notre victoire, le même prix que si elle eût de quoi flatter notre orgueil par sa difficulté. L'embarras, la modestie, la pudeur, ont pour les uns des charmes inexprimables ; les autres, moins délicats, ne s'émeuvent qu'autant qu'une femme leur montre moins d'envie d'être aimée que de séduire ; et qu'enfin, le cœur est ce qu'elle paraît le moins vouloir toucher. Les uns...

CÉLIE. — Les uns ! les autres ! Qu'est-ce, je vous prie, que tout ce long verbiage ? Ce que je veux savoir n'est pas ce qui affecte plus ou moins, en bien ou en mal, tous ces gens-là ; mais ce qui vous affecte, vous, personnellement. Il ne se peut pas que depuis que vous existez, vous ignoriez ce qui, soit par votre constitution, soit par votre façon de penser, pourrait prendre le plus sur vous; et c'est ce que je vous demande inutilement depuis deux heures : voudrez-vous bien enfin, me répondre?

LE DUC. — A l'égard de la façon de penser, j'en ai une à moi, rien n'est plus sûr; mais elle est, comme celle de tous les hommes du monde, si subordonnée aux circonstances, qu'il y aurait, à moi, une sorte de mauvaise foi à m'en donner une d'après laquelle j'agisse toujours. Pour ma constitution, elle est telle, je l'avoue, que je ne voudrais pas répondre de moi bien longtemps, si l'on cherchait plus à aller à mes sens qu'à mon cœur.

CÉLIE *en souriant*. — C'est-à-dire qu'avec un peu d'indécence, on aurait bon marché de vous.

LE DUC. — J'en conviens : je la déteste; mais elle m'entraîne; pourvu, cependant, que ce ne soit point de l'amour que l'on me demande; car, je le répète encore, ce ne serait pas là le moyen de m'en donner.

CÉLIE. — Jureriez-vous bien de cela?

LE DUC. — Tout homme sensé, surtout quand il est question de choses dans lesquelles le caprice ou le goût peuvent jouer un bien plus grand rôle qu'on ne le pense, ne doit, selon moi, jurer de rien. Tout ce que je sais seulement, c'est que si le mépris n'a jamais empêché qu'on ne m'inspirât des désirs, il m'a jusqu'ici, du moins, rendu inaccessible à l'amour.

CÉLIE. — Que vous méprisassiez une femme qui, en effet, n'en voudrait qu'à vos sens, je n'ai point de peine à l'imaginer : mais il me semble que vous devriez un sentiment tout contraire à celle qui, vous aimant assez pour braver en votre faveur, tout ce qu'on dit que nous nous devons, ne chercherait à attaquer vos sens, que dans l'intention d'aller par eux jusques à votre cœur. Vous me direz, peut-être, que cette confiance en ses charmes, pourrait annoncer de sa part un peu trop d'amour-propre; mais quand elle a de quoi le justifier, du moins ne peut-on pas légitimement lui en donner un ridicule.

LE DUC. — S'il est vrai, comme on le croit, que l'amour-propre nous inspire l'horreur de ce qui peut nous dégrader, ce serait bien injustement qu'on lui en reprocherait. A l'égard du ridicule, en méritât-elle, ce n'est pas dans l'instant, ce qu'elle risque le plus, et qui nous frappe davantage : le désir ne discute rien. En supposant toutefois que, du côté des charmes, elle ne pût qu'y gagner, oserais-je bien vous demander pourquoi, de tout ce qu'elle pourrait tenter pour toucher un homme, elle prendrait, de préférence, la voie qui l'exposerait presque infailliblement à manquer le but qu'elle se propose ?

CÉLIE. — De préférence ! Non : je suppose qu'elle ne l'emploierait que parce qu'il ne lui en resterait pas d'autre ; qu'elle aurait d'abord tâché vainement de se faire entendre ; et qu'enfin, ce serait une chose moins de choix que de nécessité. Il me semble, de plus, qu'une femme, sûre d'avoir dans le cœur, de quoi justifier une démarche qui ne blesse que des idées, adoptées, peut-être, sans beaucoup d'examen, et dont encore il est à considérer qu'elle a l'amour pour excuse, peut à la faire, risquer moins que vous ne prétendez ; et qu'enfin, un mépris momentané doit l'effrayer moins que le malheur constant de vivre sans ce qu'elle aime.

LE DUC. — Momentané ! Eh ! qui l'assure donc tant qu'il le soit ?

CÉLIE *fort impatientée, et d'un ton d'aigreur*. — Oh ! Monsieur le Duc ! vous me permettrez de vous le dire, pour un homme de votre rang, et qui, d'ailleurs, a vécu dans le monde, comme vous avez fait, vous avez bien les préjugés les plus gothiques[86], et les plus inattendus.

LE DUC. — Peut-être aussi sont-ce des principes : chacun, comme vous savez, a sa façon d'envisager les choses ; cependant, il devrait y en avoir…

CÉLIE *avec excessivement d'humeur, et du ton du dédain*. — Ah ! de grâce, ayez la bonté de ne m'en définir aucune : la Marquise a tantôt parlé là-dessus avec tant d'étendue, que je ne verrais pas avec plaisir revenir sur le tapis ce sujet d'entretien.

LE DUC. — Ne l'y mettons donc pas.

CÉLIE. — C'est dommage, n'est-il pas vrai, que je vous arrête sur cela ? C'était, pour le coin du feu, la plus délicieuse conversation !

LE DUC. — Elle pourrait, à mon sens, s'y supporter tout comme une autre.

(Il paraît tomber dans une rêverie assez profonde ; et il garde quelque temps le silence.)

CÉLIE. — Pourrait-on, sans troubler trop votre auguste rêverie, vous en demander le sujet ?

LE DUC. — Je considérais en moi-même, avec assez de surprise, à quel point le plus ou le moins de faveur qu'ont auprès de nous, les opinions des gens dépend du plus ou du moins de goût que nous avons pour eux.

CÉLIE. — Cela peut être vrai : mais quel rapport peut avoir votre réflexion avec la question présente ?

LE DUC. — Que ce que vous appelez en moi les préjugés les plus gothiques et (pour me rendre ce que votre politesse a bien voulu m'épargner) les plus ridicules, vous paraissait, dans la bouche de Prévanes, des principes que vous n'auriez ni contestés, ni même souffert que l'on contestât.

CÉLIE *froidement*. — Monsieur de Prévanes avait, sans doute, trop d'honneur, pour ne pas admettre tout ce qui peut l'étendre ; mais ses principes étaient, ce me semble, un peu moins gourmés, et un peu plus analogues à la nature, que ne le sont les vôtres.

LE DUC. — En vérité ! ils étaient exactement les mêmes ; mais vous l'aimiez ; et vous aviez raison. *(Ici il prend un air et un ton attendris.)* Ah ! Madame, quelle perte pour vous ! Combien il vous adorait ! Combien, même dans ces instants affreux où la nature accablée, nous laisse à peine le sentiment de nous-mêmes, il était encore tout rempli de vous !... Que je vous plains ! Ah ! le malheur que vous venez d'essuyer, est un de ces coups dont on se sent[87], et dont on ne peut que s'affliger tout le reste de sa vie.

CÉLIE *sans se laisser gagner par le ton tragique du Duc, et avec sécheresse*. — Oui ; ou dont on est, pour parler plus juste, longtemps affecté d'une façon bien cruelle, et dont je crois même que l'on ne se consolerait jamais totalement, si la nature nous permettait, sur quoi que ce fût, une sensibilité éternelle.

LE DUC. — Pour moi, je suis si convaincu que l'âme ne s'émousse jamais, à un certain point, sur des pertes de ce genre, que, quelque vivement que je parusse aimé d'une femme qui aurait été dans la même situation que vous, je regarderais toujours sa tendresse pour moi, beaucoup moins comme un sentiment qu'elle aurait, que comme une distraction qu'elle voudrait se faire.

CÉLIE. — A vous permis d'être injuste ; ce ne serait, peut-être, pas la première fois que vos préjugés vous conduiraient à l'être.

LE DUC. — Quoi ! Madame, est-ce qu'en pareil cas vous n'auriez pas les mêmes craintes ?

CÉLIE. — J'avoue que ce ne serait point pour moi, une raison de douter du goût que j'inspirerais ; et que, croire qu'un homme serait devenu incapable d'aimer, parce que la mort l'aurait privé d'une femme à qui il était attaché, me semblerait une chose absurde. Ce serait comme si j'imaginais qu'un amant qui s'offrirait à moi, venant de faire, ou d'essuyer une infidélité, ne pourrait pas m'aimer sérieusement : et chacune de ces craintes serait, selon moi, assez peu sensée.

LE DUC. — Ainsi donc, cela vous paraîtrait revenir au même ?

CÉLIE. — Si ce n'est, pourtant, que je compterais plus sur le sentiment du premier que sur le sentiment de l'autre.

LE DUC. — Cette préférence me confond.

CÉLIE. — Voici donc sur quoi je l'appuie. Un infidèle, sans compter qu'il annonce dans le caractère, une légèreté assez faite pour effrayer, peut retrouver ce même objet qu'il abandonne, et ne le pas revoir avec toute l'indifférence qu'il avait lieu de se supposer pour lui. Les hommes, quelquefois, croient leur cœur éteint, lorsqu'il n'éprouve dans le fond qu'une lassitude dont il ne faut qu'un peu de repos pour le remettre ; et vous conviendrez qu'avec un homme de qui la maîtresse n'existe plus, on n'a pas à craindre l'inconvénient de ces retours que votre caprice, ou votre vanité ne rendent que trop fréquents. D'ailleurs, celui qui vient d'éprouver une infidélité, peut ne se livrer à un engagement nouveau, que par désœuvrement, par dépit, ou simplement pour montrer à la femme qui le quitte, combien aisément il a pu réparer sa perte ; et être plus occupé de ce dont il ne jouit plus, que de ce qu'il possède. Il me semble donc qu'il vaut mieux n'avoir à triompher que d'un souvenir, très tendre, à la vérité, mais que la raison nous fait une loi de ne pas entretenir ; et dont même, sans son secours, le temps ne nous laisserait, à la fin, que de très faibles traces, que d'avoir sans cesse à craindre le pouvoir de l'habitude, la tromperie qu'on a pu se faire, le désir de retrouver, et (ce qu'il y a de plus incommode encore) le regret de ce qu'on a perdu.

LE DUC. — De sorte donc que vous ne pensez point que la perte de Prévanes vous ait séché le cœur au point de ne lui jamais donner de successeur ; ou ne point aimer, autant que vous l'avez aimé lui-même, celui qui lui succédera ?

CÉLIE. — En amitié, comme en amour, vous êtes, assurément, un homme étrange ! Ce qu'ordinairement on cherche avec le plus de soin, c'est d'écarter du souvenir des pertes qu'ils ont faites, l'esprit de ses amis ; et il n'y a rien que vous ne fassiez pour me ramener au sentiment de la mienne. Si vous prenez ce soin-là pour un service d'ami, vous pourriez bien vous méprendre.

LE DUC. — Il faut toujours que j'aie tort, de façon ou d'autre.

CÉLIE. — Je laisserai tomber cela, je vous en avertis : toute simple qu'en devrait être la discussion, vous ne manqueriez pas d'y trouver matière à un très long discours ; et, soit dit sans vous déplaire, ils ne me plaisent pas autant qu'à vous.

LE DUC. — Ma foi ! vous êtes la seule qui, depuis que j'existe, m'ayez pris pour un raisonneur.

CÉLIE. — Si cela est, on est bien loin de vous rendre justice ; mais, comment va notre feu ?

LE DUC. — A merveille.

CÉLIE. — Quoi! il n'est pas tombé?

LE DUC. — Il est, au contraire, très ardent.

CÉLIE. — Il faut donc que le froid augmente : je me sens gelée!

LE DUC. — Avec tout l'édredon qui vous couvre?

CÉLIE *d'un air sec et railleur.* — Oui, avec, et malgré tout cet édredon-là, j'ai froid : cela ne se peut-il pas, à la rigueur, sans blesser ni préjugés, ni principes?

LE DUC. — Ah! belle Célie, vous prenez de l'humeur!

CÉLIE. — Non : mais c'est que je n'aime point les opinions déraisonnables; et qu'il peut m'être permis d'être surprise de vous en voir, dont votre propre conduite devrait si peu vous laisser soupçonner!

LE DUC. — La façon de penser d'un homme, est quelquefois si différente de sa façon d'agir, qu'il ne serait pas toujours bien sûr de juger de l'une par l'autre.

CÉLIE *avec un peu d'emportement.* — Tout comme il vous plaira, Monsieur de Clerval, mais je vous jure que si vous avez la fureur de disserter, vous aurez le plaisir de disserter tout seul.

Elle fait un mouvement pour se lever; il court lui donner la main, et la conduit au fauteuil qu'occupait la Marquise : elle s'y jette, et s'y place d'une façon tout à fait négligée. Quoiqu'elle le boude, ou qu'elle en ait, du moins, toute l'apparence, il croit avoir senti qu'avant que de quitter sa main, elle lui a pressé assez tendrement le bout des doigts : cela le force à rêver, et à la regarder avec une sorte d'émotion et d'intérêt qui, pour n'être ni l'émotion, ni l'intérêt que donne l'amour, tels qu'ils sont, suffisent au moment. Ce serait d'ailleurs connaître mal les hommes (Monsieur de Clerval fût-il même annoncé aussi fidèle que l'on sait qu'il l'est peu) que d'imaginer qu'il ait, ainsi qu'il l'a fait, pénétré les vues de Célie, sans que, malgré son indifférence pour elle, et sa tendresse pour la Marquise, il n'ait pas été, par des degrés, disposé à les remplir. Il ne serait pas même impossible que cette opération se fût faite en lui, sans qu'il en eût eu la preuve complète qu'à l'instant actuel. Souvent le cœur se ferme à l'amour, que les sens ne s'en ouvrent pas moins au désir; et quelquefois même, pour

*produire sur nous cet effet, une femme a encore moins besoin
d'être aimable, que de ne nous pas voiler ses dispositions à
notre égard. Si notre vanité seule suffit pour lui faire
remporter le triomphe auquel elle aspire, réunie à l'idée du
plaisir, que ne peut-elle pas sur nous! Célie qui, selon toute
apparence, juge sainement de l'état du duc, le regarde à son
tour. Le désir, la témérité, la confusion, se peignent à la fois
dans ses yeux : et ces yeux ils sont beaux. Personne
n'ignore, de plus, à quel point une femme s'embellit dans ces
moments; le charme que le désir, et l'attente de la volupté,
qui eux-mêmes en sont une, répandent sur toute sa personne
et sur tous ses mouvements; à quel point la douce langueur
où elle paraît plongée, prend sur les sens; et le désordre où
elle les jette. Cependant, le duc, tout agité que Célie le voie,
garde le silence; et n'a pas l'air moins irrésolu que troublé.
Que faire? Quel parti prendre? Montrer du sentiment?
Détail long, dont l'effet est peu sûr; et pendant lequel,
peut-être, l'impression qu'elle a su faire s'affaiblira : chercher par quelque autre moyen à l'augmenter? C'est s'exposer à la faire tout à fait disparaître : car, les sens ont aussi
leur sorte de délicatesse : à un certain point, on les émeut;
qu'on le passe, on les révolte. Célie, enfin, ne sachant à quoi
s'arrêter, et rêvant au point, qu'elle finit par se croire seule;
d'ailleurs, pénétrée de froid, consulte un peu moins, pour se
chauffer, ce qu'exigerait d'elle sa décence, que le besoin
qu'elle en a. Qu'elle se l'exagère, ou non, c'est ce sur quoi
nous croyons qu'elle seule a droit de prononcer : car, enfin,
personne ne peut, avec équité, déterminer, d'après sa propre
sensation, le plus ou le moins de froid dont une autre peut
être susceptible. Il est vrai que Célie a la jambe parfaitement belle; mais occupée comme elle l'est, est-il bien sûr
qu'elle ait pensé qu'en l'offrant aux regards du duc, elle le
déterminera? L'on convient que cela est probable, mais
aussi tout ce qui est probable, n'est pas prouvé. Quoi qu'il
en soit, et en laissant à l'écart une discussion inutile à la
chose; et qui, de plus, passe évidemment nos forces, nous
nous contenterons de dire que le duc, en portant, et arrêtant
ses yeux sur le spectacle qui leur est si innocemment offert,
paraît tout à la fois céder à l'impression qu'il fait sur lui, et
tâcher de la combattre : cependant, ce n'est qu'un homme;*

*et c'est dire assez que le désir doit, enfin, l'emporter en lui
sur la réflexion. Il est, de plus, à noter que Célie est dans un
de ces grands fauteuils qui sont aussi favorables à la
témérité que propres à la complaisance; et que sa position
semble plus faite pour annoncer l'une, que pour décourager
l'autre. Le duc cédant, enfin, à une situation trop forte pour
sa vertu, et qui pourrait bien aussi l'être trop pour la vertu
de beaucoup d'autres, n'annonce à Célie ses désirs que par
tout l'emportement qu'elle était, depuis quelques minutes,
en droit d'en espérer ou d'en craindre.*

LE DUC *du ton du reproche et du désir.* — Ah! traî-
tresse!

CÉLIE *tout à fait étourdie de l'audace de Monsieur de
Clerval.* — Ah!... Monsieur de Clerval!... Y pensez-
vous!... Monsieur de Clerval!... Devais-je?... Eh bien
donc!... Aurais-je dû?... Et vous ne m'aimez pas!...
Au moins dites-moi donc que vous m'aimez!

*Le Duc continue de faire ce qu'on lui reproche, et de se
taire sur ce qu'on désire de lui. Célie qui présume sûrement
que, plus à lui-même, il lui dira le mot qu'elle lui demande,
cesse de le presser là-dessus; et, sur une supposition si bien
fondée, consent, enfin, à se comporter comme si elle l'avait
obtenu; et que même elle ne pût douter qu'il ne lui dît très
vrai. On trouvera tout simple qu'il profite de la sécurité où
elle est à cet égard, et même qu'il en abuse, quoiqu'en toute
règle il ne soit pas bien à lui de faire l'un et l'autre. Le duc,
enfin, lui prend une de ses mains et la lui baise : de l'autre,
elle se couvre le visage. Comme, dans un état si violent, il
est impossible de songer à tout, il se trouve que c'est la seule
chose qu'elle pense à dérober à l'admiration de Monsieur de
Clerval. Telle que nous l'avons peinte, on n'aura pas de
peine à croire que la vérité n'entre pas moins que la
reconnaissance et la galanterie, dans les éloges dont on
l'accable; toute satisfaite, cependant, que nous avons sujet
de la croire intérieurement, de tout ce qu'il lui dit de
flatteur, et des transports dont il l'accompagne, la décence
la force de s'y dérober, ou de le tâcher, du moins: car
Monsieur de Clerval vient d'acquérir de si grands droits,
qu'il est très douteux que l'on n'ait pas encore plus à le*

ménager, que la décence même. Il est, d'ailleurs, à remar-
quer que la pudeur obligeant Célie à se couvrir le visage, il
ne lui reste qu'une main, dont encore on ne la laisse pas
disposer comme elle voudrait; et qui, quand elle serait
absolument libre, serait encore bien peu de chose pour tout
ce qu'elle aurait à en faire.

CÉLIE *toujours le visage couvert, et du ton le plus*
languissant. — Ah! Monsieur de Clerval, je vous en
conjure, laissez-moi! N'avez-vous pas assez abusé de
ma faiblesse; et peut-il, cet égard, vous rester quelque
chose à faire?

On imagine bien qu'il ne l'écoute pas, et qu'il continue
toujours de la louer, et de lui prouver, par les caresses les
plus ardentes, qu'il sent, on ne peut pas plus vivement, ce
qu'il lui dit.

CÉLIE *continue.* — Ah! toujours des éloges! Pensez-
vous qu'ils me tiennent lieu de ce que vous ne m'avez
pas encore dit? S'ils suffisent à la vanité, qu'ils sont peu
faits pour contenter le cœur!

Comme il ne cesse de s'obstiner au silence, et de mettre ce
qu'il sent à la place de ce qu'il ne sent pas, Célie, enfin, le
repousse, et, se servant de ses deux mains, s'arrange de
façon que ce n'est plus que de souvenir qu'il peut encore
louer ses charmes : il se relève. On sent assez, sans qu'il soit
nécessaire de le dire, que s'il y a d'un côté, beaucoup
d'humeur, il n'y a pas, de l'autre, médiocrement d'embar-
ras. Célie, enfin, après avoir encore quelques instants
attendu que le Duc lui parle, comme elle le désire, voyant
qu'il reste les yeux baissés, et debout au coin de la cheminée,
après l'avoir regardé quelque temps avec la plus forte
indignation, se lève avec fureur, se promène avec violence;
et tantôt les yeux au ciel, tantôt les ramenant vers la terre,
les arrête quelquefois aussi sur Monsieur de Clerval, avec
l'expression de la colère la plus vive, et du ressentiment le
plus marqué. Cette scène paraît faire, de plus en plus,
repentir le Duc, de l'instant de fragilité qui l'a amenée, sans
cependant le conduire à ce qui pourrait la faire changer de
face. Il ne serait, toutefois, question, pour s'en tirer, que de

dire à la dame outragée, de ces galanteries vagues, qui ne signifient que ce qu'on veut; que la passion, ou la vanité d'une femme interprètent comme elle a besoin qu'elles le soient; et qu'un homme réduit aisément à la valeur qu'il leur donne lui-même, lorsqu'il lui devient de quelque importance qu'elle cesse de s'y tromper. A propos de quoi donc, de la part du Duc, cette obstination à se taire qui paraît si peu fondée? On peut en donner deux motifs : l'un, que le désir éteint, ou, du moins, fort affaibli, il ne sent plus que le regret d'avoir manqué à la Marquise; l'autre, qu'il entrevoit les conséquences que peut entraîner sa faiblesse. Quelqu'un répondra, sans doute, qu'il faut au désir, pour renaître, moins de temps que le Duc n'en emploie à rêver, surtout lorsque l'objet n'a rien qui ne doive en hâter le retour; et qu'en occupant Célie des siens, il la distrairait, peut-être, de cette fantaisie de sentiment qui lui a pris si mal à propos; et qui, effectivement, pourrait, s'il s'y rendait, lui donner plus de droits qu'il ne lui convient qu'elle en ait. Sans faire à nos lecteurs, ni l'honneur de croire que la ressource qu'ils voudraient que le Duc se cherchât ici, ne coûtât rien à aucun d'eux; ni l'injure d'imaginer qu'elle fût également pénible pour tous; nous croyons pouvoir répliquer que si jamais, peut-être, une passion, quelque vive qu'elle fût, n'a empêché un homme de se livrer à un caprice, elle peut retarder en lui, la renaissance des désirs, par l'empire que, ce caprice une fois satisfait, elle reprend sur ces mêmes sens qui viennent de la sacrifier d'une façon si cruelle; et que, quelque aimable que puisse être une femme, il n'appartient qu'à celle qui est véritablement aimée, de ne pas voir le désir s'éteindre; ou d'en voir prendre la place par des transports qui ne lui en laissent pas même soupçonner le repos. Si le Duc était bien sûr qu'il suffît à Célie, pour l'intérêt de sa gloire, pour l'excuse de sa distraction, ou pour contenter le goût momentané, qu'il se peut, après tout, qu'elle ait pris pour lui, qu'il lui dît ce qu'elle en exige; et qu'elle voulût bien, l'instant passé, ne se le pas rappeler plus que lui-même, il y a lieu de croire qu'il ne le lui refuserait pas : mais qui peut lui répondre de l'usage qu'elle en fera, et du prix qu'elle voudra y attacher? Eh bien! en ce cas-là, il reprendra tout ce qu'il lui aura dit : ne dirait-on pas que

cela n'arrive jamais ? Pardonnez-moi : tous les jours ; mais
toutes les situations ne se ressemblent point, et ne veulent
point la même marche. Si la Marquise et Célie ne vivaient
pas ensemble avec tant d'intimité, il lui importerait peu
d'être obligé de garder quelques semaines cette dernière,
parce qu'alors rien ne lui serait plus aisé que de cacher cette
aventure ; et en supposant qu'il la confiât à la Marquise, il
a tant de preuves de sa façon de penser à cet égard, qu'il ne
devrait point douter qu'elle ne lui pardonnât. Nous en
convenons : mais pardonnera-t-elle à cette même Célie
d'avoir cherché à rendre son amant infidèle ; et d'avoir
franchi, pour y parvenir, toutes les barrières que lui oppo-
saient ce qu'elle devait à l'amitié ; ce qu'elle se devait à
elle-même, et à l'honneur de son sexe ; et l'indifférence que
ce même homme avait pour elle ? La rupture entre ces deux
femmes devient donc inévitable, si la Marquise a le plus
léger soupçon de ce qui s'est passé ; et si cette affaire dure
seulement quelques jours, le moyen de pouvoir la lui dérober, avec une femme naturellement imprudente ; et qui, sans
se croire aimée, ni même sans se soucier de l'être, n'imagine
prouver de l'amour qu'autant qu'elle affiche de l'indécence ?
Il ne saurait donc trop tôt enchaîner, à cet égard, les idées
de Célie ; et l'empêcher, et de se faire des illusions, et de se
flatter de pouvoir lui en faire à lui-même sur ce qui s'est
passé ; et il ne le peut mieux qu'en rejetant, avec toute
l'opiniâtreté possible, tout ce qui pourrait donner à ce
caprice la plus légère apparence de sentiment. Lorsque, pour
déterminer une femme, on a eu besoin d'orner le désir du
masque de l'amour, on ne peut, sans la dernière cruauté, le
lui arracher dans l'instant même où, si quelque chose peut la
consoler de sa faiblesse, c'est la certitude d'être aimée ; mais
loin qu'il ait eu besoin, avec Célie, de cette ressource trop
fréquemment employée, c'est lui qui s'est défendu contre elle
un temps si considérable, qu'à peine peut-on le croire d'un
homme. Il ne lui doit donc pas, après son triomphe sur elle,
un aveu dont il n'a pas eu besoin pour le remporter, et qui
peut-être le mettrait dans le cas de faire traîner quelques
jours une fantaisie qui, par toutes sortes de raisons, ne peut
être ni trop courte ni trop ignorée. Comme, cependant, il n'a
pas moins d'éclat à craindre de la colère de Célie, que de ses

transports dans un autre genre, il lui est de la dernière importance de l'amener, avec le plus de douceur qu'il lui sera possible, à se désister de ses prétentions; et à ne se souvenir de ce qui s'est passé entre eux, qu'autant, et que lorsqu'il voudra bien lui-même se le rappeler. Nous osons croire fort délicate cette situation, mais il n'y a que ceux de nos lecteurs qui ont eu le malheur de s'y trouver, qui puissent la juger telle qu'elle est; et nous pardonner même de la peindre avec tant d'étendue.

Toutefois, Célie et le Duc ne peuvent pas, l'un rêver, et l'autre se promener toujours. Avec une femme de cette sorte, on ne saurait, non plus, en être quitte pour lui faire une révérence d'un air léger, et pour s'en aller après, soit parce qu'on ne veut point parler, ou qu'on ne trouve rien à dire. Le plus ou le moins d'égards ne saurait être ici déterminé par le plus ou le moins de cas que l'on fait de la personne : et Monsieur de Clerval, pour être du même rang, n'en est que plus fait, non seulement pour sentir tout ce qu'il lui doit, mais encore pour l'outrer, si cela est nécessaire : la première chose à laquelle la politesse, et même son intérêt, lui paraissent le condamner, c'est de prendre sur lui tous les torts : et il s'y résigne sans peine : il se rapproche de Célie avec soumission; elle s'éloigne de lui sans le regarder; il tente une seconde fois la même chose; et ce n'est pas avec plus de succès : il veut l'arrêter; pour lors Célie, en s'échappant, l'appelle monstre; c'est, comme chacun sait, l'injure consacrée dans les querelles de ce genre-là. Quand il voit qu'elle persiste dans sa rébellion, persuadée que l'air soumis qu'il a pris, n'est propre qu'à l'y confirmer, il la saisit, l'entraîne sur sa chaise longue; et là, ne ménageant plus rien, en revient à l'entreprise qui lui a si bien réussi au coin du feu : qu'il ne la tente que parce qu'il a ouï dire qu'en général les femmes, en se plaignant de ces coups d'autorité, y cèdent toujours; ou parce qu'il a des raisons particulières de croire que Célie en sera encore plus étourdie qu'une autre; ou encore, que ce ne soit qu'un essai qu'il veut faire à tout hasard; c'est ce qu'à cause de la témérité qu'il y aurait à le faire, nous ne déciderons pas. Pour nous borner donc, ainsi qu'il nous convient, au simple récit des faits, Célie se défend d'abord contre l'audace du Duc, de façon à lui faire craindre que ce qu'il tente, ne la révolte beaucoup plus qu'il ne la subjugue. Poursuivra-t-il ? Ne poursuivra-t-il pas son entreprise ? L'un et l'autre de ces partis ont leurs risques : mais sans compter la honte qu'il attache à céder, qui sait si quelques instants de plus d'opiniâtreté ne lui feront point remporter la victoire ? Mais, dira-t-on, si ce triomphe l'intéresse si peu, pourquoi le chercher ? Est-ce pour avoir avec Célie, un tort de plus ? Tout au contraire : c'est pour que ce soit elle qui en ait un de plus avec elle-même. Ah ! cette idée est bien barbare ! Point du tout, puisque ce n'est pas gratuitement qu'il l'a ; et qu'il n'y est conduit que par le besoin où elle le met d'échapper, s'il lui est possible, à l'aveu pour lequel elle le persécute. Pourra-t-elle, en effet, vis-à-vis d'un homme à qui elle connaît beaucoup d'usage du monde et des femmes, mettre sur le compte de la violence seule (et de quelle violence encore !) la nouvelle complaisance qu'elle aura pour lui ; surtout s'il peut parvenir à donner à cette complaisance un caractère qui ne permette pas à Célie de la faire regarder comme absolument extorquée. Enfin, n'y trouvât-t-il d'autre avantage que de se tirer, ne fût-ce même que pour quelques minutes, d'une situation fort critique, sera-ce donc pour lui si peu de chose ? Il est, d'ailleurs, impossible que Célie ne prenne rien sur lui : il y a mille femmes qu'on ne voudrait point aimer, et qui n'en excitent pas moins les désirs.

Quoique de la façon dont il a plu à Monsieur le Duc, de parler sur le moment, il ait semblé vouloir que l'on ne le crût qu'à l'usage des femmes, il n'en sera pas moins vrai que les hommes sont, autant qu'elles, soumis à son empire. Soyons justes jusques au bout : que de raisons qu'il est inutile d'énoncer ici, pour qu'ils le soient bien davantage ! Mais quand cet instant-ci, malgré tout son amour pour la Marquise, agirait moins sur Monsieur de Clerval, ceux qui connaissent les hommes, savent trop combien, même avec une passion dans le cœur, de nouveaux plaisirs leur sont précieux, et tout ce que peut sur eux la curiosité, prise dans toutes ses acceptions, pour croire que, n'eût-il même, pour agir comme il fait, aucune raison de politique, le Duc se conduisît différemment.

CÉLIE *enfin, d'un air fort sérieux, mais d'un ton qui*

décèle plus de trouble qu'elle ne voudrait qu'on lui en crût.

— Écoutez, Monsieur de Clerval : la situation où j'ai le malheur de me trouver avec vous, ne me permet pas l'éclat que je ferais avec tout autre ; et qui me sauverait de l'insolence de ses entreprises. Je me tais sur tout ce que mériteraient les vôtres ; puisque vous le sentez si peu vous-même, ce que je vous dirais sur cela serait bien inutile. Il est, au reste, bien singulier que ce soit de la violence que vous vouliez tenir tout, lorsque l'amour aurait tant d'envie de ne vous rien refuser ! *Elle attend ici un instant qu'il réponde et lui fait, du ton le plus doux, la question ci-dessous.* Eh bien ! vous n'en voulez donc rien tenir[88], de l'amour ?

LE DUC. — Mais se peut-il que vous me soupçonniez de sentir si peu l'effet de vos charmes ?

CÉLIE. — Ce n'est là qu'une galanterie, et que j'ose même dire que tout autre m'accorderait comme vous, et à meilleur marché, assurément. Vous ne voulez donc pas me dire que vous m'aimez, que vous m'aimerez toujours ?

LE DUC. — En vérité ! j'ai peine à concevoir comment, avec, autant d'esprit que vous en avez, on peut tenir à ce point à de pareilles misères.

CÉLIE. — En effet ! j'ai le plus grand tort du monde ! Je me donne même le dernier des ridicules, d'exiger d'un homme, qui exige tout de moi, qu'il me dise qu'il m'aime !

LE DUC. — Oui, vous vous en donnez un ; puisque à cet égard le doute ne vous est pas permis.

CÉLIE. — Que de mots pour un, et qui ne le valent pas !

Le lecteur remarquera, s'il lui plaît, que pendant ce dialogue, Monsieur de Clerval n'a pas un moment suspendu ce qui l'occupait ; et que Célie, soit qu'elle se flatte qu'il ne saurait s'y fixer sans que cela le conduise où elle veut ; ou qu'elle soit de ces personnes qui ne sauraient faire deux choses à la fois, dans l'instant qu'elle a recommencé à parler, a cessé toute résistance : et en ne sachant même la physique[89] que médiocrement, on n'aura pas de peine à concevoir que sa fierté ne peut qu'en être considérablement altérée; Monsieur le Duc, surtout n'ayant pas un seul instant perdu son objet de vue.

CÉLIE *avec plus de désir que de pouvoir de se fâcher beaucoup.* — Monsieur... je vois bien quelle est votre intention... mais je vous avertis, si vous n'aimez pas les statues, que vous en trouverez une.

LE DUC *du plus grand sérieux.* — Qu'à cela ne tienne : cette menace ne m'effraye pas; il semble que Prométhée m'ait légué son secret[90].

Pour trouver cet endroit, un des plus beaux de cette histoire, aussi intéressant qu'il l'est, il faut se rappeler combien il importe à Monsieur de Clerval de ne laisser à Célie aucun prétexte; et combien il importe à celle-ci de pouvoir s'en réserver un. La menace qu'elle fait au Duc, annonce assez, et peut-être même un peu trop, ses projets, puisqu'elle ne peut les lui laisser deviner, sans l'engager à faire, pour qu'elle ne mette point ici toute la sécheresse dont elle se flatte, plus d'efforts qu'il n'en aurait fait : mais sans compter qu'elle ignore les vues du Duc, on sait assez combien la colère est imprudente. L'impression que nous font les choses ne dépendant pas toujours des dispositions de notre âme, et y étant même quelquefois toute contraire, ce n'est pas à empêcher la sensation actuelle; mais à la masquer si bien, que le Duc ne la saisisse pas, que Célie croit devoir se borner. Ce n'est pas que, s'il est vrai que Prométhée lui ait fait le legs dont il se vante, la dissimulation qu'elle veut se prescrire ne devienne d'un fort difficile usage. Il est plus aisé de feindre ce qu'on ne sent pas, que de cacher ce que l'on sent; et de se prescrire la loi qu'elle s'impose, que de s'y conformer, surtout avec un homme de cette opiniâtreté. Mais peut-être qu'il se vante? A tout hasard, la plus grande majesté doit ouvrir la scène du côté de Célie, sauf à en rabattre, si elle s'y trouve forcée; comme, du sien, le Duc doit tout tenter pour qu'elle ne puisse la conserver. Ce n'est pas, comme l'on sait, que dans le fond il lui importe fort de la mettre dans le cas de se manquer de parole. Il y a des délicatesses qui n'appartiennent qu'à l'amour, et des inquiétudes dont le désir seul ne saurait être susceptible : mais le seul moyen qu'il ait pour simplifier cette affaire, est ce qu'il veut tenter; n'étant pas naturel que Célie ose se plaindre d'une violence qui ne l'aura affectée qu'en bien; ni qu'elle ose redemander de l'amour, lorsqu'elle aura prouvé que la certitude de n'en point inspirer, n'a rien qui la dérange à un certain point. Comme nous avons suffisamment rendu compte des dispositions intérieures de nos acteurs, tout ce que nous nous permettons d'ajouter ici, c'est qu'après un long combat Célie est forcée, non de s'avouer vaincue, mais de prouver qu'elle l'est. Ce qui ne l'empêche point de faire au Duc, de nouveaux reproches de ce que n'étant point son amant, et ne voulant pas l'être, il a exigé d'elle ce qui ne peut être dû qu'à l'amour.

LE DUC *d'un ton presque aussi léger que son propos même.* — Si ces sortes de familiarités n'étaient, comme vous le dites, permises qu'à l'amour, à quoi donc servirait l'amitié?

CÉLIE. — Ah! Monsieur, les effets de ce sentiment ne se confondent pas plus que ces sentiments mêmes ne se confondent dans le cœur.

LE DUC. — Parlez-moi, je vous prie, avec franchise; vous le pouvez à présent: est-ce que je suis effectivement le seul de vos amis à qui vous ayez accordé de ces privilèges que les amants s'arrogent à l'exception de tout le monde, et sans qu'on sache trop pourquoi?

CÉLIE. — Voilà bien, je crois, pour ne rien dire de plus, la question la plus ridicule qui se soit jamais faite! Mais vous m'avez mise dans le cas de tout souffrir de vous; et j'ose dire que vous en abusez cruellement.

LE DUC. — Se peut-il que vous me rendiez assez peu de justice, pour me soupçonner du dessein, aussi honteux qu'il serait barbare, de chercher à vous humilier?

CÉLIE. — Ah! je serais par moi-même, bien loin de vouloir le penser; mais s'il est possible que vous ne l'ayez point, comment voulez-vous donc que j'interprète vos discours? Pouvez-vous me soupçonner capable de ce que vous imaginez, sans m'apprendre en même temps le peu d'estime que vous avez pour moi?

LE DUC. — Vous croyez donc bien extraordinaire, votre conduite avec moi? Hélas! ce qui vient de se passer entre nous se passe actuellement, peut-être, au

coin de plus de cent cheminées de Paris; et entre gens
qui n'en ont pas, je vous jure, d'aussi bonnes raisons
que nous.

CÉLIE. — S'il vous reste encore pour moi, Monsieur,
quelque sentiment d'humanité, ne me parlez plus de
cela, je vous en conjure; et laissez-moi m'affliger éternellement d'une faiblesse qui était si peu faite pour moi,
et que, par cette raison, je n'ai pas assez crainte.

LE DUC. — Je n'avais, en vous en parlant, d'autre
projet que de tâcher de vous en consoler; et je croyais
ne le pouvoir mieux qu'en vous disant combien cette
même faiblesse que vous vous reprochez si cruellement,
a d'exemples.

CÉLIE. — Ingrat! puisque vous pouviez si peu vous
tromper à ce qui se passait dans votre cœur, pourquoi
avez-vous profité d'un instant d'égarement où le goût
que j'ai depuis longtemps pour vous, m'a jetée malgré
moi-même? Tout vous faisait une loi de ne vous en pas
apercevoir. L'amour seul, et même un amour aussi
tendre que le mien, pouvait vous excuser de le porter à
son comble. Hélas! je me suis crue aimée; et, dans les
moments même où vous me montriez le plus d'ardeur,
c'était d'une autre que de moi que votre âme était
remplie.

LE DUC. — Je suis coupable, sans doute; et le suis
même d'autant plus que le reproche que vous me faites,
est moins injuste. Je pourrais, si je voulais l'être moi-
même, vous dire que vous ne deviez point oublier à
quel point, et combien sincèrement je suis attaché à la
Marquise : mais ce serait vous faire un crime d'un
sentiment qui ne peut jamais qu'honorer votre âme, et
qu'il ne faut pas toujours juger par ses effets; ou à qui,
du moins, on doit les pardonner. Comme vos charmes
m'emportaient, il était plus simple encore, que dans un
instant d'ivresse, que mes transports n'ont su que trop
augmenter, vous ayez, et plus tôt que moi encore,
perdu de vue ce même attachement qui, je le vois, avec
une douleur égale à la vôtre, ne me permettra jamais,
peut-être, de répondre, comme je le voudrais, à la
malheureuse tendresse que je vous ai inspirée. Mais

qui, seul avec une femme aussi aimable que vous l'êtes, ayant tant, et de si fortes raisons de s'en croire aimé, eût résisté mieux que moi à l'idée des plaisirs que lui promettait une pareille conquête?

CÉLIE. — Non, Monsieur, je ne m'y trompe point : je n'agissais que sur vos sens; et j'ose dire que vous me deviez d'en réprimer la fougue. Il est si vrai que ce n'était qu'à eux seuls que vous sacrifiiez, pendant que j'étais livrée tout entière à l'amour et à ses erreurs, que dans les instants mêmes où cela eût dû moins vous coûter, vous m'avez refusé (et avec quelle inhumanité encore!) de me dire ce mot qui, si j'eusse pris sur vous, autant que vous voudriez que je le crusse, vous serait échappé malgré vous.

LE DUC. — Qui! moi! ne le prononcer que pour le reprendre; et presque au même instant que vous l'auriez entendu!

CÉLIE. — Ah! cruel! j'aurais du moins joui du plaisir de l'entendre sortir une fois de votre bouche!

LE DUC. — Non, je ne devais jamais me permettre de vous tromper.

CÉLIE. — Que de délicatesse! Eh! pourquoi n'en avez-vous pas eu assez pour m'empêcher de me tromper moi-même? Mais la vôtre n'allait point jusqu'à un si pénible effort : il vous en aurait coûté des plaisirs; et c'est ce qu'un homme n'a jamais su sacrifier.

LE DUC. — Mais, ma chère Célie, ne soyez pas injuste, et daignez un instant considérer votre position et la mienne. Je suppose que je répondisse à vos sentiments, comme vous le voudriez, et que moi-même je le désirerais...

CÉLIE. — Ah! si vous le désiriez!

LE DUC. — Eh bien! que voudriez-vous que je fisse? Amie intime de la Marquise, comme vous l'êtes, me prescririez-vous de vous la sacrifier?

CÉLIE. — L'amour serait mon excuse.

LE DUC. — Vous vous abusez, ma chère Célie, j'ose vous en répondre : loin qu'il vous excusât, on ne voudrait voir en vous qu'une femme sans mœurs et sans principes, qui aurait immolé jusqu'au sentiment le plus respectable de tous, au plaisir passager de satisfaire un caprice. Si l'amour ne justifie pas, même à nos propres yeux, les crimes qu'il nous fait commettre, comment peut-on se flatter qu'il les affaiblisse aux yeux des autres?

CÉLIE. — Un caprice! Eh! pensez-vous que tout le monde me rendît aussi peu de justice que vous m'en rendez?

LE DUC. — Non, assurément! On ne vous rendrait pas la même; et plût au ciel que chacun pût, comme moi, lire au fond de votre cœur! Mais, encore une fois, quel en pourrait être le fruit? Vous, qui connaissez si bien le public, pouvez-vous raisonnablement vous flatter que ce fût sur la violence de votre amour pour moi, qu'il rejetât la plus odieuse des infidélités; ou, puisqu'il faut le répéter, qu'il consentît à vous en faire une excuse?

CÉLIE. — Ah! s'il est vrai que ce soit un crime, que de femmes me condamneraient, ou l'ayant déjà commis, ou avec l'intention de le commettre, et, peut-être, avec moins d'effort que moi!

LE DUC. — Je n'en doute pas plus que vous-même: mais puisqu'il paraîtrait inexcusable à celles mêmes qui s'en feraient, ou s'en seraient fait le moins de scrupule, quelles qualifications ne lui donneraient pas celles que la sévérité de leurs principes en écarterait le plus? Non, ma chère Célie, non, quelque amour qui vous transportât, jamais vous ne voudriez livrer au mépris, et dévouer à l'exécration publique, ni vous, ni ce que vous aimeriez.

CÉLIE. — J'avoue, et vous me le faites sentir, qu'une pareille aventure ferait, en effet, à ma réputation, un tort, peut-être, irréparable; mais à votre égard, que voudriez-vous qu'on y vît, qu'une inconstance à laquelle on est trop accoutumé de votre part, pour qu'on vous fît de celle-là, un beaucoup plus grand crime que les autres?

LE DUC. — Voilà ce qui, avec votre permission, n'est point aussi vrai qu'il vous le semble. On est, et j'en conviens, fort accoutumé à me voir prendre des femmes fort légèrement, et à les quitter comme je les ai prises ; mais quelles sont celles, aussi, que je rends victimes de mon inconstance ? Si l'on peut même me pardonner de les prendre, ayant un engagement auquel je devrais tant de respect, c'est qu'on est sûr que, malgré le caprice qui m'emporte, tout y est, et y sera toujours immolé : mais plus ce même public envie, et peut-être, ne comprend pas trop mon bonheur, plus il honore la Marquise de son estime, moins il me pardonnerait de payer tant d'agréments, de vertus et d'amour, de la plus lâche et de la plus noire des ingratitudes. Moi ! la quitter ! Ah ! je lui ferais horreur ; et je devrais me la faire à moi-même.

CÉLIE. — Encore une fois, je sens tout ce que vous me dites ; et j'avoue que je n'ai rien à y opposer. Mais si je vous eusse été un peu chère, la Marquise ne vous aurait pas perdu ; et je vous aurais conservé.

LE DUC *avec tout l'air du transport.* — Eh ! grand Dieu ! que désiré-je donc au monde, que le bonheur que vous me faites envisager ! Mais pouvais-je m'attendre à vous voir une condescendance qui paraîtrait devoir aller si peu avec l'amour !

CÉLIE. — J'imagine (car je ne l'ai pas encore éprouvé) qu'il doit être affreux de partager ce qu'on aime : mais le malheur de le perdre, doit être incontestablement plus grand encore.

LE DUC *comme enchanté.* — Ah ! il n'y a que l'amour, et l'amour même le plus tendre, qui puisse être capable d'un si grand sacrifice !

CÉLIE. — Bien des gens, peut-être, n'y trouveraient que peu de délicatesse.

LE DUC. — C'est que ces gens-là seraient plus accoutumés à sacrifier à la vanité qu'à l'amour.

CÉLIE. — Je le crois à présent comme vous ; mais ce matin encore, je pensais comme eux.

LE DUC. — Hélas ! c'est que ce matin vous n'aimiez pas.

CÉLIE. — Ce qu'il y a de sûr, c'est que je ne croyais pas aimer.

LE DUC. — Cela revenait donc au même : car le

sentiment qu'on ignore, doit être, à bien peu de chose près, comme le sentiment qu'on n'a point.

CÉLIE. — Je vous avertis, cependant, que je ne porterai pas l'indulgence au point où la porte la Marquise : je vous la passe ; mais songez bien que je ne vous passe qu'elle.

LE DUC. — Eh quoi ! pensez-vous qu'aimé des deux plus aimables femmes de Paris, je ne trouve pas en elles de quoi fixer mon inconstance ?

CÉLIE. — Vous le devriez, sans doute ; mais vous avez depuis longtemps contracté une habitude à la légèreté qui, je l'avoue, me fait trembler pour le bonheur de ma tendresse.

LE DUC. — Vous en aurez donc d'autant plus de plaisir à me voir fidèle : mais parlons à présent un peu des arrangements qui nous restent à prendre. Vous ne désirez sûrement pas plus que moi, que la Marquise ait la plus légère suspicion de ce qui se passe entre nous.

CÉLIE. — Ah ! ciel !

LE DUC. — Vous n'ignorez pas qu'elle est d'une finesse, et d'une pénétration exécrables ?

CÉLIE. — Elle m'en a donné assez de preuves, pour que je doive en être plus convaincue que personne.

LE DUC. — Ce n'est pas là tout : elle joint à sa sagacité naturelle, une opinion de vous qui doit nécessairement la rendre plus difficile à aveugler sur le genre de la liaison que nous venons de former, que si elle ne l'avait pas. Elle est, et je ne sais pourquoi, persuadée qu'il n'est point en vous de demeurer sans rien faire ; et sans doute, si vous vous obstiniez à paraître toujours à ses yeux, dans le désœuvrement de cœur où vous étiez tout à l'heure, elle ne voudrait jamais croire qu'il fût réel ; vous observerait sans rien dire ; nous devinerait bientôt ; et je n'ai pas besoin, je crois, de vous répéter à quel point il nous est important que cela n'arrive pas.

CÉLIE. — Cela est dit, et convenu ; mais pensez-vous qu'en lui paraissant toujours occupée également du souvenir de Prévanes, et de la douleur de l'avoir perdu, je ne parvinsse point à la tromper sur mes dispositions actuelles ?

LE DUC. — Je doute fort que cela suffît : sans compter que, quelque bien qu'on puisse jouer un sentiment qu'on n'a plus, il est impossible de le rendre comme quand on l'avait, surtout à des yeux qui l'ont vu dans toute sa vérité ; elle est déjà on ne peut pas plus sûre, que vous avez à présent plus d'envie de regretter Prévanes, que vous n'en avez le moyen ; et que, de plus, vous ne soupirez qu'après l'heureuse occasion de ne vous en plus souvenir du tout.

CÉLIE. — Je ne sais sur quoi Madame la Marquise a pu imaginer tout cela : moi-même, jusqu'au moment où vous m'avez déterminée, je n'avais, je vous jure, aucune raison de penser que j'en fusse moins remplie ; et je ne conçois pas, par conséquent, comment elle a été voir le contraire dans mon cœur.

LE DUC. — Ah! sur cela, les autres voient souvent bien mieux que nous-mêmes ; et de plus, c'est qu'il n'est pas possible que, quand vous avez commencé à m'aimer, l'idée de Prévanes n'ait point perdu dans votre cœur en proportion de ce que j'y gagnais ; et que de cet instant, vous ne l'ayez, sans le croire, plus mollement regretté, que quand vous y étiez tout entière.

CÉLIE. — Oui, si je fusse convenue avec moi-même de l'impression que vous faisiez sur moi ; mais, en vérité, je ne m'en doutais pas.

LE DUC. — Mais pour croire ne pas aimer, m'en aimiez-vous moins ; et pensez-vous que ce sentiment, tout sourd qu'il était dans votre âme, y fût absolument sans effet ?

CÉLIE. — Vous-même, à ma conduite avec vous, auriez-vous jamais, aujourd'hui même, imaginé que nous fussions ce soir ensemble comme nous y sommes ?

LE DUC. — Non : je me doutais bien cependant, de quelque préférence en ma faveur : ce n'était pas qu'en même temps je ne la sentisse fort restreinte ; mais il me paraissait tout simple que, dans la position où vous saviez que j'étais, vous craignissiez de me la montrer dans toute son étendue ; et la preuve que je vous devinais mieux que vous ne vous deviniez vous-même, est, en effet, le bonheur dont je jouis. Vous m'aimez, n'est-il pas vrai ?

CÉLIE *fort tendrement*. — Si je vous aime !

LE DUC. — Vous désirez, par conséquent, que je puisse toujours vous donner des preuves du goût que vous m'inspirez, et en recevoir de vos sentiments.

CÉLIE *en le serrant dans ses bras*. — Si je le désire ! Quelle question !

LE DUC. — Je vous ai fait, ce me semble, sentir l'impossibilité qu'il y a, même par égard pour vous, que je quitte la Marquise ?

CÉLIE. — Que trop !

LE DUC. — Vous ne doutez pas plus à présent du désir que j'ai que vous ne me quittiez pas non plus ?

CÉLIE. — Je crois en effet, sans trop me flatter, que vous ne me perdriez pas sans regret.

LE DUC. — Je le dis avec chagrin, mais la loi de tromper la Marquise, nous est prescrite par tant de raisons que nous ne pouvons, ni vous, ni moi, n'y pas céder. J'ai beau y rêver, je ne vois pas de meilleur moyen d'y parvenir, que de vous donner à ses yeux l'apparence d'une affaire nouvelle.

CÉLIE. — Vous avez raison : mais à d'autres égards cela me paraît bien scabreux.

LE DUC. — Scabreux ! Point du tout : et serez-vous, d'ailleurs, la première à qui l'on aura donné un amant qu'elle n'avait pas ?

CÉLIE. — C'est une injustice qu'on ne nous fait que trop souvent ; et même les trois quarts du temps, sans que nous en sachions rien. Sans vous, par exemple, j'ignorerais encore que j'ai eu d'Alinteuil : je vous dirai, pourtant, que cela n'est pas agréable.

LE DUC. — Il me semble, pour moi, que si j'étais femme, j'aimerais mieux qu'on me donnât l'homme que je n'aurais pas, que ceux que j'aurais.

CÉLIE. — On pourrait accepter le marché, si l'un pouvait sauver de l'autre ; mais il n'y a pas même cela à y gagner.

LE DUC. — Dans le fond, ces misères-là sont bien peu faites pour troubler le repos d'une jolie femme. Mais ne perdons pas de vue notre position. Qui prendrons-nous pour tromper la Marquise?

CÉLIE. — En vérité! je n'en sais rien.

LE DUC. — Pourquoi pas d'Alinteuil?

CÉLIE *d'un air de dégoût*. — Oh non! on me l'a donné déjà.

LE DUC. — Eh bien! on vous le redonnerait : le mal est-il donc si grand?

CÉLIE *d'un ton plus affirmatif encore*. — Je n'en veux point : il est jaloux comme un tigre; et s'il s'avisait de devenir amoureux, il serait insupportable. Vous savez, de plus, comment il est avec la Marquise; cela peut-il s'arranger?

LE DUC. — Vous avez raison : je n'y pensais pas. Aimeriez-vous mieux Manselles?

CÉLIE. — Eh! bon Dieu! qui vous fait donc penser à cet homme-là? C'est l'être le plus ennuyeux!

LE DUC. — On prétend que non; et l'on assure même que, quoique dans un tête-à-tête, de quelque longueur qu'il soit, il ne se dise pas quatre paroles, nous n'avons personne qui ait l'art de les rendre aussi intéressants que lui.

CÉLIE. — Ah! l'horreur! lui-même doit avoir bien mauvaise opinion d'une femme qu'il sait intéresser. Eh bien?

LE DUC. — Cela devient embarrassant.

CÉLIE. — Eh quoi! n'y a-t-il donc dans le monde que ces deux hommes-là?

LE DUC. — Qu'importe qu'il y en ait d'autres, si vous ne voulez d'aucun?

CÉLIE. — Mais enfin vous ne m'en avez nommé que deux : je puis n'avoir pas contre tous les mêmes raisons.

LE DUC. — Pourquoi n'en cherchez-vous pas vous-même?

CÉLIE. — Parce que ce n'est pas moi que cela regarde; et que, de plus, je ne crois point qu'il me convienne de désigner seulement qui que ce soit.

LE DUC. — C'est-à-dire que vous craindriez que je ne devinsse jaloux d'un homme, par la seule raison qu'il se serait, plutôt qu'un autre, présenté à votre idée. Ah! je ne suis pas si tracassier! Voyons donc, puisqu'il faut que tout roule sur moi : connaissez-vous Bourville?

CÉLIE. — Oui; mais pas beaucoup.

LE DUC. — Comment le trouvez-vous?

CÉLIE. — Je vous dirai que j'ai pesé[91] assez peu là-dessus.

LE DUC. — Votre indifférence sur cela m'étonne.

CÉLIE. — Elle n'a pourtant, à mon sens, rien que de fort naturel : pourquoi voudriez-vous que je me fusse plus arrêtée sur Monsieur de Bourville que sur mille autres?

LE DUC. — Parce qu'il ne mérite, en aucune façon, d'être confondu dans la foule, et que nous avons peu d'hommes d'une figure aussi distinguée.

CÉLIE. — J'ai trouvé sa figure fort bien; et il m'a paru même qu'il y joint de l'esprit. Je pourrais au reste, si j'étais plus conduite par la vanité, en parler moins modérément, car il n'a pas tenu à lui, que je ne le crusse fort amoureux de moi.

LE DUC. — Ah! ah! je ne m'en étonne donc plus.

CÉLIE. — Eh! de quoi?

LE DUC. — Du désir extrême qu'il m'a témoigné de pouvoir vous faire sa cour.

CÉLIE. — Il me l'a marqué aussi; mais comme il débutait avec moi par des sentiments auxquels je ne pouvais pas répondre, je ne jugeai pas à propos de le mettre à portée de m'en parler encore. Ce n'était pas que je le craignisse; mais Monsieur de Prévanes était d'une jalousie qui ne lui aurait jamais permis de voir tranquillement le rival, même le plus maltraité.

LE DUC. — Vous fîtes fort bien; mais l'amour de Bourville me dérange dans mes projets.

CÉLIE. — Quels sont donc ceux que vous aviez formés?

LE DUC. — Comme il est aimable, j'avais imaginé de l'offrir aux soupçons de la Marquise; mais puisqu'il est amoureux, cela ne se peut plus.

CÉLIE. — Bon! amoureux! parce qu'il m'a dit qu'il l'était, vous croyez que je le prendrai pour tel? De plus, il a une affaire à présent.

LE DUC. — Ah! une affaire, si vous voulez : ce qu'il a ne mérite pas même ce nom-là; et je puis vous répondre qu'il n'a point de la chose, une autre opinion que moi; au surplus, quand il y attacherait plus d'importance, je suis bien sûr, n'eût-il même pas déjà essayé de vous rendre sensible, qu'il ne vous verrait pas longtemps sans en avoir l'envie.

CÉLIE. — Cela pourrait fort bien aussi ne pas arriver : ce qu'il a senti pour moi était, peut-être, moins vif qu'il ne me le disait; et que vous ne l'imaginez; peut-être même ne sentait-il rien.

LE DUC. — Ah! c'est ce qui est impossible! n'importe : comme qui que ce fût que nous prissions, s'il ne vous eût point encore dit qu'il vous aime, il vous le dirait; toutes réflexions faites, rival pour rival, j'aime encore mieux Bourville qu'un autre.

CÉLIE. — Vous devez être bien sûr que pour mon cœur, cela revient au même.

LE DUC. — Vous consentez donc que je vous le présente?

CÉLIE. — Oui; lui; un autre; qui vous voudrez; puisqu'il en faut un, cela m'est égal.

LE DUC. — Voulez-vous que je vous l'amène demain?

CÉLIE. — Demain! cela est bien prompt! Il semblerait, à votre empressement sur cela, que vous ne pouvez vous voir assez tôt un rival.

LE DUC. — Je ne dois pas avoir besoin de me justifier là-dessus; mais je vous avoue que la pénétration de la Marquise me fait trembler; et d'ailleurs, dans la position où nous sommes respectivement, tant de choses dont on ne s'aperçoit pas soi-même, échappent des deux parts, que pour l'empêcher de fixer ses regards sur nous, je ne sais ce que je n'imaginerais pas; et combien promptement je voudrais le voir mettre en œuvre.

CÉLIE. — Assurément! vous avez une belle peur de la perdre!

LE DUC. — Je ne croyais pas que, dans le soin que je prends de vous dérober à ses soupçons, ce fût cela que vous dussiez voir.

CÉLIE *fort affectueusement.* — Ah! duc, ne nous brouillons pas!

LE DUC. — Soyez donc raisonnable; et n'allez point ne voir que de l'indifférence dans des soins qui doivent si évidemment vous prouver le contraire.

CÉLIE. — Eh bien donc! je les prends pour ce que vous voulez. (*Après un peu de réflexion.*) Mais parlez-moi naturellement, et songez que c'est ici l'honnête homme que j'interroge.

LE DUC. — Soyez sûre que ce sera aussi lui qui vous répondra.

CÉLIE. — Ce que je vous inspire est-il de l'amour?

LE DUC. — Si je n'en avais point pour la Marquise, je ne douterais pas que ce n'en fût.

CÉLIE. — Puis-je raisonnablement me flatter que le goût que vous avez pour moi, devienne jamais un sentiment?

LE DUC. — Je l'ignore; mais, pour pousser la franchise jusqu'au bout, je ne le présume pas.

CÉLIE. — Vous me donnez un bel exemple! et je vais l'imiter. Je connais peu Monsieur de Bourville : je ne sais si la froideur avec laquelle je l'ai vu, venait de ma prévention pour un autre; ou si c'est parce qu'il n'est pas né pour me plaire davantage : je l'ignore exactement. Je conçois, cependant, qu'il est possible qu'il plaise; et je n'en dirais pas autant de tous les hommes que je vois aimés : est-ce une disposition à lui rendre encore plus de justice? N'en est-ce pas une? Encore une fois, je n'en sais rien. S'il est vrai qu'il ait, lui, un goût de préférence pour moi...

LE DUC. — Je n'en ai pour garant que la vivacité avec laquelle, depuis trois mois, il me parle de vous; mais il en met trop pour que votre idée ne l'occupe pas aussi fortement que je le présume.

CÉLIE. — Depuis trois mois!

LE DUC. — Oui; plus ou moins.

CÉLIE. — Non, vous ne vous trompez pas au temps; j'ai des raisons particulières d'en être sûre. Puisque, dans des circonstances qui ne devaient pas lui laisser le même espoir, que celles où il aura lieu de me supposer, il n'a pas craint de me dire qu'il m'aimait, il y a apparence qu'il ne me verra pas longtemps sans me le redire. N'ayant plus, moi, de motif apparent pour lui imposer silence, il faudra bien, surtout avec les idées que nous avons, que je me laisse persécuter de son amour. S'il vient à me plaire? Avec la certitude que vous me donnez de ne pouvoir jamais vous voir à moi, comme je le désirerais, je ne vous cache pas que cela me paraît possible.

LE DUC *après avoir paru rêver un instant.* — Eh bien, vous l'aimerez! heureusement les droits de l'amant, et les complaisances qu'on veut bien avoir pour l'ami, ne sont point incompatibles.

CÉLIE *après avoir aussi rêvé.* — Pas absolument, il est vrai, à la rigueur… Cependant…

LE DUC. — Quoi! vous hésitez!

CÉLIE. — Mais non… cela me paraît pourtant assez difficile à arranger.

LE DUC. — Point du tout! C'est une erreur! à moins, toutefois, que les complaisances que vous avez bien voulu avoir pour moi, ne vous devinssent onéreuses. En ce cas…

CÉLIE *avec beaucoup de tendresse.* — Onéreuses! Pouvez-vous le penser! je puis vous dire que, quand vous le craignez, vous ne rendez justice ni à vous, ni à moi. Mais voyons moins les choses telles qu'elles sont, que comme, un jour, elles peuvent être. Sans avoir décidément de l'amour pour moi, ne pouvez-vous pas devenir jaloux des sentiments que je prendrai pour lui, s'il parvient à m'en inspirer?

LE DUC. — Ah! cela serait d'une déraison dont je ne saurais me croire capable.

CÉLIE. — Ne la supposons donc point : ne peut-il pas lui-même trouver trop tendre, la sorte d'amitié qu'il y aura entre nous; et en soupçonner le genre et l'étendue?

LE DUC. — Bourville n'est point jaloux, d'abord : de plus, comment voulez-vous que, présenté ici de ma propre main, il puisse jamais, moi surtout paraissant, non seulement approuver ses soins, mais même les appuyer, me regarder une minute comme rival?

CÉLIE. — Tout cela est vrai ; mais s'il venait, malgré toutes vos précautions et les miennes, à avoir des inquiétudes ? Vous sentez bien qu'en ce cas-là, pour tranquilliser l'amant, il faudrait nécessairement retrancher à l'ami les complaisances qu'on aurait eues pour lui, ou, du moins, les suspendre ; et cela pourrait bien ne se pas faire sans le fâcher.

LE DUC. — C'est à celui qui a le moins de droits, belle Célie, ou qui, pour parler plus juste, n'en a que d'absolument précaires, à se sacrifier ; et, pénétré comme je le suis de cette vérité, je me flatte que le retranchement que vous me faites envisager, tout cruel qu'il me paraît, ne m'arracherait pas une plainte que vous ne pussiez pas entendre.

CÉLIE. — Convenez que l'indifférence rend bien raisonnable.

LE DUC *d'un air de dépit.* — Beaucoup moins que vous n'êtes injuste.

CÉLIE *toujours tendrement.* — Allez-vous vous fâcher ? Suis-je donc si injuste de croire que vous ne m'aimez pas, lorsque vous ne cessez pas vous-même de me le dire ?

LE DUC. — Il n'y a donc, à votre avis, aucune différence entre l'amour, et ce mouvement que nous appelons le goût ? et vous pensez vraisemblablement qu'un cœur, parce qu'il est rempli du premier, est inaccessible à l'autre ?

CÉLIE. — On prétend que cela devrait être, mais on a beaucoup d'exemples que cela n'est pas.

LE DUC. — J'en suis un moi-même : j'aime la Marquise passionnément ; mais cela n'empêche pas que vous ne m'inspiriez un goût si vif, qu'il m'est bien difficile de croire qu'il y ait entre ces deux mouvements toute la différence qu'on dit.

Pour terminer (car enfin il faut finir) Célie paraît douter de ce que le Duc vient de lui dire ; et comme par la différence trop réelle qu'il y a, quoi qu'il en dise, entre ces deux mouvements, ce qui ne serait point du tout une preuve qu'on a de l'amour, sert à prouver invinciblement qu'on a du goût, le Duc donne à Célie une conviction complète qu'il ne la trompe point. Tout se passe des deux parts avec une cordialité sans exemple. Après ils se reparlent de leur arrangement ; et s'y confirment. Ensuite, on vient annoncer à Célie qu'on a servi. Les propos du souper ne devant rien avoir de bien piquant, ce n'est pas la peine de transporter nos lecteurs dans la salle à manger. Après le souper, ils repassent dans le boudoir : Célie y montre encore des doutes ; le Duc les lève. L'heure de se séparer arrive : il quitte Célie et va chez la Marquise, qui, si, pour nous servir de ses propres termes, elle le revoit toujours fort tendre, doit cette fois, selon toutes les apparences, le retrouver un peu éteint.

FIN

NOTES

1. Les éditions du XVIIIᵉ siècle donnent déjà au dos de la page de titre la traduction du vers : « Lisez, censeurs rigides ; il n'y a point ici d'amour criminel. » Le vers cité ne se trouve pas dans Ovide, même si le poète latin exprime à plusieurs reprises une idée analogue, par exemple dans l'*Art d'aimer*, I, 34 :

« Inque meo nullum carmine crimen erit ».

Crébillon n'a pas non plus emprunté son épigraphe à Properce. N'aurait-il pas composé lui-même ce pentamètre ?

2. Dans « il me le paraissait », *le*, pronom attribut neutre, représente l'adjectif « simple ». Dans la même phrase, *que* introduit la proposition complétive sujet, *alors* est adverbe déterminant le verbe de la principale. On peut traduire : il me paraissait simple les soirs précédents que vous voulussiez me donner vos moments perdus.

3. *Garde-robe* : « Chambre destinée à y mettre les habits, le linge, ce qui regarde les hardes de jour et de nuit. » (Acad.)

4. *Penser à* : « Songer, attacher sa pensée, ses soins, ses desseins à quelque chose pour tâcher de l'obtenir. » (Trévoux) Et, par suite, entretenir à l'égard de quelqu'un des pensées ou des intentions amoureuses.

5. *Espèce* : « Absolument, espèce se dit, par mépris, de personnes auxquelles on ne trouve ni qualités ni mérite. » (Littré) Dans les *Égarements*, le mot apparaît (p. 153), mais avec une épithète. Il semble d'autre part qu'on le rencontre pour la première fois chez Marivaux dans *Le Préjugé vaincu*, en 1746 (v. Théâtre, éd. Deloffre, II, p. 1090). L'*italique* signalerait donc un mot d'usage récemment consacré par une coterie : ce qui intéresse l'histoire de la langue et celle du texte. Il en va probablement de même de *persiflage* : Littré le signale dans *Le Méchant* de Gresset (1747) et rapporte la définition de Duclos : « amas fatigant de paroles sans idées, volubilité de propos qui font rire les fous, scandalisent la raison, déconcertent les gens honnêtes ou timides, et rendent la société insupportable » (*Considérations sur les mœurs de ce siècle*, VIII). L'article de Littré est manifestement inspiré par La Harpe qu'il cite. Or « persiflage » est attesté dès

1735 et peut être introduit comme un néologisme dans un texte, *La Nuit et le Moment*, que l'on croit composé vers 1737, 1738, aussitôt après les *Égarements*, en même temps que le *Sopha*, dans lequel *espèce* apparaît aussi en italique et employé absolument (éd. de 1772, III, chap. XIX, p. 329).

6. *Être pour quelque chose dans* : avoir une part, quelque responsabilité dans une affaire, dans une action. Noter les cinq emplois du verbe être en trois courtes répliques.

7. Quelles « idées » ? Des femmes qui « pensent aussi bien que celles-là », c'est-à-dire parvenues à ce degré de philosophie où l'on se dispense des faux-semblants, ne méritent pas d'être soupçonnées de duplicité. C'est parce qu'il se moque du jugement réservé de Cidalise et se dégage ainsi vis-à-vis des trois femmes nouvellement venues que Clitandre et sa perspicacité sont déclarés ridicules.

8. *Bonne femme* : cf. bonhomme : « se dit d'un vrai homme de bien qui ne peut faire de mal [...] D'un homme simple, qui ne songe à aucune malice, qui a peu d'esprit ou de pénétration, qui n'entend point de finesse [...] on le dit tout de même d'une femme ou d'une fille » (Trév.).

9. « On emploie *petit* comme terme d'affection, de compassion, de familiarité. » (Littré) Avec évidemment une nuance d'ironie. Cf. deux phrases plus loin : « cette pauvre petite femme ».

10. L'emploi classique du verbe *mourir* avec un complément de cause devient comique par l'adjonction de la locution adverbiale *à moins* associée à l'idée de répétition. Parodie de la langue tragique ? Comme l'Agamemnon de Racine (« Du coup qui vous attend vous mourrez moins que moi. » *Iphigénie*, v. 1244), on meurt volontiers par métaphore au XVIIe siècle et chez Crébillon père encore où pourtant le caractère métaphorique de la mort est souvent provisoire.

11. Appliqué à des personnes *arrangé* signifie accordé et donc complice ; voir plus bas « un rendez-vous très décidé ».

12. Pour ces mondains que sont Cidalise et Clitandre, la « philosophie moderne » est bien représentée par le rationalisme critique qu'inspire la méthode cartésienne et qui étend aux phénomènes moraux les principes de l'analyse scientifique. Les représentants les plus notoires en sont sans doute aux yeux de Crébillon Fontenelle, La Motte et même Marivaux. Appliquée à la psychologie et aux mœurs, cette philosophie autorise la critique des préjugés. Versac, Chester (*Les Heureux Orphelins*, V, 286 sq.), Alcibiade (*Lettres athéniennes*, LXXIII) se réclament de la « nouvelle philosophie » ; on notera cependant les réserves formulées par Clitandre.

13. « Pensez une femme » : en emploi transitif direct, *penser* signifie « inventer, imaginer » ; on ne le rencontre guère dans ce sens avec pour complément un nom désignant une personne.

14. *Pressentir* : « sonder quelqu'un, découvrir adroitement sa pensée, son dessein, sa résolution, si on l'aura favorable ou contraire » (Trév.).

15. *C'est que...* : ce tour, ainsi que le remarque F. Deloffre dans le glossaire du *Théâtre complet* de Marivaux (éd. Garnier, t. II), « n'est pas seulement explicatif : il sert souvent à présenter vivement une proposition ».

16. *Au fond* : donné parfois entre guillemets, écrit « au fonds »
dans l'éd. de 1772, pourrait être d'usage récent, à la place de « dans le
fond » généralement employé jusque-là, et par Crébillon lui-même
plus bas.

17. *Philosophiquement* : l'adverbe n'a pas de rapport, sinon peut-
être ironique, avec la philosophie moderne, mais avec ce que Littré
définit comme : « fermeté et élévation d'esprit par laquelle on se met
au-dessus des événements et des préjugés » ; nous dirions en
l'occurrence détachement et indépendance de jugement. L'intention
humoristique est reprise dans la réplique de Cidalise.

18. *Minutie* : « petite bagatelle » (*Dic. portatif* de Wailly) ; ces
« choses frivoles et de peu de consistance » relèvent en apparence du
vocabulaire de l'argumentation et par syllepse de l'activité sexuelle.

19. *Bégueulerie* : ce mot, désignant une pruderie dédaigneuse et
mal plaisante apparaît sans doute ici pour la première fois. Il n'est pas
cité dans les dictionnaires du XVIIᵉ siècle ; le dictionnaire Robert date
sa naissance de 1783. Crébillon le donne comme exemple du jargon
contemporain, marquant une fois de plus son intérêt pour les faits de
langue.

20. *Jamais* n'a pas ici de valeur temporelle ; il renforce la négation
avec une nuance affective : quoi qu'il m'en coûte ou quel que soit le
risque. Cf. « au grand jamais ».

21. « Me laisser coucher avec vous » : emploi du pronominal
après *laisser*, le pronom réfléchi étant omis ; ce qui n'est pas rare, mais
permet, en détachant « coucher avec », un effet de style et le
quiproquo qui suit.

22. C'est en effet la crainte non de la mort mais du déshonneur
qui, selon Tite-Live (Liv. I, chap. 58), soumit Lucrèce à Sextus
Tarquin. La plaisanterie sur le sort malheureux de Lucrèce est
courante : v. notamment notre éd. des *Nouveaux Dialogues des morts*
de Fontenelle (STFM, p. 344 sq.).

23. *Bonheur* : « se dit des rencontres fortuites, du hasard » ; « événement favorable à quelqu'un, qui n'est point une suite de ses soins et
de sa prévoyance » (Trév.).

24. *Diversion* : « Terme de guerre, qui se dit quand on va attaquer
son ennemi en un endroit où il est faible ou dégarni [...] En médecine,
quand on tâche de détourner ailleurs le cours d'une fluxion par des
remèdes [...] Se dit aussi en morale » (Trév.).

25. *Voir quelque chose à quelqu'un* : « voir qu'il a cette chose ». *En*,
pronom d'emploi très libre au XVIIIᵉ siècle, est mis ici pour « des
réserves » ; ce dernier mot d'ailleurs, représenté par *en*, développe un
sens second qui prépare la réplique à double entente de Clitandre.

26. Ces répliques soulignent le rapport de l'histoire à narrer avec la
situation du narrateur et de son auditrice. On joue non seulement sur
une analogie mais sur un lien de causalité, le texte de la narration
déterminant l'action présente ou en instance ; et ceci en vertu d'une
logique qui n'est que prévisible, mais que l'on devine inéluctable : le
lecteur est de ceux qui peuvent deviner. Crébillon maîtrise parfaitement ce jeu des implications textuelles ; cf. les réflexions du narrateur
et des narrataires dans le *Sopha*.

27. *Pour* : « Quant à. Il se dit en ce sens devant de, pris partitive-ment » (Littré). D'après cette réplique, Cidalise ne veut pas voir la relation suggérée par Clitandre. Elle ne comprenait déjà pas que l'histoire de Julie pût être « déplacée » !

28. *Devant* : « en présence de » (Trév.), comme l'on dit « devant Dieu » ; mais aussi « au jugement de », comme l'on dit « devant un tribunal ou devant la justice ».

29. Selon Littré (*Ni*, n° 15), ni s'emploie pour « et » quand le sens négatif est sous-entendu ; il est ici mis pour « ou ». Ne faut-il pas plutôt lier cet emploi à l'habitude propre à Crébillon de maintenir la négation dans la principale quand le verbe principal est un verbe d'opinion et quand, en plus, apparaît dans la complétive le gallicisme « c'est » ?

30. *Vouloir* : au sens de consentir, admettre.

31. Autant que la vraisemblance psychologique (retour sur soi à la faveur duquel Cidalise cherche à s'innocenter), ce doute insistant concerne la vraisemblance de la situation. Il atteint les sentiments de Clitandre et son attitude de futur narrateur. Ainsi l'histoire que l'on voit prendre corps au fil de narrations suggestives, peut être perçue par les acteurs mêmes comme l'objet d'une éventuelle narration.

32. « Votre tendresse » : Clitandre vient de reconstruire ou de construire la passion que Cidalise doit éprouver pour lui depuis un temps si long qu'il soit devenu inévitable qu'elle y cède et livre son cœur. L'amante comprend et approuve cette archéologie de l'amour : « la seule chose que je puisse actuellement avoir quelque plaisir à croire, c'est que... », dit-elle plus bas ; elle n'ignore pourtant pas ce qu'il peut y avoir d'artifice dans les « raisons » qu'on lui procure de « (s')excuser » sa conduite.

33. « Presque rien » : dans les passages de récit, Crébillon use d'expressions aussi imprécises qu'il doit présumer pauvre l'imagina-tion ou l'expérience du lecteur : type de relation humoristique avec ce dernier.

34. *Pour l'instant* : sens fort de l'expression ; moins temporel que causal : étant donné la conjoncture.

35. Comme à la page précédente, Crébillon laisse son lecteur inventer le texte manquant. C'est que l'idée même de l'invention ou de la substitution est plus intéressante, plus piquante, qu'un texte dont au demeurant on devine trop bien la teneur ou la nature équivoque.

36. Dissociation du sentiment et du plaisir : le phénomène est décrit à plusieurs reprises par Crébillon, notamment dans la dernière scène des *Égarements*. Clitandre lui-même en élabore la théorie après s'être livré à une scrupuleuse expérimentation.

37. « Petite maison » : « Nom donné autrefois à une maison située dans un quartier peu fréquenté et destinée à des rendez-vous avec des maîtresses. » (Littré.)

38. *Affiches* : « placard attaché en lieu public pour rendre quelque chose connue à tout le monde, soit pour le plaisir, soit pour l'intérêt » (Trév.). Le terme est employé de manière, semble-t-il, originale par Crébillon pour désigner les marques visibles d'un tempérament

prometteur. « Nos affiches », ce sont évidemment celles dont nous, connaisseurs, nous soucions, auxquelles nous nous fions.

39. *Sur le trottoir* : « terme populaire. Cette affaire est sur le trottoir, c'est-à-dire on en parle, on va en parler, on va la mettre sur le bureau. On dit aussi qu'une fille est sur le trottoir pour dire qu'elle est à marier. » (Trév.) Se mettre sur le trottoir, c'est prétendre à une charge, être sur le chemin de la fortune. Fût-ce dans une intention de dénigrement, l'expression ne traduit que la notoriété de ces femmes du monde.

40. Cf. le petit-maître selon Versac et Versac lui-même. Il y a lieu de se demander, comme y invitent la comédie de Marivaux, *Le Petit-Maître corrigé*, et ici la question de Cidalise, qui perçoit et peut dénoncer le ridicule du petit-maître.

41. On note dans ce passage en récit l'abondance du vocabulaire intellectuel et moral. Ainsi le débat psychologique et le dialogue qui l'exprime constituent-ils la métaphore de la gesticulation amoureuse : ce système d'équivalence n'a pas pour seul intérêt d'entretenir un quiproquo plaisant.

42. Style pseudo-médiéval et parodie des romans de chevalerie : Laclos se souviendra du modèle.

43. « Tête nue » : sans ornement, ni ruban, ni bonnet.

44. *Propreté* : « le soin que l'on a de la netteté et de la bienséance » (Richelet); « sorte d'élégance » (Wailly).

45. « L'horrible chaud » : l'emploi de l'adjectif substantivé, déjà caractéristique de la langue des Précieuses, « apparaît dans toutes les caricatures du style néologique » (F. Deloffre, *Marivaux et le marivaudage*, p. 301). A plus forte raison le *Dictionnaire néologique* stigmatise-t-il le procédé ici exploité par Crébillon, qui est d'adjoindre un adjectif épithète à l'adjectif substantivé neutre.

46. Sur le goût des mondains, en particulier des femmes du monde, pour la « physique », sur le succès des ouvrages de l'abbé Pluche ou de Réaumur dans les années où Crébillon écrit son dialogue, on doit relire les pages de Mornet (*Les Sciences de la nature en France au XVIIIᵉ siècle*, chap. I) et celles de Jacques Roger (*Les Sciences de la vie dans la pensée française du XVIIIᵉ siècle*, p. 165 sq., « Le nouveau monde savant »). Quant aux cours, on connaît le succès de celui de l'abbé Nollet, ouvert en 1735 et repris précisément en 1737.

47. Les allusions aux fibres et aux esprits animaux renvoient à une conception de l'anatomie et de la sensibilité très traditionnelle, celle qu'au milieu du siècle Haller continue d'opposer à la théorie de Bordeu (v. Jacques Roger, *op. cit.*, p. 627). La dissertation sur les effets de la chaleur, puis du froid, s'explique par une physiologie des fibres que Malebranche et Fontenelle (v. notre éd. des *Nouveaux Dialogues*, p. 215-216) exploitaient et que prolonge un Arbuthnot : « La chaleur "allonge et relâche les fibres" » ; de là, note le médecin anglais, « l'abattement et la faiblesse qu'on sent dans les jours chauds » (Jean Ehrard, *L'Idée de nature...*, II, 703). L'ouvrage de J. Arbuthnot, *Essai des effets de l'air sur le corps humain*, est publié en Angleterre en 1733.

48. Le débat porte sur une question de « physique », il est évidemment parodique et, de ce fait, utilise un vocabulaire et traite de problèmes qui illustrent une certaine actualité. On serait fondé à dater approximativement le texte d'après ses allusions. Clitandre insiste fort sur l'opposition de la théorie et de l'expérience, il introduit une remarque ironique sur les miracles, il prête à Julie des formules d'inspiration malebranchiste (« évidence » et « sentiment intérieur »); d'autres détails encore semblent désigner une période qui serait pour Voltaire — choisi comme référence majeure — celle où, les *Lettres philosophiques* publiées, il compose le *Traité de métaphysique* et s'apprête à exposer le « système » de Newton. Julie est d'ailleurs, comme Mme du Châtelet, très désireuse de « s'éclairer ».

49. Cette dernière réplique montre comment se perpétue la relation entre la situation des interlocuteurs et la substance des histoires rapportées par Clitandre à la demande de Cidalise (cf. note 26). Il s'agit d'entretenir les conditions d'un échange, ou mieux encore, et dans tous les sens du terme, d'un commerce.

50. « Je l'ignorais » : « Dans le style soutenu : Ne pas connaître, ne pas pratiquer. » (Littré.) Le style du passage est en effet soutenu, jusqu'à parodier le sérieux d'un discours décrivant une noble entreprise et d'autant plus glorieuse qu'elle manifestera mieux la lucidité et la libre décision du maître d'œuvre. C'est pourquoi de l'enjeu même rien ne doit rester caché : « ignorer » désigne un besoin d'éclaircissements d'ordre quasiment intellectuel.

51. *Mantelet* : « ajustement de femme qu'elles portent sur leurs épaules, qui est fait de satin, taffetas, droguet, ou autre étoffe de soie, [...] cela leur sert pour couvrir leur gorge et leurs épaules » (*Encyclopédie*).

52. *Contradiction* : au sens, aujourd'hui vieilli, d'empêchement, d'obstacle, mais aussi au sens d'action de contredire. Ce terme annonce le déploiement de tout un vocabulaire de la dialectique.

53. *Désirer quelque chose à quelqu'un* : lui souhaiter cette chose. Dans le contexte, il importe que restent sensibles l'idée de désir et l'intérêt de celui qui forme le souhait.

54. *Révolution* : changement radical de sentiment et d'attitude à la suite duquel le récit, sous-tendu de réflexions psychologiques, semble se clore sur un accord presque édifiant. Quant à l'alexandrin cité par Clitandre, nous en ignorons l'origine ; avec un vocabulaire tragique, il a plutôt le ton de la parodie : on est enclin à l'attribuer à La Fontaine ou peut-être à Quinault.

55. Comme il le fait dans *L'Écumoire*, comme il le fera ostensiblement dans *Le Sopha*, Crébillon annonce la qualité du récit à venir, ce qui paraît frustrer le lecteur de sa liberté de jugement. C'est au même effet d'humour, à la même distanciation que, dans les lignes qui suivent, contribuent les commentaires outrecuidants de Clitandre.

56. L'article « Histoire naturelle » de l'*Encyclopédie* évoque la succession des modes intellectuelles. Dans l'époque représentée par les personnages de Crébillon le goût est à la science expérimentale ; on assiste aux leçons et aux expériences de Nollet ou, comme Rousseau et Diderot, à celles du chimiste Rouelle. Quant à l'idée d'expérience,

mise en avant par le Voltaire du *Traité de métaphysique*, elle devient banale vers 1740, au moment où s'impose aussi définitivement la pensée de Newton.

57. Il y a équivalence de l'échange verbal et du rapport amoureux. La réciprocité de la métaphore concentre l'intérêt sur la nature du langage et sur sa forme.

58. *Préjugés* : terme galvaudé dans la langue « philosophique », mais l'exploitation cynique de la critique des préjugés peut passer pour une satire des développements pratiques de la « philosophie ».

59. « Elle fait sonner sa pendule » : il s'agit d'une pendule à répétition. « On appelle à répétition une pendule qui répète autant de fois qu'on le veut l'heure qu'elle a sonnée la dernière fois. » (Trév.) « *Répétition* (montre ou pendule à) : c'est une montre ou une pendule qui ne sonne l'heure et les quarts que lorsqu'on pousse le poussoir ou qu'on tire le cordon. » (*Encyclopédie Panckoucke*, 1784.)

60. *Matineux* : « on prétend que ce mot est plus usité que *matinal* [...], mais l'Académie n'y fait remarquer aucune différence » (Trév.).

61. « Faire un lit » : l'expression est répétée et mise en valeur avec une complaisance que l'on ne peut croire gratuite. Elle appelle des sous-entendus que prolongent les réflexions sur les talents inquiétants de Clitandre. Les dictionnaires n'aident pas à éclaircir les allusions évidemment érotiques de ces dernières répliques ; car si subtil nous paraît le texte de Crébillon que nous sommes enclin à lui prêter ici une finesse qui nous échappe.

62. *couvre-pieds d'édredon* : selon Littré : « édredon 1° petites plumes à tige grêle, à barbules longues et fines appelées aussi duvet, fournies par des oiseaux palmipèdes et surtout par l'eider. On en fait des couvre-pieds ; 2° Un édredon, un couvre-pied d'édredon ».

63. « J'en ai sur moi copie » : citation de Racine *Les Plaideurs*, Acte II, sc. IV, v. 378.

64. « Le Jaloux de Navarre » : Allusion à *Don Garcie de Navarre* de Molière ou *Le Prince jaloux* (1661).

65. *Les hommes nous punissent de nous être manqué* : selon Le Dictionnaire de l'Académie (1798) *manquer à* : ne pas faire ce qu'on doit à l'égard de quelqu'un ou de quelque chose.

66. *fantaisie n'est pas amour* : « Fantaisie est quelquefois ce qui est opposé à la raison et signifie caprice, bizarrerie, boutade, folie, *vitiosa libido, cupido* » (Dict. de Trévoux, 1752).

67. *L'agrément de ma charge* : « agrément : approbation, consentement » (Acad. 98).

68. *un des... de Sa Majesté* : Pourquoi cette discrétion alors que le titre de lieutenant-général est annoncé ? Crébillon fait du duc de Clerval un haut personnage : peut-être a-t-il pris possession dans la Maison du Roi de l'une de ces charges qui valaient à leurs titulaires d'être nommés par le roi « mon cousin ». Le duc n'est plus un jeune homme.

69. *la retraite de Prague* : Pendant la guerre de Succession d'Autriche, l'armée française commandée par le maréchal de Belle-Isle entra dans Prague le 26 novembre 1741. A la fin de 1742, presque cerné dans la ville, Belle-Isle réussit à s'échapper par une nuit d'hiver

et fit retraite dans la neige et le verglas. Vauvenargues eut, dit-on, les jambes gelées dans cette terrible retraite qui fit beaucoup de morts. Cette allusion fournit le *terminus a quo* pour la datation du dialogue.

70. On pense à La Bruyère, *Caractères*, De la Cour n° 74 : « L'on parle d'une région où… Les gens du pays… ».

71. *un placet* : selon le dictionnaire de l'Académie (98) un placet est « une demande succincte par écrit pour obtenir justice, grâce, faveur ».

72. *cette contradiction* : le mot est pris au sens d'obstacle, d'empêchement, de contrariété. Ce sens n'est pas mentionné dans le Dictionnaire de l'Académie (98). Dans le Dictionnaire de Trévoux (1771) « contradiction » annonce « une opposition aux sentiments et aux discours de quelqu'un. Dans une signification plus étendue […] il se dit à peu près dans le même sens de toute objection, de tout obstacle que l'on oppose à quelqu'un ».

73. *si cela pouvait s'arranger avec vous* : « s'arranger signifie prendre des arrangements, des mesures pour finir une affaire » (Dic. de Trévoux, 71).

74. *ç'a toujours été un masque de doguin* : selon Furetière, « masque se dit de la couverture avec un nez et deux yeux qu'on met sur son visage pour se déguiser ou pour n'être point connu » (1701). Masque a ici le sens moderne de faciès, physionomie. Toujours, selon Furetière, « un doguin est un mâle de petit dogue ».

75. *mal coupée* : « couper » signifie quelquefois tailler suivant les règles de l'art. « Il entend bien à couper les pierres suivant les règles de l'Architecture, couper un habit, un manteau, une robe » (Acad. 94). L'expression s'applique ici au physique d'une femme, à ses formes.

76. *La crainte de me commettre* : « Commettre quelqu'un, pour dire l'exposer à recevoir quelque mortification, quelque revers » (Dic. de Trévoux, 71).

77. *une partie de berland* : Espèce de jeu de cartes désigné sous les noms de berlan ou brelan ou breland. On le joue à trois, quatre ou cinq personnes. D'après Furetière (1701) il faut écrire breland.

78. « L'Amour est nu, mais il n'est pas crotté. » La Fontaine, *Contes*, L'Oraison de saint Julien, v. 202.

79. *espèces* : cf. note 5.

80. *habit de grison* : un grison est « un homme de livrée qu'on fait habiller de gris pour l'employer à des commissions secrètes » (Acad. 98).

81. « *et croyez que ce n'est pas sans raison que les anciens ont dit qu'il vaut toujours mieux mettre une femme dans le cas d'avoir à se plaindre hautement de trop de témérité, que d'avoir en secret à vous reprocher de l'avoir trop respectée* ». On peut rapprocher ce jugement de la maxime de La Rochefoucauld : « La plupart des femmes se rendent plutôt par faiblesse que par passion ; de là vient que pour l'ordinaire les hommes entreprenants réussissent mieux que les autres, quoiqu'ils ne soient pas plus aimables » (Maximes supprimées, 56). Voir aussi Boileau : *Satire* X et Juvénal *Satire* VI.

82. Voir note 5 sur *persiflage*.

83. *on se serait fait écrire à votre porte* : « Se faire écrire à la porte de

quelqu'un » pour dire « se faire écrire dans la liste du portier, afin que le maître sache qu'on y a été » (Acad. 62).

84. *actes de têtes tournées* : « On dit figurément d'un homme qui se méconnaît dans la bonne fortune, ou à qui quelque malheur imprévu a troublé l'esprit, ou qui, par crainte, par vanité, ou par quelques autres passions, fait des choses extravagantes, *La tête lui a tourné* » (Acad., 1762).

85. *on ne vous ait jamais prévenu de politesse* : « Prévenir de » signifie ici : « Être le premier à faire ce qu'un autre voulait faire, anticiper » (Acad., 98).

86. *Les préjugés les plus gothiques* : L'adjectif « gothique » « se dit par une sorte de mépris de ce qui paraît trop ancien et hors du monde » (Acad., 98).

87. *dont on se sent* : L'expression signifie simplement « sentir quelque chose ». Le Dictionnaire de l'Académie (62) donne comme exemple : « Depuis quand commence-t-il à se sentir de la goutte ? »

88. *vous n'en voulez rien tenir, de l'amour* : « Tenir quelque chose de quelqu'un pour dire : qu'on lui en a l'obligation » (Acad., 62).

89. *ne sachant même la physique que médiocrement* : la physique est la « science des causes naturelles et de leurs effets qui rend raison de tous les phénomènes du ciel et de la terre » (Furetière, 1701).

90. *Il semble que Prométhée m'ait légué son secret* : D'après le dictionnaire de Moreri (59) « Lucien expose d'une manière assez vraisemblable la formation de l'homme par Prométhée, savoir, qu'il avait, le premier, fait des statues de terre avec tant d'adresse et d'art, ce qu'on attribue à Minerve, que ces hommes de terre semblaient avoir la vie et le mouvement. Sur ce fondement historique, les poètes ont feint que Prométhée était le formateur des hommes ». Surtout, pour arrimer ses hommes d'argile, Prométhée aurait dérobé une parcelle du feu céleste.

91. *j'ai pesé assez peu là-dessus* : « peser » « signifie figurément : examiner attentivement une chose pour en connaître le fort, le faible » (Acad., 62).

BIBLIOGRAPHIE

Œuvres de Crébillon fils

Collection complète des œuvres de Monsieur Crébillon le fils, Londres, 1772, en 7 volumes.

Collection complète des œuvres de Monsieur Crébillon le fils, Londres, 1777, 7 volumes.

Œuvres de Crébillon fils, éd. de Pierre Lièvre, 1929-1930, 5 vol. (*La Nuit...* et *Le Hasard...* figurent dans le T. I).

En librairie :

Les Égarements du cœur et de l'esprit, éd. de Jean Dagen, GF Flammarion, 1985.

La Nuit et le Moment suivi de Le Hasard du coin du feu, préface de Henri Coulet, Desjonquères, 1983 et 1992.

L'Écumoire ou Tanzaï et Néadarné, éd. de Ernest Sturm, Nizet, 1976.

Lettres de la Marquise de M*** au comte de R***, éd. de Jean Dagen, Desjonquères, 1990.

Le Sopha, préface de Jean Sgard, Desjonquères, 1985.

Études

CONROY Peter, *Crébillon fils, techniques of the novel*, Studies on Voltaire 99, 1972.

COULET Henri, *Marivaux romancier*, Armand Colin, 1975.

DÉMORIS René, *Le Roman à la première personne*, Armand Colin, 1975.

FORT Bernadette, *Le langage de l'ambiguïté dans l'œuvre de Crébillon fils*, Klincksieck, 1978.

FUNKE Hans-Günther, *Crébillon fils als moralist und Gesellschaftskritiker*, Heidelberg, 1972.

GIARD Anne, *Savoir et récit chez Crébillon fils*, Slatkine, 1986.

HARTMANN Pierre, *Le contrat et la séduction, essai sur l'intersubjectivité amoureuse dans le roman des Lumières*, Thèse de Lettres, Université de Paris-Sorbonne, 1989.

HOFFMANN Paul, « Système de la séduction chez Crébillon fils », *Französische Literatur im Zeitalter der Aufklärung, Mélanges Fritz Schalk*, Frankfurt, 1983.

LAROCH Philippe, *Petits-Maître et Roués*, Presses de l'Université Laval, Québec, 1979.

MAUZI Robert, *L'idée du Bonheur au XVIIIe siècle*, Armand Colin, 1965.

MYLNE Vivienne, *The Eighteenth Century French Novel*, Manchester University Press, 1965.

REICHLER Claude, *L'Age libertin*, éd. de Minuit, 1987.

RÉTAT Pierre (sous la direction de), *Les Paradoxes du romancier*, Presses Universitaires de Grenoble, 1975.

RUSTIN Jacques, *Le Vice à la mode*, Ophrys, 1979.

SAAR-ECHEVINS Thérèse, « L'esprit de jeu dans l'œuvre de Crébillon fils », *Revue des sciences humaines* (124), 1966.

SGARD Jean, *Prévost romancier*, Corti, 1968.

SIEMEK Andrzej, *La recherche morale et esthétique dans le roman de Crébillon fils*, Studies on Voltaire n° 200, 1981.

VERSINI Laurent, *Laclos et la tradition : essai sur les sources et la technique des Liaisons dangereuses*, Klincksieck, 1968.

CHRONOLOGIE

1674 : 13 janvier : naissance de Prosper Jolyot (Crébillon père, le « tragédiste »), fils de Melchior Jolyot, notaire royal originaire de Nuits, et de Henriette Gagnard, fille d'un lieutenant général de Beaune.

1686 : Melchior achète le petit fief de Crais-Billon, près de Gevrey-Chambertin.
Son petit-fils ne revendiquera la noblesse que pour échapper à la taille. Au demeurant il écrit au Président de Brosses : « ma famille est très ancienne en Bourgogne ; mais cela peut être sans qu'elle soit plus noble ». Il juge les « grandes idées » que son père entretient à cet égard « plus poétiques que vraies » (Lettre du 4 septembre 1750).

1700 : Prosper Jolyot, après des études au collège des Jésuites de Dijon, puis à la faculté de droit de Besançon, s'est fait recevoir avocat au Parlement de Paris, « titre qu'il ne cessera de porter » (d'après Maurice Dutrait, *Étude sur la vie et le théâtre de Crébillon*).

1703 : Prosper Jolyot devient clerc chez Louis Prieur, procureur au Châtelet. Il se met à fréquenter le café Laurent et à composer pour le théâtre. Sa première tragédie représentée est *Idoménée* (1705).

1707 : Prosper, qui logeait rue de Bièvre, « devint fort amoureux d'une très belle personne de ce quartier. C'est la fille d'un marchand apothicaire, nommé Péaget (originaire de Dole et tenant boutique place Maubert). La fille était fort vertueuse, Monsieur de Crébillon en était vivement épris ; l'amour, ainsi que cela devait être, l'emporta sur toute autre considération ». (*Mercure* de juillet 1762.)

Les premiers bans pour le mariage de Prosper et de Charlotte sont publiés le 23 janvier. Dispense est accordée pour les deuxièmes et troisièmes... Le mariage est célébré à la Villette le lundi 31 janvier. Lundi 14 février, à sept heures et demie : naissance à Paris de Claude Prosper Jolyot de Crébillon (son père l'appellera, semble-t-il, Prosper).

Mardi 15 février : baptême de Claude Prosper à Saint-Étienne du Mont. Dans le registre des baptêmes, le père signe pour la première fois « Jolyot de Crébillon ».

Lundi 14 mars : première représentation d'*Atrée et Thyeste*.

Samedi 24 décembre : mort de Melchior Jolyot à Dijon. S'ensuivent de longs procès contre les créanciers du défunt. Prosper y perdra tout l'héritage, Crais-Billon compris.

1708 : 15 février : mariage, à Saint-Germain-en-Laye, de Jean de Stafford, « secrétaire et grand chambellan de Marie d'Este, Reine d'Angleterre », et de Thérèse Strickland. Ce sont les parents de la future Madame de Crébillon-Stafford. (Marie-Béatrix-Éléonore d'Este est l'épouse de Jacques II, roi d'Angleterre jusqu'en 1688. Les souverains déchus furent accueillis par Louis XIV qui leur permit de s'installer à Saint-Germain-en-Laye, où la cour des Stuarts se composait de quelque 2 500 personnes. Marie d'Este y mourut le 7 mai 1718 d'une mort « aussi sainte qu'avait été sa vie », selon Saint-Simon.)

1709 : 9 novembre : naissance de Pierre, frère de Claude Prosper.

1711 : Vendredi 23 janvier : première représentation de *Rhadamiste et Zénobie*, le « chef-d'œuvre » de Crébillon le tragique.

Jeudi 12 février : mort de Charlotte Péaget, mère de notre futur romancier, lequel se trouve donc orphelin à quatre ans.

Mercredi 9 décembre : baptême à Saint-Germain-en-Laye de Marie Henriette de Stafford, la future Madame de Crébillon.

1713 : Mort de Pierre, le jeune frère de Claude Prosper.

1715 : Prosper Crébillon, qui est protégé par le duc d'Orléans, les banquiers Pâris et le baron d'Oghières, obtient la charge de « receveur ancien et mi-triennal des exploits, épices et amendes de la Cour des Aides de Paris ». Il habite « rue Saint-Jacques, en face des Mathurins, paroisse Saint-Benoît » (jusqu'en 1721).

Vers 1716-1717 : Claude Prosper est confié à certain « sieur Thomas, maître ès arts en l'Université de Paris ».

1720 à 1725 ou 1726 : Claude Prosper chez les Jésuites. « C'est à la libéralité des amis de son père qu'il dut en partie son éducation. MM. Pâris payèrent sa pension au collège de Louis-le-Grand où il fit ses études. » (Palissot, *Éloge de Crébillon*.) Il est vrai que Prosper, enrichi et ruiné par Law, voit supprimer en 1721 sa charge de receveur. Il est probable également, comme en conviennent contemporains et biographes, que son insouciance, du reste pittoresque, et son goût du beau sexe ne soient pas étrangers à ses embarras pécuniaires.

« A dix-huit ans Crébillon fils montra à son père une satire ; son père lui dit : elle est bien, mais jugez de la facilité de ce genre méprisable, puisque vous y excellez si jeune, tandis qu'à cinquante ans, moi, j'ai besoin de toutes les forces de la méditation pour marcher de loin sur les traces des maîtres de la scène. » (Mercier, *Tableau de Paris*, XI, 197.)

1726 : A partir du 1er avril, Claude Prosper, que le P. Tournemine n'a pu convaincre d'entrer dans la Société de Jésus, figure, en tant que fils du grand dramaturge, sur la « liste des entrées gratuites » de la Comédie-Française. C'est alors qu'il fait la connaissance de Charles Collé, son cadet de deux ans : Collé est né en 1709 et dit avoir dix-sept ans quand il se lia non seulement à Crébillon fils, mais aussi à Gallet et Panard, « ces deux chansonniers excellents » (voir Ch. Collé, *Journal et Mémoires*, t. I, p. IX-XI et p. 1).

1730 : A partir de 1729-1730, Crébillon fréquente la Comédie-Italienne. « Lié d'amitié avec feu Romagnesi […], il s'associa aux travaux de cet acteur, qui lui-même s'était associé avec Dominique et Lelio le fils, plus connu sous le nom de Riccoboni. Ces trois acteurs composaient alors toutes les parodies des nouveaux opéras […] Les meilleurs traits de ces parodies faites en société étaient presque toujours de Crébillon. » (Palissot, *Éloge de Crébillon*.)

En août 1730, est approuvé et registré *Le Sylphe*, la première œuvre de Crébillon à être publiée ; le nom de l'auteur n'apparaît pas. Le 11 septembre, est applaudie au Théâtre Italien une *Sylphide* que l'on pourrait attribuer à Crébillon.

1731 : 13 février : les Italiens représentent *Arlequin Phaëton*, une parodie pour laquelle Crébillon a notamment écrit des couplets « sur l'air connu des Bergeries de Couperin ». Mademoiselle Gaussin fait ses débuts à la Comédie-Française dans le rôle de Junie. Elle aurait à cette époque entretenu avec Crébillon une liaison que l'écrivain tenta vainement de terminer par un mariage. Le jeudi 27 septembre, Crébillon père est reçu à l'Académie française.

1732 : 3 mars : l'abbé Desfontaines annonce la publication des *Lettres de la Marquise de M*** au Comte de R****.

Voltaire écrit à Cideville qu'il n'a pu faire admettre chez la comtesse de Fontaine-Martel ni l'abbé Linant ni Crébillon : « Le fils du pauvre Crébillon, frère aîné de Rhadamiste et encore plus pauvre que son père, lui a été présenté [...] Elle l'a assez goûté, mais sachant qu'il avait vingt-cinq ans elle n'a pas voulu le loger. Je crois qu'elle ne m'a dans sa maison que parce que j'ai trente-six ans et une trop mauvaise santé pour être amoureux. » (29 mai.)

Sans doute Crébillon vit-il encore avec son père, rue Mâcon, entre les rues Saint-André-des-Arts et de La Harpe. Cette cohabitation et les rapports des deux hommes suscitent naturellement les commentaires : ce ne sont que conjectures contradictoires à partir d'anecdotes de caractère déjà légendaire (voir Pierre Laujon, *Œuvres choisies*, 1811, t. IV).

1733 : Crébillon, Collé et Alexis Piron, l'un des plus illustres des Bourguignons de Paris, fondent la Société des dîners du Caveau, chez Landel, au carrefour de Buci. Elle subsiste jusqu'en 1740 environ ; en font partie notamment : Crébillon père, Saurin père et fils, Gallet, Fuselier, Gentil-Bernard, Moncrif, Gresset, Duclos, le peintre Boucher, le chanteur Jélyotte, Rameau et son librettiste La Bruère, etc. Dans une longue *Épître à mon vieil ami Collé*, Saurin célébrera le temps du Caveau : alors Crébillon fils « ... sur les pas d'Hamilton,

> Marchait au temple de Mémoire [...]
> Et de notre âge enfin devenait le Pétrone,
> Comme son père fut le Sophocle du sien. »

Crébillon participe également aux « Dîners du bout du banc », chez Mademoiselle Quinault et le comte de Caylus. Chez le fermier général Le Riche de la Popelinière, il retrouve la plupart des amis du Caveau, en particulier Rameau qui est devenu entre 1727 et 1732 maître de musique de ce protecteur des arts (voir le *Jean-Philippe Rameau* de C. Girdlestone).

Il collabore à des recueils de chansons burlesques, de contes, de « variétés », composés et publiés par les sociétés mondaines qu'il fréquente.

1734 : Dans la quatrième partie du *Paysan parvenu* (approbation du 30 septembre), Marivaux répond à Crébillon dont *L'Écumoire* parodie le style de *La Vie de Marianne* (approbation de la deuxième partie le 15 janvier). Marivaux dut connaître en manuscrit le roman de Crébillon.

Fin novembre-début décembre : publication de *L'Écumoire ou Tanzaï et Néadarné*, Histoire japonaise, A Pékin, chez Lou-Chou-Chu-La... Scandale! Crébillon est accusé d'intervenir dans un conflit religieux et politique, tournant en dérision la Constitution *Unigenitus*.

7 décembre : lettre de cachet du Lieutenant général de police Hérault.

Mercredi 8 décembre : Crébillon est emprisonné au donjon de Vincennes. Le Parlement de Paris condamne *Tanzaï* à être brûlé par la main du bourreau.

Lundi 13 décembre : Crébillon est libéré sur intervention de la princesse de Conti.

Voltaire manifeste sa sympathie à l'égard de Crébillon qu'il connaît assez pour lui lire confidemment « certaine tragédie fort singulière » et « fort chrétienne » dont le succès est probable pourvu que le nom de l'auteur ne soit pas prononcé : il s'agit d'*Alzire*. (Voir lettre du 1er décembre.)

1735 : Au bas de la page 140 et dernière de la troisième partie de *La Vie de Marianne* figure cette note : « On imprime actuellement chez le même libraire les Égarements du Cœur et de l'Esprit, ou les Mémoires de Monsieur de Meilcourt. Première partie. » Or ce volume de *Marianne* est mis en vente par Prault fils en novembre (voir l'éd. de F. Deloffre, Garnier, p. XCIV).

Avec privilège du 3 décembre, approbation du 14 (le censeur complimente l'auteur d'écrire un roman où « les mœurs sont consultées ») et après enregistrement du 28, la première partie des *Égarements du cœur et de l'esprit* est publiée à la fin de décembre ou au début de janvier.

1736 : 6 janvier : le *Pour et Contre* de l'abbé Prévost rend compte de la publication des *Égarements*.

Vers le 15 août, Voltaire demande à Berger, son messager habituel auprès des Crébillon, des Bernard et des La Bruère, de remettre à Saurin le jeune et à Crébillon fils des copies de son *Ode sur l'ingratitude*. Il précise son intention : « Ils sont tous deux fils de personnes distinguées dans la littérature, que Rousseau a indignement attaquées. Ils doivent s'unir contre l'ennemi commun. »

1737 : Crébillon a commencé d'écrire *Le Sopha*, particulièrement destiné à l'« une des premières têtes de l'Europe »

(Lord Chesterfield) : dans une lettre de mai 1742, il parle
en effet de ce roman comme d'un ouvrage « composé il y a
près de cinq ans ». *Le Sopha* circule assez longtemps en
manuscrit avant d'être imprimé, ainsi que l'atteste une
lettre de Voltaire au libraire Prault du 21 juillet 1739 : « Si
vous voyez le père du Sopha je suis son ami pour jamais. »
C'est aussi l'époque où Crébillon écrit *La Nuit et le Moment*
et entreprend *Le Hasard du coin du feu* qui ne sera pas
terminé avant 1742 ou 1743 (allusion dans le texte à la
retraite de Prague, décembre 1742) : du moins les histo-
riens se rallient-ils en général à cette hypothèse; mais
peut-on exclure que Crébillon ait longuement conservé par
devers lui ses deux dialogues afin de les polir ?

1738 : Printemps : les seconde et troisième parties des *Égarements* sont publiées par Gosse et Néaulme à La Haye. Si
Crébillon s'est adressé à un libraire hollandais, c'est très
vraisemblablement en raison de « la proscription des
romans »; ce que le texte semble confirmer, puisque
Madame de Lursay a dans la seconde partie cette réplique :
« En vérité [...] ces mauvais petits livres-là devraient bien
être défendus. » (p. 158). Or la conversation porte sur une
« brochure détestable », une « première partie de je ne sais
quoi » : première partie des *Égarements* bien sûr.

1739 : Crébillon est de l'« Académie de ces Dames et de ces
Messieurs » et collabore aux œuvres collectives de la
Société du bout du banc : les *Étrennes de la Saint-Jean*, qui
seront insérées dans le Tome X des *Œuvres badines* du
comte de Caylus.
C'est sans doute vers cette époque que Crébillon entre en
relation avec Thomas Gray et Horace Walpole.

1741 : En octobre, Crébillon rencontre lord Chesterfield chez
Madame de Tencin.
Le Fanatisme (ou *Mahomet le prophète*) est représenté à
Lille. Le censeur, Crébillon père, a émis un avis défavo-
rable et Voltaire attribue l'interdiction aux menées des
jansénistes. Il faut lire au sujet de *Mahomet* et de Voltaire le
jugement que Chesterfield exprime dans une lettre à Crébillon fils du 26 août 1742 : « ce que je ne lui pardonne pas,
et qui n'est pas pardonnable, c'est tous les mouvements
qu'il se donne pour la propagation d'une doctrine aussi
pernicieuse à la société civile que contraire à la religion
générale de tous les pays ». (Voir le contexte dans la
Correspondance de Voltaire, Pléiade, II, 1205.) En associant
comme il le fait scepticisme philosophique et conservatisme
politique, Chesterfield savait-il pouvoir compter sur
l'approbation de son correspondant ?

1742 : Début février : publication du *Sopha*. « Les dévots crient ; cependant, jusques ici, on me laisse tranquille, et j'espère que plus mon livre paraît sérieux, moins le ministère songera à sévir contre. » (Lettre à Chesterfield du 23 février.)

22 mars : avec l'accord de Fleury, d'Aguesseau exile Crébillon à trente lieues de Paris. Prévenu par Sallé et le duc de Duras, Crébillon s'éloigne.

Avril-juillet : il séjourne vraisemblablement à Courbevoie, sollicitant sa grâce du lieutenant général de police, Feydeau de Marville.

26 juillet : dans une lettre à Chesterfield il avoue avoir « été longtemps sans vouloir ou pouvoir travailler » à cause des « platitudes » entendues sur son « dernier ouvrage » ; mais il s'est mis « à écrire et à continuer un petit roman, un peu historique, fort simple, et cependant écrit dans le style le plus majestueux ». Quel est ce roman en chantier ? S'agirait-il de *Ah quel conte !* donné pour « Conte politique et astronomique », qui est la suite du *Sopha* et sera publié si peu de temps après *Les Heureux Orphelins* que l'ouvrage — on le conjecture d'après les habitudes de travail de Crébillon — doit être préparé de longue main.

Lettre du 28 juillet à Feydeau de Marville : « J'allai à Paris, jeudi dernier (le 26) tête levée, grâces à vos bontés. »

Deux lettres de ce mois de juillet font discrètement allusion à la modicité des ressources de Crébillon.

1743 : Comme l'abbé Desfontaines a vivement attaqué l'Académie et, incidemment, Crébillon, celui-ci est chargé par son père d'intervenir auprès de Feydeau de Marville. Les *Observations sur les écrits modernes* sont « supprimées ».

Crébillon père fait des difficultés à Voltaire pour *La Mort de César*. Il lui en fera de nouveau en 1748 pour *Sémiramis*, au moment où il s'acquiert lui-même avec *Catilina* la faveur du Roi et de la Pompadour. Quoi que Voltaire prétende, entre les deux dramaturges, l'émulation ressemble diablement à de la rivalité.

1744 : Cette année-là probablement se nouent les relations de Crébillon et de Marie Henriette de Stafford. Selon Collé, celle-ci « est louche et d'une laideur choquante ; elle avait fait la connaissance de Crébillon chez Madame de Sainte-Maure. Cette fille, qui était dévote, et qui ne connaissait pas le monde, tomba subitement amoureuse de Crébillon, et n'en est pas encore relevée ; en sorte que malgré l'inégalité des conditions, elle a fait ce mariage, singulier chez nous, et commun en Angleterre. Sa famille a été cause qu'il n'a pas été tenu secret, par les mauvais propos que les parents de cette demoiselle répandirent sur Crébillon et sur elle, dans le temps qu'ils jouissaient des douceurs d'une fornication pure et simple. C'est au reste une bien bonne créature, fort douce, fort polie et ne manquant pas de sens ; elle n'est pas riche... » (*Journal*, I, 124 ; Collé écrit le passage cité en 1750.)

1745 : *Recueil de ces Messieurs* : Crébillon, Duclos, Maurepas, etc., y ont contribué ; sera incorporé aux œuvres de Caylus. C'est ici qu'il faudrait placer l'anecdote rapportée par Walpole (*Paris Journal*, december 1765) : Lady Mary Wortley Montague « came to Paris, wrote to younger Crébillon to offer to take him into keeping. [...] He was then engaged with Lord Staford's aunt whom he afterwards married, went to Lady Mary, but hesitated ; she bade him decide, for she had an officer waiting, whom she would dismiss if he would live with her ; he excused himself and she returned directly. » Mais Douglas A. Day (« Crébillon fils, ses exils et ses rapports avec l'Angleterre », *Revue de littérature comparée*, 1959) ne voit là qu'une « fabrication malicieuse », alléguant que Lady Mary « cette vieille extravagante », avait quitté Paris plusieurs années auparavant : faible argument puisque Walpole écrit justement qu'elle y revint tout exprès. On peut croire qu'à distance des lectrices passionnées imaginèrent le romancier à l'image de ses héros : confusion banale que n'excuse pas toujours la tentation amoureuse.

1746 : *Les Amours de Zeokinizul Roi des Kofirans* : il convient de n'attribuer cet ouvrage satirique, aux anagrammes transparentes, ni à Crébillon, malgré le nom de l'auteur (Krinelbol), ni à la Beaumelle (voir Claude Lauriol, *La Beaumelle*, p. 130-132).
Samedi 2 juillet : naissance d'Henry-Madeleine, fils de Crébillon et de Marie Henriette Stafford.

1748 : D'après le bureau de la librairie, Crébillon réside de 1748 à 1753 « rue basse du Rempart où demeurait le Prétendant ». Le « Prétendant » est Jacques III. Crébillon s'est-il rapproché de la communauté anglaise en exil regroupée dans certains quartiers de Paris ?
Mardi 23 avril : ce jour « Claude-Prosper-François Jolyot de Crébillon, âgé de quarante-deux ans, fils de Mre Prosper Jolyot de Crébillon et de défunte Marie-Charlotte Péaget, épousa à Arcueil, près Paris, haute et puissante dame

Henriette Marie de Staffort, âgée de trente-quatre ans... »
(extrait des registres de la paroisse d'Arcueil).

Publication des *Mémoires de l'Académie des Colporteurs* :
« Duclos, Crébillon et Voisenon ont aidé Caylus dans cette
dissertation burlesque », recueillie au tome X des *Œuvres
badines*.

Octobre-décembre : Voltaire s'agite pour faire interdire la
parodie de *Sémiramis* que Crébillon père a autorisée et que
certains attribuent à Crébillon fils. Cependant *Catilina*
triomphe à partir du 20 décembre.

1749 : 19 mars : dans une lettre adressée au lieutenant général
de police, Crébillon s'étonne que son père lui préfère un
Monsieur Rousseau pour le seconder dans ses fonctions de
censeur.

1750 : Mardi 27 janvier : mort d'Henry-Madeleine, l'enfant
de Crébillon et de Marie Henriette. Il avait été baptisé le
13 novembre précédent dans la maison de son grand-père
Crébillon.

10 août : selon l'abbé Raynal « Crébillon fils, le plus
voluptueux de nos écrivains se retire à Sens ». La Beaumelle était apparemment mal renseigné lorsqu'il écrivait à
son frère Jean : « Crébillon le fils est en Angleterre ; il a
épousé une riche Anglaise. » (14 juin 1750.) Le 4 septembre, Crébillon écrit lui-même au Président de Brosses :
« Le mauvais état de ma fortune, et le peu d'espoir que
j'avais qu'elle devînt meilleure, m'a obligé de m'établir à
Sens. »

1751 : Antoine Bret, autre Dijonnais et auteur comique,
passe par Sens et mentionne dans sa relation de voyage le
séjour en cette ville de Crébillon.

1751-1752 : Selon toute vraisemblable, Crébillon est, à cette
époque, le rédacteur de *La Bigarure* (*sic*), journal d'inspiration janséniste, publié à La Haye par Pierre Gosse (voir
notre article dans *Le Siècle de Voltaire*, Mélanges R.
Pomeau, I, p. 333).

1752 : Crébillon vient à Paris poser pour un portrait que
Walpole a commandé à Liotard. Comme on lui refuse la
copie qu'il en demande, il a, selon les termes de Walpole,
« the foolish dirtiness to keep it » (Lettre du 27 juillet).

1754 : Le couple Crébillon est installé à Saint-Germain-en-
Laye. Dans une lettre écrite le 18 octobre de Saint-Germain, Madame de Crébillon remarque que son mari n'est
pas « un favori de la fortune ».

La Beaumelle fréquente Crébillon « durant les séjours qu'il fait à Saint-Germain pour étudier les documents sur Madame de Maintenon fournis par le Maréchal de Noailles ». En juillet, ils se voient « tous les jours ». « La Beaumelle devint un familier du ménage Crébillon et il était dans les confidences de l'écrivain : il s'indignait des attaques de l'abbé de La Porte et de Fréron contre les deux premières parties des *Heureux Orphelins* et il avait lu les deux suivantes avant leur publication. » (Claude Lauriol, *La Beaumelle*, p. 370.)

Cette même année La Beaumelle publie sa *Réponse au Supplément du siècle de Louis XIV* dont les deux Crébillon se montrent fort satisfaits. En 1756, Crébillon fils est au nombre des souscripteurs des *Mémoires pour servir à l'histoire de Madame de Maintenon*.

Le 19 juin, Raynal annonce la publication des première et deuxième parties des *Heureux Orphelins*, le 20 juillet, celle des troisième et quatrième parties. Parce que Fréron a sévèrement critiqué le roman, la maréchale de Luxembourg obtient une brève suspension — du 28 juillet au 17 août — de l'*Année littéraire* (voir Jean Balcou, *Fréron contre les Philosophes*, et la *Correspondance littéraire* du 20 juillet).

Novembre-décembre : publication des sept premières parties de *Ah quel conte !* Dans la première, Crébillon donnerait un portrait satirique de Diderot : certains traits de Taciturne conviennent en effet à celui qui dirige l'*Encyclopédie* et vient d'écrire *De l'interprétation de la nature* ; mais surtout la curiosité malveillante du même personnage à l'égard des femmes rappelle l'enquête du Mangogul des *Bijoux indiscrets* : or l'auteur des *Bijoux* ne ménageait pas celui de *Tanzaï* et du *Sopha*.

A la fin de cette année 1754, Crébillon qui admirait Hamilton, et s'inquiétait du sort de ses manuscrits, n'aurait pu dissuader sa dernière héritière de les brûler par scrupule de piété ; aurait ainsi disparu entre autres papiers précieux, la suite des *Quatre Facardins*. Lescure rapporte cette tradition dans son édition des *Contes d'Hamilton*, mais sans la juger sûre ni probante.

1755 : Le 1ᵉʳ avril, Grimm annonce la huitième partie de *Ah quel conte !* Le 15 avril, Grimm note la publication de *La Nuit et le Moment* et ajoute : « il est vrai que cette production est beaucoup plus ancienne que les derniers ouvrages que Monsieur Crébillon nous a donnés. *Les Matines de Cythère* ont été composées immédiatement après *Les Égare-*

ments et *Le Sopha*, et ont eu jusqu'à ce moment une grande réputation à Paris, où l'auteur les avait lues à plusieurs personnes et dans plusieurs cercles. Il me semble que l'impression a diminué de beaucoup le cas qu'on en faisait... »

1756 : C'est en cette année vraisemblablement que mourut Madame de Crébillon.

1757 : Le vendredi 4 mars, Collé voit exécuter pour la première fois sa comédie *La Vérité dans le vin*. La représentation a lieu chez Madame de Meaux, Crébillon jouant le rôle de l'abbé Coquelet. Le vendredi 25 nouvelle représentation, suivie de celle de *Nicaise* : Madame de Meaux joua divinement [...] Crébillon m'étonna dans le rôle de Bartholin ». (Collé, *Journal*, II, 71 et 80.)

1758 : On doit situer en 1758 ou 1759 le fait rapporté par Casanova (*Histoire de ma vie*, Club français du Livre, V, 293) : auteur d'une épigramme politique, Crébillon aurait évité la Bastille en présentant son aveu à Choiseul sous le couvert d'un bon mot.

1759 : D'après une lettre de Thieriot à Voltaire, du 25 janvier, Crébillon, probablement introduit dans une place avantageuse, ne sait pas ménager ses relations avec le maréchal de Richelieu.

Il est nommé « censeur royal pour les belles-lettres ». Autour du fermier général Pelletier se réunit une société dans laquelle entrent Marmontel, Boissy, Suard, Lanoue, Saurin fils, Helvetius, Collé, Bernard, Crébillon, lequel y présentera Garrick, Sterne et Wilkes (d'après Laujon qui en fut lui-même).

Parallèlement, on voit se créer un nouveau Caveau : « Le président perpétuel de cette société était Crébillon fils nommé à l'unanimité » (voir les détails dans Laujon, qui raconte comment Baculard d'Arnaud et Fréron furent admis, ce dernier célébrant Crébillon autant qu'il l'avait critiqué).

Vers la même époque, Crébillon participerait également aux dîners du dimanche chez le chirurgien Louis : Sophie Arnould, entrée à l'Opéra en 1757, y vient prêter sa voix aux chansonniers.

Hume, admirateur de l'œuvre de Crébillon, va rencontrer celui-ci dans le salon de Madame Dupré de Saint-Maur où se réunissent entre autres de Brosses, Turgot, Helvetius.

1760 : L'Almanach royal fait figurer les deux Crébillon dans la liste des censeurs royaux :
« De Crébillon, rue des douze Portes au Marais. »
« De Crébillon fils, rue du Chantre. »

1761 ou 1762 : L.-S. Mercier, âgé de dix-neuf ans, rend visite à Crébillon père. Deux ou trois ans plus tard (il est né en 1740), il fait la connaissance de Crébillon fils : « Il était taillé comme un peuplier, haut, long, menu ; il contrastait avec la taille forte et le poitrail de Crébillon le tragédiste. Jamais la nature ne fit deux êtres plus voisins et plus dissemblables. Crébillon fils était la politesse, l'aménité et la grâce, fondues ensemble. Une légère teinte de causticité perçait dans ses discours, mais elle ne frappait que les pédants littéraires et les ennemis du bien public. [...] Il avait vu le monde ; il avait connu les femmes autant qu'il est possible de les connaître ; il les aimait un peu plus qu'il ne les estimait. Sa conversation était piquante ; il regrettait le temps de la Régence, comme l'époque des bonnes mœurs en comparaison des mœurs régnantes. Nos principes littéraires s'accordaient [...] Un jour il me dit en confidence, qu'il n'avait pas encore achevé la lecture des tragédies de son père, mais que cela viendrait. Il regardait la tragédie française, comme la farce la plus complète qu'ait pu inventer l'esprit humain. » (*Tableau de Paris*, X, 26.) Mercier raconte que dans toutes les tragédies Crébillon n'entendait par dérision s'intéresser qu'au capitaine des gardes ; il décrit ensuite longuement le censeur dans l'exercice de ses fonctions, un censeur compréhensif et courageux.

1762 : Atteint d'une syncope à la fin de 1761, Crébillon père est en janvier assez malade pour que son fils s'installe chez lui. Après avoir reçu les sacrements le 29 janvier, le malade connaît une rémission. Sterne conclut avec Crébillon un étrange pacte : les deux écrivains se sont mis d'accord pour faire valoir par la critique des indécences leurs œuvres respectives (Lettre de Sterne à Garrick du 10 avril). Crébillon entretient en effet de bons rapports avec Sterne, Wilkes, Chesterfield, Garrick, Hume, Walpole.
De nouveau très malade, Crébillon père reçoit l'extrême-onction le 14 juin. Il meurt le jeudi 17 juin à neuf heures du soir. Il est inhumé le 19 « sous les charniers » de l'église Saint-Germain. Par suite de l'opposition de l'archevêché de Paris, les comédiens font célébrer une messe solennelle à la mémoire du grand poète tragique à Saint-Jean-de-Latran, église de l'ordre de Malte.

Crébillon sollicite du marquis de Marigny l'autorisation royale « de faire faire pour feu Monsieur de Crébillon un tombeau par l'un de nos célèbres artistes » (Lettre du 28 octobre). En novembre, Marigny informe le demandeur de l'assentiment du Roi.

C'est aussi grâce à la protection du marquis de Marigny, frère de Madame de Pompadour et chargé du gouvernement des arts, que Crébillon se voit conférer la pension de deux mille livres dont son père était titulaire.

1763 : Mai : publication du dialogue *Le Hasard du coin du feu*. 17 septembre : Crébillon écrit à John Wilkes et le prie de l'aider à rentrer en possession des fonds qui devraient lui revenir d'Angleterre.

1765 : On trouve Crébillon à la reprise du *Comte de Warwick* de La Harpe à la Comédie-Française (9 janvier), dans la Société Pelletier où Garrick le rencontre (en mars), en compagnie de Hume et Walpole (chez lui, en décembre ; le 20, Walpole note : « With Mr. Hume to see Crébillon »). Le 23 mars, il se plaint à Prault fils de l'inexactitude de ce libraire fort réticent apparemment à s'acquitter des sommes qu'il doit et a promises à l'auteur.

1766 : Ainsi qu'il le souhaitait et à la demande du Président de Brosses, Crébillon est admis comme « membre non résident » à l'Académie des Sciences, Arts et Belles-Lettres de Dijon.

1767 : Nouvelle édition, corrigée et augmentée des *Lettres de la Marquise*.

Lettre du 27 avril : « J'ai fini à Longeville les lettres de ma *vertueuse duchesse* ; je vais me remettre à celles d'Alcibiade. Si je me détermine à faire imprimer les premières, vous apprendrez en les recevant, que j'en ai effectué la résolution : mais, ou je me trompe fort, ou elles ont encore besoin que je les revoie. A l'égard des épîtres de mon coquin de Grec, toutes avancées qu'elles sont, je crois qu'elles ne sortiront de mon portefeuille que les dernières, et puis, à propos de quoi se presser ? Il me semble que c'est toujours trop tôt qu'on se livre au public. »

1768 : Avec approbation du 8 mars et privilège du 30, les *Lettres de la Duchesse de *** au Duc de **** paraissent en octobre. Crébillon annonce le 23 novembre à David Hume et à John Wilkes l'envoi de « quelques centaines d'exemplaires » en Angleterre.

Le 12 novembre, Collé lit son *Andrienne* à Crébillon, « le
censeur le plus vrai et le plus rigide qu'[il] connaisse »
(*Journal*, III, 210).

La *Correspondance littéraire* propose en novembre une critique sévère jusqu'à la hargne des *Lettres de la Duchesse*.
Deux griefs principaux : le livre outrage les bonnes
mœurs ; il est écrit dans un « jargon inlisible ». Ce compte
rendu confirme ce que d'autres signes révélaient : Crébillon n'est pas en odeur de sainteté du côté de chez Grimm.

1769 : 28 août : « Dined at Mr. Fortescue's with Crébillon,
Lord Carmathen, Lord Kildare, and three French. » (Walpole, *Paris Journal*.)

1770 : Le 29 novembre, Crébillon donne son approbation
pour *Olinde et Sophronie*, drame héroïque de L.-S. Mercier. Quand la pièce est représentée, le public y découvre
des allusions à la politique du chancelier Maupeou : grand
succès. Des menaces pèsent sur Mercier ; de son propre
aveu, il est sauvé de tout désagrément par la « généreuse
fermeté » de son censeur.

1771 : *L'Avant-coureur* du 22 avril annonce que les *Lettres
athéniennes* sont en vente à Londres et à Paris.

4 novembre : représentation du *Bourru bienfaisant* de Gol-
doni qui a été lu et corrigé au Caveau.

1772 : Première *Collection complète des Œuvres de Monsieur de
Crébillon le fils*, Londres M DCC LXXII. L'édition est en
sept volumes et comporte un Avis de l'éditeur.

1774 : Jusque-là « censeur royal des belles-lettres », Crébillon « censeur de la police », est spécialement chargé du
théâtre. Le poste et la responsabilité sont plus considé-
rables (voir M. Marion, *Dictionnaire des institutions de la
France aux XVIIe et XVIIIe siècles*).

1775 : *L'Almanach royal* pour 1775 indique comme l'adresse
de Crébillon : « Rue Royale, barrière blanche, faubourg et
paroisse de Montmartre ».

6 janvier : représentation à la Comédie-Française de *Monsieur Pétau ou le gâteau des rois*, comédie d'Imbert, approu-
vée par Crébillon sous réserve que soient supprimés deux
vers jugés injurieux pour le défunt roi :

> « Il est des sages de vingt ans,
> Et des étourdis de soixante. »

Mademoiselle Luzi dit néanmoins les vers censurés.
Crébillon est suspendu de sa charge, mais se justifie :
ramenée de trois mois à huit jours, sa suspension est
annulée le 30 janvier.

18 mars : Crébillon approuve *Les Courtisanes ou l'école des mœurs*, pièce de Palissot refusée par les comédiens (ce qui est l'occasion d'un conflit : quelques pièces du dossier figurent dans les *Œuvres complètes* de Palissot, 1778, t. II). 14 mai : à la mort de sa tante, Jeanne Rosalie Péaget, Crébillon hérite de 5 000 livres. Il se constitue, sur un capital de 2 000 livres une rente annuelle et viagère de 250 livres.

1776 : Intéressant échange entre Besenval et Crébillon au sujet du roman du premier, *Le Spleen*. Besenval a repris son manuscrit, il signale ses insuffisances et demande conseil : « Je prie Monsieur de Crébillon de me traiter avec toute la sévérité de l'amitié. » Longue réponse d'un maître de l'art, qui demande cependant pardon de son « pédantisme précipité ». Relevons dans un paragraphe technique sur l'ordre du roman, opposé au désordre de la conversation : « Il est dans un livre, comme dans une pièce de théâtre, une génération de choses successives et filées, qui fait ce que l'on appelle "une belle ordonnance" ». Sur le style : « Le style dépend nécessairement de la pensée. » Septembre : « La pension qu'avait Monsieur de Sainte-Foix sur le *Mercure*, passe à Monsieur de Crébillon. Celui-ci abdique la censure de la police... » en faveur de Sauvigny. (*L'Almanach royal* de 1776 cite encore Crébillon comme censeur des belles-lettres et censeur de la police — rue Royale, barrière Blanche.)

1777 : *L'Almanach royal* donne comme adresse de Crébillon : « rue du Chantre, vis-à-vis l'hôtel du Saint-Esprit » (la rue du Chantre, perpendiculaire à la rue Saint-Honoré était à l'emplacement des anciens magasins du Louvre). Cet *Almanach* d'ailleurs avait été visé par Crébillon et non par le censeur autorisé, et il se révéla fautif, citant au même titre que les autres les magistrats du Parlement Maupeou. Le libraire Le Breton fut inquiété ; Crébillon, que l'on sache, ne le fut pas.

Vendredi 11 avril : « M. Claude Prosper Jolyot de Crébillon, Écuyer, Censeur royal, demeurant à Paris rue du Chantre, paroisse Saint-Germain-l'Auxerrois [...] en sa chambre à coucher, au second étage ayant vue sur la cour, au lit malade de corps, mais parfaitement sain d'esprit, mémoire et jugement [...] a fait, dicté et nommé aux notaires soussignés son présent Testament [...] Je prie Monsieur Collé mon ancien ami, Secrétaire des Commandements de Monseigneur le duc d'Orléans, de vouloir bien se charger de l'exécution de mon présent testament et d'agréer mon portrait (qui lui rappellera le souvenir de notre attachement mutuel), celui de mon père et mes manuscrits ensemble les différents traités et extraits et ouvrages quelconques — pareillement en manuscrits — quoique non achevés qui se trouveront dans ma succession. »

Samedi 12 avril à neuf heures du matin, mort de Crébillon. Averti par Denis Hamard, son domestique, un commissaire du Châtelet vient à dix heures apposer les scellés. L'enregistrement des « oppositions » formulées par les créanciers et l'inventaire des biens du défunt sont terminés le 10 mai (cet inventaire, fort instructif, est reproduit dans l'ouvrage de H.-G. Funke : l'abondance des toiles, dessins, gravures, manifeste notamment les goûts artistiques de Crébillon).

Dimanche 13 avril : Crébillon est inhumé en l'église Saint-Germain-l'Auxerrois, en présence de l'abbé de La Porte, de Collé, de Rulhière, de Bret. Chamfort note : « C'est une chose bien extraordinaire que deux auteurs pénétrés et panégyristes, l'un en vers, l'autre en prose, de l'amour immoral et libertin, Crébillon et Bernard, soient morts épris passionnément de deux filles. » (Éd. GF Flammarion, p. 273, n° 188.) On rapporte, en effet, que le poète Pierre-Joseph Bernard, âgé de près de soixante-trois ans, fut frappé de paralysie en février 1771, à la suite d'une partie de plaisir qui aurait excédé ses forces. Dès lors, et pendant plus de quatre ans, privé d'esprit et de mémoire, il n'aurait plus traîné qu'une mourante vie. Si la mort de Crébillon eut une cause pareille, Chamfort était à même de le savoir ; n'ajouta-t-il rien à la vérité de manière à parfaire la légende du libertin puni par où il a péché ? nous l'ignorons.

INDEX[1]

TABLE

TABLE